Tous Continents

Collection dirigée par
Anne-Marie Villeneuve

J'ADORE
NEW YORK

Catalogage avant publication de Bibliothèque et Archives nationales
du Québec et Bibliothèque et Archives Canada

Laflèche, Isabelle
[J'adore New York. Français]
J'adore New York
(Tous continents)
Traduction de: J'adore New York.
ISBN 978-2-7644-0754-7 (Version imprimée)
ISBN 978-2-7644-1006-6 (PDF)
ISBN 978-2-7644-1061-5 (ePub)
I. LaRue, Caroline. II. Saint-Germain, Michel. III. Titre.
IV. Titre: J'adore New York. Français. V. Collection: Tous continents.
PS8623.A358J314 2010   C813'.6   C2010-940051-8
PS9623.A358J314 2010

Conseil des Arts   Canada Council
du Canada   for the Arts

SODEC
Québec

Nous reconnaissons l'aide financière du gouvernement du Canada par
l'entremise du Fonds du livre du Canada pour nos activités d'édition.

Gouvernement du Québec – Programme de crédit d'impôt pour
l'édition de livres – Gestion SODEC.

Les Éditions Québec Amérique bénéficient du programme de subven-
tion globale du Conseil des Arts du Canada. Elles tiennent également à
remercier la SODEC pour son appui financier.

Nous remercions le gouvernement du Canada de son soutien financier
pour nos activités de traduction dans le cadre du Programme national
de traduction pour l'édition du livre.

Québec Amérique
329, rue de la Commune Ouest, 3e étage
Montréal (Québec) Canada H2Y 2E1
Téléphone: 514 499-3000, télécopieur: 514 499-3010

Dépôt légal: 2e trimestre 2010
Bibliothèque nationale du Québec
Bibliothèque nationale du Canada

Projet dirigé par Anne-Marie Villeneuve
Mise en pages: Andréa Joseph [pagexpress@videotron.ca]
Révision linguistique: Luc Baranger et Chantale Landry
Conception graphique: Nathalie Caron
Illustration en couverture: Izak @ Traffic Creative Management
Réimpression: avril 2013

Imprimé au Canada

J'ADORE NEW YORK

ISABELLE LAFLÈCHE

Traduit de l'anglais par Caroline LaRue
et Michel Saint-Germain

QUÉBEC AMÉRIQUE

*À mes parents
et à Patrice*

Le parfum d'une femme en dit bien plus
à son sujet que son écriture.

Christian Dior

Edwards & White

Edwards & White est l'un des plus importants cabinets d'avocats internationaux, avec 45 bureaux en Asie, en Australie, en Europe et en Amérique.

Notre bureau de New York est le plus dynamique et connaît une expansion constante ; il compte plus de 500 avocats et représente la pierre angulaire de notre réseau international.

Nous cherchons actuellement des candidats parmi nos avocats chevronnés et ambitieux pour pourvoir des postes au sein de notre équipe de New York. Les candidats choisis auront la possibilité de travailler à des mandats prestigieux que nous confient les sociétés les plus influentes du monde, les grandes institutions financières et les agences gouverne-mentales. Le bureau new-yorkais offre un climat de travail collégial, axé sur la collaboration et non sur la hiérar-chisation, ainsi que d'excellentes occasions d'avancement. Nous proposons une rémunération concurrentielle en plus d'une indemnité de déménagement généreuse.

CHAPITRE 1

« LE MASSACHUSETTS ! Où est passé le foutu dossier du Massachusetts ? »

Un homme de grande taille, cramponné à ses bretelles, arpente le corridor à longues enjambées, en ponctuant chacun de ses pas du nom d'un État. « Le New Hampshire ! » Il s'arrête devant une salle de réunion où des avocats enfouissent avec acharnement des liasses de papier dans des enveloppes. « Et le Maine ! Merde ! Est-ce que les documents pour le Maine sont prêts ? » Il reprend sa cadence, s'éponge le front avec un mouchoir, et passe la tête dans l'embrasure de la porte d'une autre salle de réunion où quelques associés semblent sur le point de s'effondrer sous le stress.

Je jette un coup d'œil dans la pièce et j'épie ce chaos en attendant l'adjointe administrative du bureau. Six jeunes avocats sont assis autour d'une grande table en acajou jonchée de tasses en polystyrène. Les hommes ont relevé leurs manches et desserré leur cravate, et les femmes ont retiré leur veste de tailleur. Ils semblent tous avoir été privés de sommeil depuis des semaines.

L'homme aux bretelles surgit dans l'ouverture de la porte. « ET OÙ SONT LES PUTAINS DE PAQUETS POUR LE DOSSIER DE LA CAROLINE DU NORD ? »

Les avocats s'escriment nerveusement à remplir les enveloppes sous son regard scrutateur.

« Qu'est-ce qui se passe ? » dis-je à un homme blond assis près de la porte, après que M. Bretelles est parti s'en prendre à son prochain groupe de victimes.

« Une enquête majeure. Nous présentons des requêtes auprès des autorités de réglementation des cinquante États. L'un de nos plus gros clients risque la prison. »

« Qui est le type aux bretelles ? »

« Harry Traum, chef du contentieux. Il est expert en défense de la criminalité en col blanc. »

« Oh ! »

« Un ancien général de l'armée, difficile à satisfaire, ajoute-t-il en murmurant. En passant, je m'appelle Alfred. Et vous ? »

« Catherine. J'arrive du bureau de Paris. »

« Magnifique, bienvenue à bord », dit-il à ma poitrine.

« Merci. »

Soulagée d'avoir accepté ma mutation au sein de l'équipe du droit commercial, je retourne à la réception où une femme d'âge moyen, à la chevelure rouge feu parfaitement coiffée et aux ongles assortis, m'attend avec une boîte de cartes professionnelles.

«Vous êtes sans doute Catherine. Bienvenue à New York. Moi, c'est Mimi, l'adjointe administrative. Vous aurez ce bureau, là-bas, dans le coin», dit-elle. Alors qu'elle pointe du doigt l'endroit désigné, une série de bracelets dorés s'agitent et étincellent à son bras.

«Un bureau d'angle avec vue panoramique?»

«C'est temporaire, ma chère.» Elle me donne une petite tape sur l'épaule. «C'est jusqu'à ce qu'un nouvel associé arrive et que votre bureau soit prêt. Personne n'obtient un bureau d'angle avant sa dixième année dans le cabinet. Mais ne vous inquiétez pas, avec le temps, vous en aurez un», ajoute-t-elle d'un ton de conspiratrice.

Je m'en veux d'être si naïve. Dans les grands cabinets juridiques, un bureau d'angle représente l'ultime symbole du succès, la carotte qu'on brandit au nez des avocats les plus ambitieux, qui trouvent valable de se faire suer pendant des années pour obtenir une vue panoramique, qui n'est en réalité rien de plus qu'un espace comme bien d'autres où facturer des heures supplémentaires. Est-ce que c'est puéril? *Oui.* Est-ce que j'en veux un? *Absolument.*

Nous marchons côte à côte et, à part la voix de Harry Traum qui résonne en arrière-plan, un silence de mort plane dans le couloir. Le décor minimaliste, les planchers de marbre et les tableaux contemporains donnent au bureau une ambiance froide et impersonnelle.

«Ici, on a tout ce qu'on veut», prévient Mimi en me faisant visiter les lieux. «Nous sommes arrivés au premier rang du sondage annuel de law.com sur les meilleurs milieux de travail, se vante-t-elle avec une voix de speakerine. On sert un petit-déjeuner complet tous les matins, un service de limousine est disponible jour et nuit, et tous les avocats voyagent en première classe.»

Elle tourne les yeux vers moi pour vérifier si je suis impressionnée.

Je hoche la tête sans rien dire, car j'avais les mêmes avantages à Paris.

«J'ai failli oublier de mentionner que nous avons récemment ajouté quelques éléments à la liste, y compris des services de conciergerie et une assurance sur les animaux de compagnie.»

Une assurance toutou? Quel avocat de ce cabinet a le temps de s'occuper d'un animal? Ça me semble aussi ridicule que d'offrir des services de garderie à un groupe de moines.

«Et nous avons récemment lancé un nouveau Programme "Amitié", grâce auquel on encourage les associés et les autres avocats à dire bonjour, merci et bonsoir aux avocats juniors. N'est-ce pas charmant?» s'exclame-t-elle, les yeux brillants d'excitation, comme si de tels gestes étaient extraordinaires.

Il est évident que je devrai m'ajuster ici à un nouveau jeu de règles sociales.

« Eh bien, voici votre bureau. Laissez-moi savoir si vous avez besoin de quoi que ce soit. En passant, j'adore votre accent français – il est adorable. »

Elle me serre chaleureusement la main.

J'ai à peine le temps de poser mon sac qu'on frappe à la porte.

« Catherine, *dah-ling, welcome to New York!* » Je lève les yeux : un Indien d'une beauté saisissante, vêtu d'un complet noir ajusté, se tient dans l'embrasure de la porte. Il a un teint doré rayonnant, une stature haute et svelte, et il parle anglais avec un accent très sensuel. Je reconnais instantanément Rikash ; nous nous étions parlé plusieurs fois alors que je travaillais sur un dossier pour le bureau de New York. Vu son penchant pour la haute couture française, on s'était instantanément lié d'amitié au téléphone, et j'avais sauté de joie en apprenant qu'il serait mon assistant à New York.

« Rikash ! Je ne peux pas croire que nous allons travailler ensemble ! Je n'ai jamais eu un mec comme assistant, surtout pas avec une peau plus belle que la mienne. »

« Je sais, n'est-ce pas merveilleux ? Tu es maintenant dans mon territoire de shopping ! Je brûle de t'emmener faire une virée en ville. »

« J'en ai très envie, moi aussi. Tu as tellement de goût. »

« Ah ! tu as bien raison ! »

« Tu te rappelles cette valise Goyard en édition limitée, que tu m'as fait acheter pour toi il y a quelques années, quand elle a été lancée? Je suis encore jalouse que tu en aies eu une.»

«Cette vieillerie? Tu peux la prendre, *ma chouette*. Elle est vraiment dépassée. À partir de maintenant, tout ce qui est à moi t'appartient, sauf les hommes, bien sûr.»

«Merci, j'en prends bonne note. Dis-moi, t'en es où avec ce documentaire?»

«Lequel? J'en ai entrepris quelques-uns dernièrement.» Ses yeux s'éclairent: de toute évidence, il est aux anges en voyant que je m'en souviens. Je suis ravie, moi aussi – j'aurai besoin de sa complicité pour survivre ici.

«Celui sur le travail des enfants en Inde.»

«J'espère qu'il sera choisi par un festival de films indépendants à Mumbai.»

«Vu ton talent, c'est assuré.»

«Je croise les doigts. Bon, si tu as besoin de quoi que ce soit, je le répète, de quoi que ce soit, tu n'as qu'à me le dire. Je suis toujours heureux de rendre service. À tout à l'heure.»

Une pirouette, et il retourne d'un pas léger vers la réception.

Je suis si excitée d'être ici que j'en frissonne de la tête aux pieds. J'avais attendu le moment idéal pour demander une mutation à New York, et il était enfin arrivé. Sur trente candidats en provenance des bureaux de l'étranger, seuls trois d'entre nous ont été retenus, et je suis la seule à avoir été assignée au droit commercial. Je suis déterminée à ne pas décevoir.

Une belle femme qui flirte avec la cinquantaine fait irruption, avec un aplomb redoutable. Une luxuriante tignasse châtain tombe en cascade sur ses épaules, et elle porte un magnifique tailleur en laine bouclette de couleur fuchsia. La coupe impeccable de sa veste épouse sa silhouette élancée et, question longueur, ma jupe a vingt-cinq centimètres de plus que la sienne. Elle a aux pieds la paire de Christian Louboutin en cuir verni noir, celle avec un talon doré de huit centimètres qui m'avait tant fait baver d'envie au cours d'une séance de lèche-vitrine à Paris avant mon départ.

« Bonjour, Catherine », dit-elle en m'inspectant de la tête aux pieds. Elle avance à grandes enjambées jusqu'à mon bureau et me serre la main avec une telle vigueur qu'elle m'écrase le petit doigt. « Bienvenue à bord. Je m'appelle Bonnie Clark. Je suis l'associée chargée des fusions et des acquisitions. C'est moi qui m'occupe du *vrai* boulot juridique ici. Ainsi, tu travaillais à notre bureau de Paris ? »

« Oui, je réponds, la main encore tout engourdie. »

« Qu'est-ce que tu faisais là-bas ? »

« Différentes choses : droit financier, droit des so… »

« J'espère que tu as de l'expérience en matière de fusions et d'acquisitions, dit-elle en m'interrompant. J'ai besoin de toi immédiatement pour une transaction. »

« Oui, bien sûr. »

« Excellent. Je vais te mettre à la tâche. »

Sans dire au revoir, elle sort de mon bureau d'un pas décidé. L'odeur puissante de son parfum Joy de Patou reste dans l'air.

∞

« En combien de temps peux-tu te rendre à l'aéroport ? »

« Pour aller où ? »

« Ne pose pas de questions, Catherine. Contente-toi de répondre aux miennes ! hurle Bonnie dans l'interphone. J'ai besoin que tu te rendes chez un client pour effectuer un contrôle diligent avant la conclusion d'une entente. »

« D'accord, aucun problème. Je vais passer chez moi prendre quelques affaires puis je file à l'aéroport. »

« Tu n'as pas le temps de passer nulle part ou de prendre quoi que ce soit, m'interrompt-elle avec impatience. Une voiture t'attend déjà en bas. »

Je jette un œil sur mon tailleur de tweed Tara Jarmon et mes escarpins noirs en cuir verni Roger Vivier et je me dis : « Bon, eh bien voici ce que je porterai durant les quarante-huit prochaines heures. » Tant pis, ce n'est pas la première fois qu'on me fait le coup, et ce ne sera pas la dernière.

Elle a raccroché sans fournir le moindre détail sur ma destination ou sur le mandat en question. Puis sa voix retentit à nouveau dans l'interphone.

« C'EST MON PLUS GROS CLIENT, ALORS NE FOUS PAS TOUT EN L'AIR ! TU M'ENTENDS ? »

Elle m'aurait giflée et j'aurais eu la même sensation. Comme c'est charmant.

Rikash arrive en trombe dans mon bureau avec un itinéraire de voyage, un BlackBerry et un regard désespéré.

«Tu t'en vas à Booneville, ma chérie. Nutron est le plus grand producteur d'acier au pays et l'un des clients les plus importants du cabinet; ses patrons veulent acquérir une société qui s'appelle Red River Steel Mills. Voici tous les renseignements dont tu as besoin.»

Il laisse tomber un énorme classeur sur mon bureau.

Mes doigts parcourent les différents onglets et font tourner rapidement les pages. Me voici devant un défi de taille et j'en rougis de plaisir. Je ressens toujours un grand flot d'adrénaline quand je travaille sur des projets d'acquisition de haute voltige. Avec celui-ci, je crois que je serai bien servie.

«Écoute ma belle, il faut que tu ac-cé-lères, sinon tu vas rater ton vol. Tu décolles dans moins de deux heures, et à cette heure-ci, le trafic est lourd. ALLEZ, FILE !!!» m'ordonne-t-il en me poussant hors de mon bureau et en me tendant une trousse de toilette en toile noire.

«C'est le nécessaire de voyage du cabinet pour les déplacements de dernière minute.»

J'y jette un coup d'œil: déodorant et crème hydratante Kiehl, pâte dentifrice et rince-bouche Tom's of Maine, gel douche et shampooing Bulgari, et un petit flacon d'eau de toilette Jo Malone au pamplemousse ; le tout en format d'essai.

«Zut, je n'ai pas de sous-vêtements propres à apporter.»

Je grimace à l'idée d'acheter une culotte dans un bled appelé Booneville… Je n'achète jamais mes dessous dans un magasin où je peux aussi trouver du détergent pour récurer la cuvette, de la bouffe pour chiens et des boîtes de thon.

«Dans ce cas, n'en porte pas, c'est tout. Tu seras la fille la plus populaire en ville!» lance Rikash avant que les portes de l'ascenseur se ferment.

Je descends dans la 42e rue. Comme aucune voiture ne m'attend, je décide de héler le premier taxi qui passe. Une femme y monte en même temps que moi de l'autre côté.

Nous voilà assises toutes les deux à se regarder fixement.

«Qu'est-ce que vous faites là? Sortez de mon taxi!» aboie-t-elle en avançant son nez à cinq centimètres du mien.

Quel manque de classe! Outrée, j'essuie le postillon qu'elle m'a craché sur la joue et je redescends sur le trottoir.

Une Lincoln noire s'arrête devant moi. Le chauffeur me fait un signe de la tête et s'extirpe de la berline. Sans dire un mot, il m'ouvre promptement la portière pour me laisser monter. La radio diffuse du classique. L'intérieur de la voiture est d'une propreté irréprochable ; il n'y a pas la moindre trace de l'occupant précédent. Je pousse un soupir et je plonge la tête dans le cartable posé sur mes genoux.

Je vois le panneau annonçant l'entrée du Holland Tunnel lorsque la voiture s'arrête dans un long crissement de pneus.

« Excusez-moi, madame. Je crois bien que nous avons crevé. »

« Quoi ? C'est une blague ? » Prise de panique, je regarde ma montre avec nervosité. Arriver à l'aéroport à temps pour attraper mon vol tenait déjà du défi ; c'est maintenant mission impossible. Mon cœur bat la chamade. Je prends quelques bonnes respirations pour tenter de me calmer. Les mots de Bonnie rejouent en boucle dans ma tête : *Ne fous pas tout en l'air...* J'imagine sa réaction quand je vais lui annoncer que j'ai raté le seul vol à destination de Booneville, et je n'ai vraiment pas envie de me taper ça. J'ai beau me répéter *calme-toi, calme-toi*, je sens malgré moi la sueur imbiber le seul et unique chemisier que j'aurai à me mettre durant les jours à venir.

« Non, madame, ce n'est pas une blague. »

Il sort de la voiture et en fait le tour à petits pas pour examiner la situation.

« Le pneu est complètement à plat. Je suis désolé. Vous pourrez peut-être prendre le prochain vol ? »

« Il n'y a pas d'autre vol pour aller là où je vais ! »

J'attrape d'une main mon porte-documents qui déborde de dossiers, de l'autre le sac de mon ordinateur portable, et je m'élance dans le trafic perchée sur mes talons de huit centimètres.

«Vous êtes folle! Vous allez vous faire tuer!»

Je préfère mourir écrasée par une voiture que mourir d'humiliation.

Je lève le bras et hèle un taxi qui roule trois voies plus loin. Le chauffeur me fait signe et évite de justesse un accrochage avec sept voitures pour arriver jusqu'à moi, provoquant une cacophonie de klaxons.

«L'aéroport de Newark. Faites vite, s'il vous plaît. Je suis *très* en retard.»

«Sans problème, ma chère. Cramponnez-vous.»

Il écrase l'accélérateur. Je m'agrippe à la poignée de maintien judicieusement fixée sous la fenêtre. Le chauffeur zigzague dans la circulation et se faufile devant chaque voiture par la voie de droite, provoquant chaque fois un nouveau concert de klaxons. Je ferme les yeux pour tenter de contenir mon angoisse. Cela vaut-il la peine de mourir pour un vol à destination de Booneville? À cet instant précis, il semble que oui. Prise d'un mélange de panique et de nausée, j'ouvre la fenêtre pour respirer un peu d'air tout en me couvrant la bouche pour maîtriser mon mal des transports.

C'est avec le cœur prêt à exploser que j'arrive au guichet de la compagnie aérienne, trente minutes avant mon vol. À mon grand désarroi, l'agente m'avise qu'il est trop tard; la période d'enregistrement pour ce vol est terminée.

«N'êtes-vous pas au courant du règlement sur le transport aérien ? Vous devez vous présenter ici au moins deux heures à l'avance. »

« J'en suis tout à fait consciente, mais le taxi a eu une crevaison sur l'autoroute. Je vous en prie, je *dois* prendre ce vol. »

« Je regrette. Vous allez être recalée et enregistrée sur le prochain vol, qui part demain. »

Pendant cinq bonnes minutes, j'argumente et je la supplie. J'ai même (à peine) feint une crise de nerfs. Je n'ai jamais eu la rage de l'air, mais durant ces trois cents secondes qui me parurent interminables, je me suis très clairement imaginé frapper cette emmerdeuse avec ma mallette d'avocate, qui pèse au moins deux tonnes, en lui criant : «Voyons maintenant laquelle de nous deux va se faire recaler ! »

Après quatre ou cinq autres minutes de grands effets théâtraux, elle finit par me tendre une carte d'accès à bord.

Je cours à toutes jambes jusqu'au poste de contrôle de la sécurité. Le premier agent que je rencontre confisque mon nouveau flacon de parfum *J'Adore* de Dior, que ma mère m'a offert avant mon départ de Paris. Je veux bien admettre ma tendance à appuyer un peu fort sur le vaporisateur, mais je n'ai jamais entendu parler d'une mort par asphyxie causée par un excès de parfum. Furieuse, je rends ma présumée arme fatale.

Le second préposé à la sécurité examine mon passeport français et me jette un œil soupçonneux. Je fais semblant de l'ignorer et je place mon ordinateur portable sur le tapis roulant de l'appareil de contrôle, tout en faisant de mon mieux pour retenir ma mallette d'une main et, de l'autre, mes articles-personnels-archi-indispensables-qui-doivent-être-à-ma-portée-en-tout-temps. Je dois avoir l'air d'un épouvantail qui vient de se faire secouer par une tornade. Selon Rikash, Bonnie utilise les services d'une entreprise de buanderie et de nettoyage haut de gamme qui s'occupe d'expédier ses tailleurs chics vers n'importe quelle grande ville; ainsi, elle peut voyager sans s'abaisser à enregistrer des bagages comme le reste de la plèbe. Je l'imagine se pointant à l'aéroport dans un tailleur tiré à quatre épingles, fraîche comme une rose et soigneusement coiffée, l'air de Carla Bruni Sarkozy en voyage officiel à titre de première dame de France. La grande classe, quoi. Eh bien, à voir mon front qui pisse la sueur et l'état pitoyable de ma coiffure et de mon tailleur, il faut croire que je suis bien loin de cette réalité. Et j'en suis verte de jalousie.

Je lutte encore avec ma mallette lorsque mon BlackBerry sonne.

«Catherine, t'es où?»

«Bonjour Bonnie, je suis sur le point de passer la sécurité. Je peux te rappeler?»

«Non. J'ai le client à l'autre ligne et je dois lui confirmer que tout se passe comme prévu et que tu seras à l'heure.»

Le préposé à la sécurité me fusille d'un regard acéré. «Mademoiselle, votre téléphone.»

« Bonnie, je dois y aller. »

« Dis à cet imbécile de préposé que ton appel est cent mille fois plus important que sa sécurité de merde ! »

J'inspire profondément pour contenir une réaction qui pourrait entraver mon plan de carrière.

« Tout se passe très bien jusqu'à maintenant et, oui, mon vol est à l'heure. »

« Bon, alors débrouille-toi pour que ça continue comme ça. »

Je tends mon téléphone au préposé qui, exaspéré, soupire bruyamment, roule des yeux et le jette dans le bac en plastique.

Après le décollage, je me remets rapidement à la lecture des documents du classeur. Effectuer un contrôle diligent est un processus au cours duquel des avocats fournissent à d'autres avocats des quantités tellement massives d'informations et de papiers que ni eux ni leurs clients ne comprennent l'étendue du gâchis dans lequel ils se fourrent. D'un point de vue pratique, ça représente plusieurs journées interminables à passer en revue des documents juridiques, dans une salle de documentation poussiéreuse située dans un parc industriel, au beau milieu de nulle part, sans fenêtres, sans ventilation et, apparemment, sans sous-vêtements propres. Au cours des six dernières années, j'ai développé une étrange aptitude à examiner en un temps record des quantités prodigieuses de documents, et à les résumer en quelques lignes. Cette affectation n'est pas différente des autres mandats de contrôles diligents auxquels j'ai travaillé à Paris, et j'espère qu'elle me permettra de faire la preuve de mes talents auprès de Bonnie.

Je lis rapidement quelques pages avant d'être interrompue par une femme qui me frôle : elle porte – quelle horreur – un survêtement couleur corail, en tissu-éponge, et de gros souliers de course blancs. Poussant cet accoutrement au comble du mauvais goût, le pantalon molletonné, trop petit d'au moins deux tailles, révèle des bourrelets de cellulite sur les cuisses. Pourquoi est-ce que certaines Américaines font-elles autant de tort à leur apparence ? Je brûle d'envie de lui tendre un flacon de gel minceur *Elancyl* pour l'aider à gérer ses problèmes de circulation souscutanée. Hélas, tout ce que j'ai à portée de la main, c'est la trousse de voyage du cabinet, qui ne contient aucune crème anticellulite. À mon retour, je devrai dire à Rikash de faire provision de produits de toilette *importants*.

Je détourne les yeux de ce spectacle d'épouvante sur fond de velours et poursuis ma lecture ; je n'ai plus que trois heures pour revoir tout le contenu d'un classeur de douze centimètres d'épaisseur. J'enfonce les écouteurs de mon iPod dans mes oreilles pour étouffer le bruit et me concentrer sur la table des matières ; le rapport annuel de Red River, ses plus récents documents de divulgation, ainsi qu'un questionnaire de diligence raisonnable. Ce dernier compte quinze pages et énumère tous les documents que je devrais trouver dans la salle de documentation. Je fais rapidement des annotations dans les marges, et je les classe en ordre d'importance.

Par le minuscule hublot, je contemple la silhouette de Manhattan qui s'amenuise, et j'imagine les occupants des appartements dans ces luxueux gratte-ciel : des entrepreneurs et des professionnels prospères qui ont fort probablement travaillé d'arrache-pied pour se les payer. L'idée d'être enfermée treize heures par jour avec des caisses de documents dans une petite salle qui sent le renfermé à coller des notes adhésives sur des dossiers manque carrément de prestige, mais je garde la tête haute. Peut-être qu'un jour, lorsque je serai devenue une associée, je vivrai moi aussi dans l'un de ces édifices vertigineux. Cette pensée m'enthousiasme.

∞

Une Cadillac Escalade m'attend à l'aéroport. Je n'ai jamais pris place dans une voiture de cette taille ; je jure qu'elle pourrait me servir de résidence secondaire. À côté de ce paquebot juché sur quatre roues se tient une femme toute menue, vêtue d'un pantalon de flanelle gris et d'un ensemble coordonné pull et cardigan rose fuchsia, qui tient un carton sur lequel mon nom est écrit en caractères gras. Elle est très blonde, ses cheveux sont crêpés très haut, et ses ongles sont très mauves.

« Catherine, c'est vous ? » s'écrie-t-elle joyeusement avec un fort accent du Sud.

Je hoche la tête pour acquiescer. Elle bondit vers moi.

« Je suis siiiii contente de te rencontrer, mon chou ! Mon nom est Jacqueline ; je suis la secrétaire du chef du contentieux ! »

« Tout le plaisir est pour moi ; je suis bien contente d'être là. »

J'essaie de monter dans l'auto avec mon étroite jupe fuseau et mes talons hauts. Jacqueline me pousse doucement aux fesses pour que je puisse vraiment grimper sur le siège arrière. Le chauffeur manœuvre d'une main le levier de vitesse et, de l'autre, tient malhabilement un café de la taille d'un tonneau. Alors qu'il s'engage sur l'autoroute, il contrôle le volant avec son coude tout en sirotant sa tasse gigantesque, et en accélérant comme un dingue. La voiture empeste le tabac, et nos deux heures de route dans la chaleur intense me donnent envie de vomir ; ce malaise est intensifié par le parfum bon marché et le bavardage incessant de Jacqueline.

Au siège social de Red River, Jacqueline m'emmène au poste de contrôle de la sécurité pour obtenir un badge d'accès, processus pénible qui inclut une prise de photo. Je ne suis pas d'humeur à poser, mais je fais de mon mieux pour sourire à l'objectif. Le résultat : j'ai une tête de criminelle qui vient d'entrer au poste de police.

Nous prenons l'ascenseur pour descendre au sous-sol où un long corridor sombre mène à une salle grise et morne. Des dizaines de caisses sont empilées jusqu'au plafond. Je suis prête à passer à l'action.

Une voix grave retentit dans tout le sous-sol. « Salut, je m'appelle Rob. Chef du contentieux de Red River Steel Mills. »

Un homme costaud, cheveux noirs, se tient debout à l'entrée de ce donjon. Il arbore un complet vert mousse, une chemise violette et une cravate assortie, de même qu'une expression sinistre et maussade.

« Salut, Rob. Je m'appelle Catherine. »

« Oui, c'est ça. » Il m'examine comme l'a fait Hannibal Lecter à sa première rencontre avec Clarice. « Alors, tu es venue nous espionner, hein ? »

Quelque chose me dit que ce charmant juriste est sur le point de rendre infernales mes prochaines journées.

« Je ne dirais pas exactement que c'est de l'espionnage, mais une procédure tout à fait banale quand on s'achemine vers une acquisition. »

« Je me méfie beaucoup des gens qui viennent scruter à la loupe nos informations hautement confidentielles. Il s'agit d'importants secrets commerciaux. »

« C'est d'autant plus amusant. » J'essaie d'alléger l'ambiance. « En principe, je ne vous embêterai pas trop longtemps. Une fois que vous m'aurez montré où les choses sont entreposées, Jacqueline pourra m'aider à faire les photocopies et tout sera réglé assez rapidement. »

En une fraction de seconde, son air passe de « pas-très-heureux » à « dégoûté ».

« Tout d'abord, *je* n'ai pas le temps de t'aider à consulter ces documents. Deuxièmement, les photocopies ne sont pas permises. Jacqueline restera ici avec toi, parce que je veux qu'elle s'assure que tu ne prendras rien. *Rien* ne quittera les lieux. » Sa voix passe abruptement à un ton diaboliquement joyeux. « Mais elle peut t'apporter du café, si tu veux. Ici à Red River, le café est gratuit pour tout le monde. »

Je les fixe intensément, à la fois abasourdie et outrée. Même si je peux résumer les conditions précises d'un contrat en quinze minutes pile, ça, c'est un peu beaucoup. Comment puis-je m'en tirer rapidement sans faire de photocopies ? J'inspire profondément et me rappelle que ce projet est ma chance de gagner le respect de Bonnie.

« Mieux vaut commencer tout de suite, alors. »

Mon téléphone sonne. C'est Bonnie.

« Catherine, où en es-tu ? »

« Je n'ai pas encore commencé. »

« Qu'est-ce que tu attends ? »

« Je viens tout juste d'arriver. Sais-tu que je ne peux photocopier aucun des documents ? »

« Tsss. Bien sûr, c'est une pratique courante. Tu as déjà fait ça, non ? »

« Oui, mais en France, la pratique courante est de photocopier. Je pense que tu ferais mieux de m'envoyer du renfort. Sinon, il me faudra une éternité pour finir tout ça. »

« C'est hors de question, Catherine. D'après toi, pourquoi te paie-t-on si grassement ? Tu n'es plus au pays des merveilles ; reviens à la réalité, ma chère Alice. »

C'est vrai. Je suis plutôt dans un bled minable, loin d'un conte de fées.

«Bon, d'accord, je vais faire de mon mieux pour terminer rapidement.»

Au bout de six longues heures de pénible transcription de notes de divers contrats sur un bloc jaune, Jacqueline s'approche de ma table.

«Prendrais-tu un café? Ici à Red River, le café est gratuit pour tout le monde.»

Un coup d'œil rapide à sa tasse de porcelaine révèle un liquide brunâtre, dilué et d'allure grossière.

«Non, merci.»

«As-tu l'intention de rester tard, Catherine?» Le maquillage de Jacqueline commence à couler et des mèches de sa coiffure volumineuse retombent ici et là.

«Je vais probablement continuer pendant encore cinq ou six heures. Tu peux rentrer si tu veux.»

«Ah non, j'ai reçu des ordres très stricts; je dois rester avec toi en tout temps.»

Ne sachant pas si je dois avoir pitié de moi ou de Jacqueline, je recommence à prendre des notes. Quant à Jacqueline, après avoir acheté tous les articles et vêtements qu'on puisse trouver en ligne et joué quelques dizaines de parties de solitaire sur son ordinateur, elle bafouille à ma grande surprise: «Bon, je pense que je vais rentrer.»

«Tu en es sûre? Je croyais que tu devais rester ici pour me surveiller?»

«Non, ça va, je pense que tu es une bonne fille. Et puis, nous avons des caméras partout», dit-elle après m'avoir lancé le sourire diabolique qui fait la marque de Red River. « N'oublie pas de te resservir ; je viens de te préparer une cafetière. »

Après son départ, je me précipite vers la machine distributrice, à la recherche de quelque chose qui me tiendra éveillée pendant les prochaines heures et qui n'a pas le goût de café à l'eau. Je choisis une cannette de Coca-Cola pour éviter de tomber dans un profond coma. Bourrée de caféine, je suis prête à passer quelques heures de plus dans le donjon.

J'attaque une boîte placée dans un coin à l'autre bout de la salle, que je n'avais pas vue auparavant. J'examine d'abord une ancienne correspondance, puis je tombe sur une chemise de classement vert foncé, d'allure assez banale. Elle renferme des lettres jaunies qui datent de vingt ans, une correspondance entre la haute direction et le syndicat de la compagnie. Je les passe rapidement en revue jusqu'à ce qu'une feuille de papier d'un blanc éclatant attire mon regard. Bizarre. Qu'est-ce que c'est ?

Je retire une page de la chemise et je suis choquée par ce que je découvre : une lettre datée d'il y a environ un mois, imprimée sur du papier à entête de la Securities and Exchange Commission[1], alléguant que les cadres de Red River ont commis une fraude en antidatant des options sur titres. Oh là là ! C'est géant ! Je parcours le reste de la lettre : il y a une autre allégation de fraude contre le PDG

---

1. Securities and Exchange Commission (SEC), c'est-à-dire l'organisme fédéral américain de réglementation et de contrôle des marchés financiers. (Ndt)

et le directeur financier, pour avoir tenté de camoufler le plan d'options sur titres.

Je prends des notes, puis je replace discrètement la lettre dans la chemise. Je jette un coup d'oeil à ma montre, il est presque cinq heures du matin à New York. Que faire ? Après avoir fixé mon téléphone pendant plusieurs minutes, je compose le numéro de Bonnie et elle bondit sur la ligne.

« Il vaut mieux que ce soit important. » Je reconnais le bruit d'un tapis de course en arrière-plan.

« J'ai trouvé une lettre de la SEC datée d'il y a un mois, alléguant que le PDG et le directeur financier ont commis une fraude. »

« *OH MY GOD !* » La communication est coupée.

Je retourne à la salle de documentation et ma nervosité s'accroît de seconde en seconde, alors que j'attends anxieusement d'autres instructions de Bonnie, qui n'arrivent pas. Mon chemisier est ruisselant, et je me sens comme un morceau de camembert infect. Je vais aux toilettes des dames avec ma trousse de voyage, je prends une grande lampée de rince-bouche et j'avale quelques comprimés d'aspirine pour calmer un mal de tête lancinant. Assise sur le comptoir, je suis en train de tamponner mon chemisier de soie avec du déodorant Kiehl pour en couvrir les taches, lorsque Jacqueline arrive en courant, en larmes et à bout de nerfs. Elle me saisit par le bras et me traîne jusqu'à l'entrée du rez-de-chaussée où un gardien de sécurité m'escorte hors de l'édifice comme si c'était *moi* qui avais commis un crime.

Un taxi m'attend. J'imagine que la Cadillac Escalade est maintenant hors de question.

Je remercie Jacqueline pour sa chaleureuse hospitalité avant de disparaître vers l'horizon.

À bord de l'avion, je commande un verre de champagne pour célébrer. Je suis épuisée, mais je rayonne de fierté ; je viens d'épargner au plus gros client du cabinet des millions de dollars lors de ma toute première journée de travail. Mieux encore, je peux établir une facture pour chacune des douze dernières heures. Lorsque je vais revenir au bureau, je tiens pour acquis que Bonnie me remerciera d'avoir bien accompli ma tâche. Peut-être qu'elle mentionnera même mes chances de devenir associée de la firme.

Ce n'est pas ce qui se passe.

Bienvenue à New York.

CHAPITRE 2

« Pourquoi n'es-tu pas à la réunion hebdomadaire sur les fusions et acquisitions ? » s'écrie Bonnie dans mon interphone. Deuxième jour au boulot, premier jour au bureau.

« Pardon, la quoi ? »

« T'es en retard. Descends ici tout de suite ! » hurle-t-elle avant de couper la communication.

Je passe cinq bonnes minutes à retrouver Rikash pour qu'il me dise où a lieu la réunion, puis quinze autres minutes à chercher désespérément la salle de conférence dans un labyrinthe de cloisons et de bureaux avant d'y arriver, à bout de souffle. En me faufilant discrètement par la porte, je baisse les yeux et remarque que mon bas a filé sur toute la longueur de la jambe gauche. Merde ! Dans la salle de réunion, un groupe d'avocats au regard agressif écoute attentivement Bonnie, qui dessine une série de graphiques sur un tableau blanc. Elle me jette un œil mauvais, alors que je glisse les pieds de côté dans une tentative de déplacement latéral pour éviter de montrer la maille filée de mes bas de nylon à tout le groupe.

«ABC Acquisition Corp., une filiale de Pear Partners, a annoncé son intention d'acquérir des actions de Bella, Inc., et de China Entreprises, Inc. Nous représentons ABC.»

Elle dessine un carré bleu pour chaque entité juridique et les relie par des lignes rouges pour montrer leurs affiliations. «Bella détient également 45 % de Bingo Industries, et China est un holding qui possède 55 % de Bella.» Elle pointe le tableau tout en rejetant ses cheveux en arrière, comme les femmes dans les publicités de shampooing. Je l'imagine murmurer langoureusement: «Ne m'en veuillez pas d'être belle», comme dans ces vieilles pubs télé. Se penchant légèrement vers l'avant pour lire ses notes, elle révèle avec stratégie un impressionnant décolleté, mis en valeur par son soutien-gorge de dentelle noire, trop petit d'une taille. Je suis sidérée, mais les avocats dans la salle sont ravis.

Dix carrés bleus et vingt-cinq lignes rouges plus tard, je m'aperçois que, dans ma hâte d'arriver à temps à la réunion, je n'ai rien apporté pour prendre des notes. Je tire de mon sac à main un vieux relevé de carte de crédit et je commence à dessiner des carrés et des triangles semblables à ceux du tableau avec mon crayon à lèvres. Zut! Manque d'espace! Je fouille dans mon sac le plus discrètement possible, en tentant de cacher mes gribouillages avec mon bras gauche. À la fin de la réunion, j'attends que tout le monde soit sorti de la salle avant de courir aux toilettes pour enlever mon collant abîmé.

Me voilà soudainement prise d'anxiété. Mettre au point des acquisitions très en vue est l'une des principales raisons pour lesquelles j'ai demandé d'être mutée à New York. Or, je constate maintenant que travailler à ces projets avec Bonnie peut comporter certains défis. J'ai intérêt à lui montrer de quoi je suis capable, et ce n'est pas en prenant des notes avec un crayon à lèvres que je parviendrai à l'impressionner.

De retour à mon bureau, un mec entre en trombe : allure tendue, yeux sombres et cheveux noirs bouclés. Chemise lavande et boutons de manchettes assortis, il croule sous une pile de classeurs et de documents.

« Tu es sans doute Catherine. Voici des dossiers auxquels tu dois t'atteler tout de suite. »

Alors qu'il se rapproche, ses yeux rencontrent les miens. Je suis frappée par l'intensité de son regard et le contraste avec ses traits doux et enfantins.

Oh là là… Je pourrais passer bien des heures à le regarder dans les yeux. Je pince mes lèvres rehaussées de *gloss* en lui faisant des yeux de biche à la Amélie Poulain. Puis, je me ressaisis. Garde ton sang-froid, Catherine, et concentre-toi !

Ce doit être Antoine. Au cours de mon entrevue, Scott, le directeur du droit commercial, a mentionné que j'allais reprendre les dossiers d'un avocat sur le point d'être muté au bureau de Paris. Pendant une fraction de seconde, je m'en veux d'avoir quitté la France.

« C'est pour toi. » Il me montre une énorme reliure qu'il dépose sur mon bureau. « C'est une collection de précédents que j'ai préparée. Elle contient tous les types de documents que des clients peuvent demander, et je les ai séparés par nom de client, type et date. »

Il me suffit de jeter un regard rapide sur la reliure pour constater que c'est, en effet, un grand chef-d'œuvre juridique. Des résumés parfaits de chaquè document sont méticuleusement placés entre des onglets de couleur. Il est clair que je succède à un as et que la marche est haute.

« De plus, voici un exemplaire de la *Loi sur les valeurs mobilières*. Je te conseille de la lire le plus tôt possible. Ce sèra ton outil de travail quotidien. »

Lire *toute* la *Loi sur les valeurs mobilières*? J'ai la nausée à la seule pensée de devoir parcourir plus d'un millier de pages de menus détails juridiques. Déjà du retard à rattraper !

Au moment où il place cette brique entre mes mains, la voix d'une femme retentit dans l'interphone.

« Antoine, il y a un appel de la SEC sur la une. Le directeur des inscriptions veut te parler. C'est urgent. »

« Place-le en attente. J'arrive. » Sans dire un mot de plus, il sort de mon bureau en courant.

J'imagine qu'il n'a pas reçu la note de service du Programme « Amitié » qui recommande de dire bonjour et au revoir.

Je passe en revue les effets de la visite d'Antoine, lorsque Mimi appelle.

« Avez-vous des questions sur le système de facturation ? »

Ayant travaillé pour le cabinet pendant six ans, je suis déjà extrêmement au fait des formidables exigences concernant les heures facturables. L'économie des grands cabinets va un peu comme suit : en tant qu'avocat, on reçoit un salaire qui représente environ le tiers de ce qu'on génère comme heures facturables, un autre tiers sert à payer les dépenses du cabinet, et le dernier tiers va dans les poches des associés, ce qui explique pourquoi ils embauchent tant d'avocats et pourquoi si peu se rendent au sommet. C'est comme un grand stratagème de vente pyramidale, sauf que les ventes pyramidales sont illégales et que ceci est on ne peut plus légal.

Le bureau de New York a le quota le plus élevé d'heures à facturer et, pour arriver là où je veux, je vais devoir établir une facture pour au moins deux mille deux cents heures cette année. Autant commencer *maintenant*.

Mon bureau est déjà couvert de documents et de classeurs. Maria, l'assistante d'Antoine, m'appelle. « Antoine veut savoir si tu préfères du Chinois ou de l'Italien. Il veut revoir des dossiers avec toi dans la salle de réunion, à vingt et une heures ce soir. »

C'est alors que la froide réalité new-yorkaise me frappe entre les yeux.

Je suis prête à affronter le défi.

CHAPITRE 3

« Je propose qu'on laisse tomber le *cacappucino* », me lance Rikash.

Il rayonne dans l'embrasure de la porte de mon bureau, avec sa veste de lin taillée à la perfection et un sac Prada en bandoulière. « Tu veux un espresso? Je descends prendre un café et fumer une clope. Je suis incapable de boire la merde qu'ils servent dans le chariot du petit-déjeuner. »

« Oui, volontiers. J'ai besoin d'un bon café. »

Il s'assoit pendant que je cherche de la monnaie dans mon portefeuille.

« Es-tu bien installée? As-tu trouvé un appartement? »

« Pas encore. J'habite l'appartement temporaire du cabinet. Je m'occuperai de ça pendant le week-end. »

« Bien. Et tes projets pour l'été? Ça s'en vient rapidement. »

« L'été ? On n'est qu'en mai. »

Il roule des yeux.

« *Ma chérie*, laisse-moi t'expliquer quelque chose. Dans cette ville, la chaleur est complètement insupportable au mois d'août. Tu dois t'évader quelque part, et réserve ta place le plus tôt possible. Si tu ne trouves pas une maison d'été à louer rapidement, tu resteras ici et tu cuiras à mort, *toute seule*. Laisse-moi passer quelques appels, je pourrais te trouver un appartement à la dernière minute en multipropriété à Quogue[2]. » D'après le dédain qui transparaît dans sa voix, il est clair que ce n'est pas la destination la plus branchée.

« Merci, Rikash, c'est très aimable. »

Après son départ, j'attaque le courrier que j'ai reçu. Je passe en revue quelques exemplaires du *New York Law Journal* et des invitations à assister à divers séminaires juridiques : il y en a tellement, dans cette ville, que c'en est étourdissant. Et j'ai déjà la nette impression que ces séminaires constituent pour les avocats une rare occasion de prendre quelques heures de sommeil aux dépens de l'entreprise.

Sous la lourde pile d'invitations et de bulletins juridiques, je trouve un catalogue portant la marque *J. Crew* en caractères gras.

GÉ-NI-AL.

---

2. Quogue (pron. Kwahg) : village tranquille du sud de Long Island, en banlieue de New York. (Ndt)

Je sens monter une vague de plaisir qui frôle l'orgasme. Je parcours les pages du catalogue et je veux désespérément me retrouver dans ces photos. Des femmes au sourire insouciant, portant des shorts et des t-shirts couleur bonbon, roulent à bicyclette et s'ébattent sur la plage avec des surfeurs. Même les chiens paraissent heureux. *Ça*, c'est le style américain dans ce qu'il a de meilleur. En plus, il suffit d'un clic de souris pour que ces tenues de rêve m'appartiennent ! Les Français sont réticents à acheter quoi que ce soit en ligne ; nous préférons faire la queue pendant des heures pour obtenir un service médiocre et nous engager dans des discussions interminables avec les vendeurs. Personnellement, je préfère les clics anonymes. (C'est presque coquin.)

Un coup à la porte me fait bondir de ma chaise. Je cache le catalogue sous un exemplaire de la *Law Review*.

« Bonjour, je suis Nathan. Désolé, je ne voulais pas te surprendre. »

Blond, apparemment au milieu de la trentaine, il porte l'uniforme standard du cabinet d'avocats : un complet marine, une chemise blanche parée d'une cravate rouge et bleue, et des verres avec une monture en écailles de tortue.

« Ah ! mais non, pas du tout. J'étais juste en train de, euh, lire les nouvelles. C'est important de rester au courant des décisions de nos clients. »

« Bien sûr. »

Il s'approche de mon bureau et me donne une de ces poignées de main new-yorkaises qui te paralyse, puis se recule rapidement, comme s'il voulait dégainer une bouteille de germicide de la poche de son pantalon.

«Tu es nouvelle, n'est-ce pas?»

«Nouvelle dans ce bureau, je viens d'être mutée.»

«De Paris?»

Je hoche la tête.

«Alors, tu as décidé de raccourcir tes vacances?»

«Pardon?»

«Allons, vous ne travaillez pas vraiment, là-bas. Nous savons tous ce qui se passe dans les bureaux satellites.»

Je pourrais me mettre à lui expliquer que malgré les longs déjeuners, je me suis bel et bien crevée à travailler à Paris. J'étais constamment à la merci des exigences des clients américains, et je devais être disponible pour des conférences téléphoniques tard en soirée à cause du décalage horaire. Refoulant ma petite tirade, je décide de ne pas répondre, pour éviter que mes propos soient plus tard utilisés contre moi, mais il est clair que je devrai me débarrasser de cette idée reçue selon laquelle je passais le plus clair de mon temps à table.

«As-tu étudié dans une faculté de droit en France?»

«Oui, mais j'ai également participé à un programme d'échange ici, aux États-Unis.»

«Lequel?»

«Pepperdine.»

Il roule des yeux.

« *Encore* des vacances. »

Je veux le flanquer par terre.

« Mmm. » Je me mords la lèvre.

« Alors, un bureau d'angle. Comment as-tu mérité ça ? »

« C'est seulement temporaire. Jusqu'à l'arrivée d'un nouvel associé. »

« Ah bon. » Il paraît soudainement soulagé. Alors qu'il se détend, je le vois fouiller des yeux mon bureau et l'écran de mon ordinateur.

« Quel est ton principal domaine de pratique, Nathan ? »

« J'aime m'engager dans les dossiers les plus importants du cabinet. L'an dernier, j'ai facturé plus de deux mille cinq cents heures. Cette année, je serai admissible au partenariat, alors je travaille comme un fou. »

Eh bien, c'est ma première rencontre avec la concurrence. Devant moi se tient un automate ultraperformant, potentiellement traître, et sadique. Je respire profondément, je souris et j'essaie de passer à un ton plus amical.

« Joli complet. »

« Merci. De la part d'une Parisienne, je le prends comme un compliment. Tu t'intéresses à la mode ? »

« Coupable, votre honneur. J'adore faire du lèche-vitrine. »

« Je vois. » Il fait un mouvement de la tête en direction du catalogue J. Crew, que j'ai mal camouflé.

« Euh. Ce n'est pas à moi. »

« Tu devrais peut-être en profiter. Je ne sais pas quand tu auras le temps de faire du lèche-vitrine ici. » Il me fait un petit sourire narquois et condescendant.

Je réponds par un demi-sourire et un hochement de tête : message reçu cinq sur cinq. Je jette un coup d'œil agacé vers la porte, pour lui suggérer de reprendre ses activités de facturation. Il doit maintenant composer avec une concurrente redoutable.

Me détournant une seconde du dossier ABC de Bonnie, je sirote le café que Rikash m'a apporté et je regarde par la fenêtre. De mon bureau, je vois la gare Grand Central et des centaines de gens qui se hâtent dans la rue pour aller travailler.

Ma rêverie est interrompue par la voix d'Antoine, qui jaillit de l'interphone.

« J'espère que tu n'as pas de rendez-vous à l'heure du lunch. Nous amenons des clients au restaurant. »

Ah, rencontrer des clients importants ! C'est tout à fait mon rayon. Mon cœur palpite.

« Parfait. Qui allons-nous rencontrer ? »

« Deux gestionnaires de fonds spéculatifs chez PCL Investments. Un gros client. »

« Intéressant. »

« Bonnie viendra avec nous », ajoute-t-il d'un ton nettement dépourvu d'enthousiasme, qui m'amène à soupçonner que ces deux-là ne sont pas en excellents termes.

« À quelle heure ? »

« La réservation est dans une demi-heure, mais je pars tout de suite. J'ai besoin d'air frais. Bonnie va nous rejoindre là-bas. »

Alors que nous parcourons les rues de Midtown, je me permets de penser une minute à la façon dont je pourrais impressionner ces gestionnaires de fonds réputés de PLC. Je pourrais peut-être mentionner la transaction que j'ai négociée d'une main experte, l'an dernier, pour la Banque suisse. Ou devrais-je d'abord briser la glace en parlant de l'exposition Picasso que j'ai vue au Grand Palais ? Antoine, quant à lui, passe tout le trajet à parler sans arrêt dans son téléphone portable tout en pianotant sur son BlackBerry. Je me demande s'il arrive à compiler sur sa facture le temps qu'il passe sur ces deux gadgets.

Au restaurant, j'examine le décor alors que le maître d'hôtel nous conduit à notre table : un design d'un modernisme renversant côtoie une clientèle d'affaires assez conformiste. Bonnie est assise dans un coin, au fond de l'établissement, avec deux hommes : l'un, bedonnant, semble porter une moumoute, et l'autre, de grande taille, arbore une grosse chaîne en or parfaitement nichée dans la touffe de poils qui sort par l'échancrure de sa chemise, avec un anneau assorti, et ils ont tous deux des complets mal ajustés. Le bedonnant se lève pour nous saluer.

« Enchanté de vous rencontrer, maîîître. Moi, c'est Mel Johnson, et voici mon collègue, Jack Stone. »

« Enchantée de vous rencontrer, messieurs », dis-je en leur serrant la main, tout en m'efforçant de sourire et de dissimuler ma déception à la vue de leur manque de raffinement.

Mel jette un regard lubrique vers Bonnie et moi et, le regard malicieux, demande : « Vous deux, êtes-vous "partenaires" ? », soulignant son calembour en traçant des guillemets avec ses doigts. Fier de lui, il fait un clin d'œil coquin à Antoine et se tourne vers son collègue avec un grand sourire satisfait.

Je roule mentalement des yeux après son jeu de mots stupide, et je m'imagine planter mon talon aiguille dans ses parties intimes, mais j'opte plutôt pour un sourire poli.

Notre lunch s'étire beaucoup trop longtemps tandis que Mel et Jack échouent à étaler leur connaissance du français, et que chacun raconte ses voyages à Paris, y compris les nombreuses fêtes de célibataires au cours desquelles ils reluquaient les danseuses à demi nues du Crazy Horse. De toute évidence, Mel n'est pas tout à fait celui qui me permettra de devenir associée, comme je l'espérais.

Antoine interrompt les récits de Mel pour vanter mon expérience professionnelle antérieure. « En Europe, Catherine a été engagée dans beaucoup de projets internationaux. Elle s'occupera parfaitement de vos plans d'expansion internationale. »

« Fan-tas-tique », répond Mel tout en jouant avec son cure-dents.

Je tourne la tête vers Bonnie, qui soupire bruyamment. Peu habituée à partager la vedette, elle me lance un regard acide avant de se lever pour partir. Elle tire de son sac un étui à cartes professionnelles lamé d'or, et en jette négligemment quelques-unes sur la table.

« Messieurs, ce fut un véritable plaisir. Je serais heureuse de vous aider, mais je facture *beaucoup* plus cher que Catherine et Antoine. Par contre, vous en avez pour votre argent. »

Abasourdie, j'ai la colonne qui s'enfonce dans le dossier de ma chaise. Pourquoi nous dénigre-t-elle devant un client majeur ?

Mel la regarde se diriger vers la sortie, plein d'admiration pour son postérieur.

« Tout un éteignoir, cette poulette-là. C'est dommage, car elle est sexy. Mais vu son caractère, on va laisser faire, hein, Jack ? En revanche, on serait prêt à prendre Catherine, n'importe quand. »

Il a bien dit « prendre » Catherine ? Je me retiens pour ne pas hurler, ma révulsion physique égalant ma détermination à impressionner.

Antoine lance un regard sombre vers la silhouette de Bonnie qui s'éloigne, et tente de justifier son départ abrupt. « Je suis vraiment désolé, Bonnie est débordée, ces temps-ci, elle avait un autre engagement. »

« Écoute, Antoine, ne perds pas ta salive à défendre Miss *Cul Coincé*, parce que, de toute façon, on préfère travailler avec Catherine. »

Au moment de partir, après un lunch qui semble avoir duré dix-huit heures, Mel finit enfin par soulever un sujet lié au travail. Il mentionne avec enthousiasme son projet d'expansion en Europe, et qu'il aura besoin de mon aide au cours des prochaines semaines pour obtenir certaines permissions de l'Autorité des marchés financiers.

« On va se reparler très bientôt, maîîître. » Il termine par un clin d'œil et une poignée de main trop intime.

« Merveilleux. J'en serai ravie », dis-je en tâchant de dissimuler mes véritables sentiments.

CHAPITRE 4

Les goûts ne se discutent pas, comme le prouvent les bureaux de la plupart de mes collègues. Ils sont généralement décorés de trophées de tournois de golf, de plaques en plastique où sont gravés les noms d'introductions en Bourse, de bouteilles de champagne vides provenant de dîners de clôture, et de diverses babioles hideuses rapportées de vacances « exotiques » de quatre jours. Mais dans le bureau d'Antoine, l'ambiance est différente ; c'est comme entrer dans une boutique haut de gamme de décoration intérieure. Un bouquet de tulipes est posé sur le rebord de la fenêtre, dans un vase en verre de Murano d'un rouge délicat, et des œuvres d'art moderne sont accrochées au-dessus de son bureau d'acajou. Des gobelets argentés remplis de crayons taillés et un agenda recouvert de cuir sont soigneusement placés à côté de piles organisées de classeurs noirs et de chemises de classement brunes.

Lorsqu'il se lève pour me tendre plusieurs nouveaux dossiers, j'entraperçois la doublure de soie de sa veste

Paul Smith et je reçois une bouffée de Vétiver de Guerlain. Cet homme de goût apporte un changement rafraîchissant dans une mer de complets Brooks Brothers, de bureaux en désordre et d'eau de Cologne entêtante.

« Ces dossiers ont des dates de remise imminentes. Il faut que tu les passes en revue le plus tôt possible. »

Je sais que c'est un test pour voir de quoi je suis capable, et je suis déterminée à ne pas décevoir. J'ouvre d'une chiquenaude celui du dessus pour jeter un coup d'œil à la page titre. « C'est la transaction d'Allen Partners dont on parle dans le *Wall Street Journal* ce matin, non ? »

Étonné de ma réponse, il sourit et m'offre un caramel en me tendant un énorme pot en verre.

« Prends-en quelques-uns. Ça te donnera de l'énergie pour t'attaquer à ces documents. »

J'accepte son offre et j'empoigne une provision de bonbons.

« Merci. »

« Je suis content de savoir que tu as acquis une certaine expérience. J'avais peur qu'ils aient embauché une parfaite néophyte », dit-il d'un ton amical et discret.

« Je t'assure, j'ai eu mon lot de nuits blanches en travaillant à ce genre de transactions. »

Il prend un caramel avant de changer de sujet. « Catherine, t'es-tu occupée de dossiers de propriété intellectuelle à Paris ? »

« Oui. J'ai travaillé à forfait pour quelques sociétés françaises de logiciels. »

« Alors tu connais bien les lois internationales sur le droit d'auteur. »

« Absolument. »

« Bien. J'aimerais te donner un gros mandat pour un client français qui a d'importantes activités commerciales ici. »

Comme je m'attends à ce qu'il s'agisse d'une grande banque française, je hoche la tête pour signifier mon accord.

« Pas de problème. Je serai enchantée de m'en occuper. »

« C'est pour Christian Dior. »

J'en suis tout abasourdie. J'ai toujours rêvé de travailler pour ma maison de haute couture préférée, mais on m'a souvent répété qu'il valait mieux oublier l'idée de la compter un jour parmi mes clients, puisqu'un important cabinet français s'occupe de la plupart de ses dossiers. Je n'ai jamais imaginé qu'en déménageant à New York j'aurais l'occasion de le faire.

« Mais je croyais que Pineau La Rochelle faisait tout leur travail juridique ? »

« En Europe, oui, mais ils ont retenu nos services pour un projet précis, ici, à New York. »

« Ah ? »

« Ils veulent qu'on les aide à combattre la vente de contrefaçons à Manhattan. »

Je dois avoir les yeux grands comme des soucoupes. Je m'imagine arrêter un réseau international de crime organisé qui vend de faux sacs Dior sur les coins de rues de New York. Ma récompense ? Recevoir la Légion d'honneur des mains de Sarkozy, vêtue d'une robe John Galliano taillée sur mesure, sous le regard fier de Carla.

« Je suis tout à fait intéressée à les aider ! »

« Très bien, j'allais le confier à quelqu'un du département de la propriété intellectuelle, mais puisque tu parles français, tu pourras plus facilement assurer la liaison avec Pierre Le Furet, le directeur de la propriété intellectuelle chez Dior, qui mène ce projet.

« Quand est-ce que je peux commencer ? »

« Tu devrais entamer la recherche dès maintenant. Ton point de départ devrait être le PRO-IP Act[3], c'est-à-dire la plus récente loi sur la propriété intellectuelle. Apparemment, elle augmente les pénalités au civil et au criminel pour infraction au droit d'auteur, et exige des tribunaux qu'ils délivrent des peines plus sévères aux contrevenants condamnés. Je lirais également le rapport préparé par la Coalition contre la contrefaçon, puis, à la police de New York, j'appellerais l'unité de lutte à la contrefaçon des

---

3. PRO-IP Act (Prioritizing Resources and Organization for Intellectual Property Act) ; loi validée en 2008 aux États-Unis, qui renforce les sanctions sur le téléchargement illégal de films, musiques, jeux, logiciels, etc. et sur les atteintes à la propriété intellectuelle. (Ndt)

marques de commerce. Je te donnerai le nom de l'inspecteur qui la supervise, il devrait t'être utile.»

Je griffonne quelques notes et me vois déjà collaborer avec la police de New York lors d'une descente dans un entrepôt rempli de fausses marchandises dans le quartier chinois. Je savais bien qu'il serait excitant de déménager à New York, mais je n'aurais jamais rêvé que cela ressemblerait à un épisode de *Law & Order*.

«D'accord.»

«C'est peut-être beaucoup avec tout le travail que Bonnie t'a donné», dit-il en croisant les bras, l'air agacé. «Alors, laisse-moi savoir si tu deviens débordée. Ce dossier est vraiment important pour le cabinet.»

«Bien sûr.»

Il me fixe d'un air hésitant avant de se lever et de fermer la porte.

«Catherine, il faut que tu comprennes comment fonctionne ce cabinet si tu veux y survivre.»

Excitée à l'idée d'avoir une longueur d'avance sur la concurrence, je réponds avec impatience: «OK, entendu.»

«Je sais que tu travailles avec ce cabinet depuis plusieurs années, mais à New York c'est complètement différent. Il faut voir cela comme un système féodal.»

«Je comprends», dis-je en hochant la tête, mais je ne sais pas du tout de quoi il parle.

«Tu vois, les associés principaux sont des seigneurs de guerre. Ils mènent leurs bataillons – leurs départements –

vers la bataille pour s'emparer d'un plus grand territoire : clients, dossiers et heures à facturer. La victoire est une récompense majeure à la fin de l'année. »

Des seigneurs de guerre ? Des luttes territoriales ? À Paris, c'était concurrentiel, mais ici, c'est débile ! Je dévisage Antoine, en me demandant s'il enlève cette veste Paul Smith à la fin de sa journée pour jouer à *World of Warcraft*. Je ricane en supposant qu'il blague, mais son expression demeure sévère.

« Il faut que tu formes une alliance avec un seigneur de guerre qui te fournira continuellement du travail et te protégera lorsque les temps seront difficiles. Sans seigneur de guerre, tu n'as aucun avenir chez Edwards & White. »

Il est sérieux comme un pape. Qu'est-ce que ça veut dire pour moi ?

« Il se passe bien des choses, en ce moment, dans le cabinet. Tu dois être protégée. »

Protégée ? On dirait maintenant un réseau de la mafia plutôt qu'un système féodal.

« Et toi, Antoine, qui est ton seigneur de guerre ? »

« Scott. »

« Qui devrait être le mien ? »

« Je pense que ce devrait être Bonnie. »

Bonnie ? Mais il semble la détester. Essaie-t-il de me piéger ?

« Je ne pense pas qu'elle deviendra mon chef de guerre. Elle semble beaucoup trop occupée.» En plus, elle est vache, mais je prends soin de ne pas le dire.

« Catherine, atterris, dit-il avec un air d'exaspération. Ici, tout le monde est très occupé. Tu as besoin que Bonnie te fournisse une charge de travail régulière : c'est ce qui t'assurera un parcours tout droit vers le partenariat.»

« Bon, je pige.» Du moins, je pense piger.

« Bien. Une dernière chose. Scott t'a-t-il parlé de travail bénévole ?»

« Non.»

« On nous encourage tous à en faire, Catherine. Mais ça ne remplace *pas* les exigences en matière d'heures à inscrire sur ta facture.»

« En as-tu fait ?» Je tente de savoir si les avocats chevronnés s'adonnent véritablement au bénévolat, ou s'il ne s'agit que de belles paroles prononcées pour la forme.

« Oui, dans une école de Harlem pour enfants ayant des difficultés d'apprentissage. Ils déménagent dans un autre édifice pour faciliter l'expansion de leur programme d'enseignement des arts, et je les aide à négocier le bail.» Sa voix s'adoucit. « C'est extrêmement gratifiant.»

Je m'étonne du fait qu'une personne comme Antoine, avec son allure de bourreau de travail, prenne du temps en dehors de son horaire surchargé pour aider des écoliers de Harlem.

« C'est renversant ! J'aimerais bien m'engager dans un projet aussi important. Mais dis-moi, honnêtement, où trouves-tu le temps ? »

« Je le prends, tout simplement – surtout pendant les week-ends. »

À Paris, les week-ends que je ne passais pas au bureau, je les consacrais principalement à flâner dans les allées du Bon Marché, à visiter les galeries d'art ou, à l'occasion, à rester au lit pour me remettre d'un excès de vin rouge après une soirée avec mes copines. Je me sens gênée par mon manque d'altruisme.

Cette information inattendue me donne tout à coup envie d'en savoir davantage sur Antoine et de creuser plus loin dans sa vie privée.

« Tu me permets d'être indiscrète ? Pourquoi vas-tu à Paris ? »

Il détourne le regard avant de répondre. « Pour des raisons personnelles. »

Me sentant maladroite à la suite de sa réponse fermée à une question aussi intime, je brouille les pistes par la flatterie. « Le bureau de Paris a certainement besoin de nouveaux éléments de poids. Il y manque quelqu'un de ton calibre. »

Il répond par un sourire de reconnaissance.

En sortant de son bureau, je continue à me demander pour quelle raison Antoine s'apprête à déménager. Quelle qu'elle soit, cet homme a quelque chose de mystérieux.

Je refais le long parcours à travers la réception et j'entraperçois le bureau de Bonnie. À la différence des autres bureaux au décor sombre, le sien est moderne et épuré. Un long sofa de cuir blanc est posé devant la fenêtre, et deux chaises Barcelone assorties font face à son bureau en verre et en acier. D'après ce que j'ai vu jusqu'ici, ce style branché et glacial s'apparente à sa personnalité.

De retour à mon bureau, je trouve mon agenda ouvert, et la date d'aujourd'hui porte « *Anniversaire de Rikash* » en gros caractères rouges. Oh merde ! Il faut que je m'occupe de cela immédiatement. Tout avocat sait qu'une bonne relation avec son assistant est cruciale. C'est comme la relation entre une actrice et sa styliste.

Je file vers le poste de Mimi, puisqu'elle semble être une championne du commérage.

« Mimi, je peux te déranger un instant ? J'ai besoin d'aide. »

« Bien sûr, ma chérie, comment puis-je t'aider ? »

« C'est aujourd'hui l'anniversaire de Rikash et je veux l'emmener déjeuner. Connais-tu son restaurant préféré ? »

« Désolée, je ne sais pas. Mais c'est la "semaine des restaurants". » Elle fouille dans un tiroir. « Tiens, prends cet exemplaire du guide *Zagat*. Choisis parmi les noms en caractères gras. »

« Merci. Je t'en devrai une. »

Je reviens en vitesse à mon bureau et commence à composer des numéros. Four Seasons, *complet*. Le Cirque, *plein.* Aureole, *pas une seule place avant 15 h 30.* J'essaie quelques autres endroits avant de tomber sur le numéro du Club 21. «*Oui, nous avons une table pour deux à 13 heures.*»

«Formidable. Je la prends.»

«C'est tellement vieux jeu, cet endroit. J'aimerais mieux qu'on soit au Café de Flore à regarder les passants.»

De toute évidence, mon choix n'a pas le succès escompté.

«Ouais, bon d'accord, ce n'est pas le *top*, mais j'ai lu que c'était un bar clandestin durant la Prohibition. C'est plutôt marrant, non?»

«Pfff, l'époque de la Prohibition est finie depuis long-temps, Dieu merci. Je mourrais sans mon gin tonic après le travail.» Il enlève ses verres fumés du dessus de sa tête.

«Un gin tonic? Je te pensais davantage amateur de martinis.»

«Ne te laisse pas tromper par mon allure suave, j'aime l'alcool fort, sans eau ni arômes artificiels.»

Je parcours le menu et choisis un de leurs plats clas-siques. «Je vais prendre le burger 21 avec des frites et un verre de vin rouge. Et toi?»

«Comment arrives-tu à rester mince tout en mangeant autant d'aliments gras?»

«Je suis française, rappelle-toi.»

« C'est vrai, et pas moi : je vais donc prendre la salade maison ; la saison de la plage s'en vient. »

« Tu veux du vin ? »

« Non, merci. J'ai une règle stricte : jamais d'alcool avant dix-sept heures. »

« Je devrais peut-être m'abstenir moi aussi, mais le verre de vin est un rituel dont je ne peux me passer. »

« Je suis sûr qu'on t'y a initiée en bas âge. En Inde, je buvais de l'eau contaminée quand j'étais enfant. Heureusement, je peux m'en passer. »

« Alors, tu as plutôt choisi le gin tonic ? »

« Oui, ça stimule le palais et l'esprit. »

« Le vin stimule aussi l'esprit. Baudelaire a dit que, sans le vin, il y aurait une affreuse absence d'intelligence chez l'homme. »

« Cette absence est déjà bien réelle dans notre cabinet, au cas où tu ne l'aurais pas encore remarqué. Et si ma mémoire est bonne, Baudelaire a étudié le droit, il a développé un amour de l'alcool et du haschisch, il a contracté la syphilis et il est mort. Je ne sais pas si je suivrais son exemple. »

Je ris, amusée par son sens de l'humour empreint d'ironie, mais je m'arrête en voyant qu'il ne rit pas avec moi.

« Pourquoi fais-tu cette tête, Rikash ? C'est ton anniversaire. Allons, détends-toi. »

« Désolé, *dah-ling*, mais je suis juste un peu contrarié. Bonnie, la reine de glace, m'a fait rater quelque chose de vraiment important, hier. »

« Quoi ? »

Il hésite avant de répondre. « Le solde annuel d'échantillons de Dolce & Gabbana », dit-il, partagé entre la moue et la vénération.

« Pourquoi n'as-tu pas demandé à quelqu'un d'autre de te remplacer ? »

« Crois-tu que je n'y ai pas pensé ? J'ai fait tout ce que j'ai pu pour sortir du bureau, j'ai même fait une scène à la réception, mais Bonnie n'a pas changé d'avis. J'ai dû terminer un de ses documents, car Maria et Roxanne étaient toutes deux en train de faire du shopping chez Daffy's. » Le dédain lui dégouline presque du visage.

« Rikash, ce ne sont que des soldes. »

Au moment où ces mots sortent de ma bouche, je sais déjà que ce n'est pas ce qu'il fallait dire. Son regard me signifie que j'ai enfreint un serment sacré.

« Ce ne sont que des soldes ? Tu blagues, non ? D & G est la pierre angulaire de ma garde-robe. Mon Dieu, je dors même dans du Dolce. »

« Désolée. J'imagine que je serais contrariée d'avoir manqué une journée de solde chez Dior. »

Après ma manifestation de sympathie, son visage se radoucit. Je brûle de lui parler de mon nouveau mandat auprès de Dior, mais je choisis plutôt d'attendre que nous soyons de retour au bureau, pour éviter de révéler de l'information confidentielle à nos voisins de table.

« De toute façon, j'ai eu ma revanche. Hier après-midi, Bonnie m'a demandé de commander une limousine pour un important meeting au centre-ville, et j'ai "oublié". »

« Non ? »

« Comme elle ne pouvait pas trouver d'autre voiture à l'heure de pointe, elle a dû prendre le métro. J'aurais tellement aimé la voir descendre les escaliers en chancelant dans ses Jimmy Choo pour attraper le train F. »

Je suis surprise par son aveu, mais remplie d'admiration pour son culot. À retenir : ne jamais l'empêcher d'aller à une vente d'échantillons.

« Elle en a reparlé ? »

« Tu veux rire ? Elle ne s'adresse jamais directement aux assistants. Elle a demandé à Roxanne de m'engueuler en son nom. »

« Tu es gonflé. »

« Simple question de survie. Il ne faut pas se laisser faire. »

Il rentre sa serviette dans son col, par-dessus sa cravate griffée. « De toute façon, assez parlé de *moi*. Tu dois te trouver un appartement. Tu veux sûrement quitter cette suite banale. Où vas-tu chercher ? »

« Tu ne seras sûrement pas d'accord, mais je songe à l'Upper East Side. »

Il secoue la tête.

« Tu vas bientôt porter des mocassins et des vestes piquées. »

« Ce quartier est peut-être un peu trop guindé à ton goût, mais j'aime pouvoir marcher jusqu'au bureau et, au moins, je pourrai dormir un peu la nuit. »

« Qui déménage à New York pour dormir ? » Il prend une bouchée de salade. « En parlant de manque de sommeil, as-tu commencé à sortir avec des garçons ? » demande-t-il avec un regard espiègle.

Je prends une gorgée de beaujolais avant de répondre. « Rikash, ce n'est pas une priorité pour moi, en ce moment. »

« Ah oui, le bon vieux syndrome du "ce n'est pas une priorité". »

Je ne savais pas que j'étais affectée d'un syndrome ; je veux en savoir davantage.

« Qu'est-ce que tu veux dire ? »

« J'ai vu tellement de femmes de ton âge, complètement dévorées par leur carrière et leur ambition, faire la tournée des bars, profiter de leur argent sans se soucier le moindrement de trouver un homme et, un jour, pouf ! » Il claque des doigts. « Elles se retrouvent à quarante ans et elles paniquent. »

Surprise par son geste abrupt, je sursaute sur ma chaise.

« Tu sais, elles s'abonnent à ces sites de rencontres, achètent un livre sur la façon de trouver un homme, et deviennent des chasseresses aguerries. Ne te laisse pas aller jusque-là, *dah-ling*. Fais-toi voir pendant que tout va bien et que tu n'as pas besoin d'implants pour te remonter les pommettes. »

Je prends mon verre et fais pensivement tournoyer mon vin avant de le terminer d'une seule lampée. Je sais qu'il a raison, mais je ne suis pas prête à affronter la réalité qu'il décrit et qui semble si lointaine. Après tout, je ne suis qu'au début de la trentaine et, de toute façon, je n'ai pas le temps de m'engager dans une relation.

« Tu as probablement raison, mais pour l'instant, ma priorité, c'est le travail, pas la quête du grand amour. »

Il s'étouffe presque avec sa salade.

« Le grand amour ? Qui te parle du grand amour ? Je pense tout simplement que tu dois sortir et prendre ton pied. Je vais t'aider à t'y mettre. Prends Bonnie, par exemple. » D'un grand geste théâtral, il se couvre la bouche : je sais qu'il vient de révéler de l'information juteuse.

« Quoi, Bonnie ? »

« Je ne devrais vraiment pas le dire. »

« Allons, tu ne peux pas me faire ça à moi, Rikash ! Raconte. »

Il jette un regard dans la salle avant de répondre.

« D'accord, je ne dirai pas tout, mais je dirai ceci. Elle couche avec quelqu'un du bureau et elle protège jalousement son territoire. »

« Qui ? »

« Je ne peux pas le dire. »

« Comment puis-je rester en dehors de son secteur si je ne sais pas qui c'est ? »

« Observe, tout simplement, et tu devineras. Comme je te l'ai dit, fais attention, sinon elle te fera vivre un véritable enfer. Et tu n'as vraiment pas besoin de ça maintenant. Il y a déjà suffisamment de guerres intestines au bureau. »

« Comment tu sais tout ça ? »

« L'information circule à la vitesse de la lumière, surtout *ce* genre-là. D'après la rumeur, Bonnie était fiancée, il y a quelques années, à un associé principal de Londres, mais il a rompu une semaine avant le mariage. Elle ne s'en est jamais remise et depuis, elle drague dans tout le bureau. »

Abasourdie, je me redresse. J'essaie alors d'analyser ma réaction : si Bonnie était un homme, serais-je aussi mal à l'aise ? Bien sûr que non. Mais ne sait-elle pas que la réputation d'une femme au travail peut être détruite plus vite qu'il ne le faut pour dire le mot *lingerie* ?

« D'accord, alors, parle-moi des querelles intestines. »

« Je voudrais bien, *dah-ling*, mais je n'en sais pas beaucoup. Dans l'ascenseur, j'ai entendu quelqu'un dire qu'un associé principal s'en allait, mais je ne sais pas du tout de qui il s'agit. Tout ce que je sais, c'est qu'il y a eu dernièrement des tas de rencontres à huis clos et que tout le monde semble être sur les dents. »

« Ça ne m'étonne pas. Il y a toujours un drame. Et Antoine ? C'est quoi, son histoire ? » Autant le demander, puisque Rikash potine.

« C'est un avocat exceptionnel, mais j'ai de la difficulté
à le cerner. Il est très discret. Je le trouve sexy, et j'espérais
qu'il ait une tendance différente, mais j'en ai conclu que je
ne le verrai jamais sous d'autres couvertures que celles de
ses foutus dossiers. »

« Je sais, j'ai du mal à le saisir, moi aussi. Il est tellement
intense. Un moment, il hurle, puis tout de suite après, il
offre des conseils. Mais tu as raison, il est plutôt sexy. »

« Il a juste besoin de se retirer le surligneur qu'il a dans
le cul. »

Je ricane. « Et toi ? Tu as toujours un projet intéressant
en cours. »

Rikash bavarde sur ses récentes conquêtes amoureuses :
« Les hommes sont comme des poissons, plus ta perche est
longue, plus ils sont appétissants » ; son documentaire à
venir sur un transsexuel indien : « Le titre est *Mahotmama* » ;
la semaine de la mode en Inde : « As-tu entendu parler du
scandale du *Nipplegate* ? » ; les films de Bollywood : « Avec
un millier de coups de bassin à la minute, on en a vraiment
pour son argent », jusqu'à ce que notre conversation
revienne aux potins du bureau.

« S'il te plaît, reste loin de Harry Traum, me prévient-il.
Il est au beau milieu d'un sale divorce, et il est impossible.
Et tu devrais faire attention à certaines des secrétaires, ce
sont de vraies garces : Roxanne est psychotique et Maria
est au bord d'une dépression nerveuse ; tôt ou tard, elle
va craquer. Antoine et Bonnie la font travailler jour et
nuit. »

Lorsque Rikash mentionne Antoine et Bonnie, je consulte nerveusement ma montre. Notre lunch a duré une heure et demie, et à présent, j'ai un sérieux retard dans mon travail. Encore une fois, je serai coincée au bureau tard ce soir.

«Désolée d'interrompre notre déjeuner, mais nous ne sommes pas à Paris. Je dois retourner au bureau et m'occuper de ma facturation.»

«Merci de me dérider, *dah-ling*. Ce lunch m'a un peu remonté le moral. Je vais pouvoir passer l'après-midi sans avaler de pilules.»

∞

«J'ai besoin de toi pour créer le profil d'un nouveau client.» Debout devant le bureau à cloisons de Rikash, j'affiche un sourire radieux. «Christian Dior.»

«Tu blagues? Ne plaisante pas avec des choses pareilles; mon cœur ne pourrait pas le supporter.»

«Je suis sérieuse, je t'assure. C'est un nouveau client. Génial, non?»

Il bondit de sa chaise, les mains tendues vers le ciel. «Ouais! Enfin, un dossier intéressant qui ne porte pas de nom de guerre barbare ou de programme militaire!»

La réaction de Rikash me fait sourire. Il est vrai que bien des dossiers d'acquisition sont ouverts sous des noms de code secret, comme Opération Guerre du Golfe, Kandahar II, ou Projet Missile Minuteman. J'imagine qu'ils sont bien nommés, étant donné l'état des choses en cours ces temps-ci chez Edwards & White.

Antoine passe devant nous en se dirigeant vers la réception.

« Je m'en vais prendre un lunch, Catherine. N'oublie pas de finaliser ces dossiers pour demain matin. »

Je fais un signe affirmatif de la tête et je ferme la porte de mon bureau pour parvenir à me concentrer.

À dix-huit heures trente, après avoir imprimé la *Loi PRO-IP sur la propriété intellectuelle* et lu le livre blanc de la Coalition anti-contrefaçon, je sors de mon bureau. Rikash est parti, mais Maria et Roxanne sont en train de murmurer. En me voyant, elles se taisent immédiatement, l'air innocent. De toute évidence, j'arrive au beau milieu d'une importante séance de potinage.

« Vous travaillez tard ? »

« Ouais. On a quatre dossiers à terminer ce soir pour Antoine », répond Maria, qui semble irritée que j'aie interrompu leur séance de commérage. Fin trentaine, Maria aime les t-shirts à manches longues qui portent en lettres pailletées, sur son ample poitrine, des messages comme : « *Bonjour les ennuis* » ou « *Ne m'offrez plus de problèmes, svp, j'essaie d'arrêter* ». La tenue du jour dit : « *Restez calme et circulez.* »

Je choisis de suivre ce conseil et retourne lire le document sur la contrefaçon. Son contenu est fascinant ; il décrit la vaste gamme de produits contrefaits en Amérique, qui vont des pièces d'hélicoptère au Viagra. Il explique également que la contrefaçon est liée au terrorisme, au trafic d'êtres humains et au travail des enfants. De toute évidence, acheter de la marchandise contrefaite n'est pas aussi inoffensif que je le croyais, et je me dis qu'il faudra mettre au courant les amies qui achètent parfois des imitations de sacs griffés vendues dans la rue. À vingt et une heures trente, j'ouvre de nouveau ma porte et Maria est encore en train de taper, tout en grignotant son poulet Général Tao et ses crevettes croustillantes au Grand Marnier.

« Tu veux une crevette ? demande Maria. Elles sont vraiment délicieuses. »

« Non, merci. »

Je demeure complètement absorbée par Dior jusqu'à vingt-deux heures trente, alors que mon estomac vide me sort de ma transe et m'oblige à rôder dans les diverses salles de réunion, à la recherche de restes de goûters servis plus tôt dans la journée. Le cabinet a beau offrir de somptueux repas, je n'arrive jamais à en commander à temps, et je finis par grignoter de vieux sandwichs au jambon et à la laitue fanée.

À vingt-trois heures trente, après avoir rassemblé un ensemble de documents pour une signature d'entente au nom d'Allen Partners, je décide d'éteindre mon ordinateur. Je me surprends à me demander encore une fois pourquoi d'autres professionnels peuvent quitter leur bureau à une heure raisonnable, tandis qu'on s'attend à ce que les avocats croisent et saluent le personnel d'entretien.

« Tu veux que je te dépose chez toi ? demande Maria en mettant son manteau. J'ai une voiture qui m'attend en bas. »

« Non, merci. J'ai besoin d'air. Mais je vais t'accompagner jusqu'à l'ascenseur. »

En sortant, nous passons devant le bureau de Bonnie. Elle a enlevé ses chaussures et posé ses pieds sur son bureau, qui est couvert d'une immense pile de documents et parsemé de cannettes vides de Diet Coke maculées de rouge à lèvres. Un chignon tient en place sur le dessus de sa tête au moyen d'un MontBlanc, et elle porte un foulard Hermès noué au cou.

D'après l'information que m'a rapportée Rikash, je me demande malgré moi quel avocat se fera ligoter avec son foulard, ce soir, comme dans le film *Basic Instinct*. Alfred, peut-être ?

Antoine nous rejoint, Maria et moi, tout en enfilant sa veste. Il prend soin de regarder ailleurs en passant devant le bureau de Bonnie, et il n'y a aucun échange de *bonsoirs*. Je commence à soupçonner que la note de service du Programme « Amitié » s'est perdue dans le courrier.

« Tu rentres chez toi ? »

« Non, je rencontre quelqu'un pour une bouchée et je reviens plus tard. »

Plus tard ? Il est presque minuit. Qui rencontre-t-il à cette heure ?

Après le départ d'Antoine, Maria me regarde en roulant les yeux. « Il fait toujours ça. Il ne dort jamais. »

Je décide de me promener sur Madison Avenue en revenant à l'appartement du cabinet, au coin de la 74e et de la 5e. J'ai besoin d'un peu de temps pour faire du lèche-vitrine. À Paris, c'est ainsi que je me remettais du travail. Je passais des dimanches après-midi rue du Faubourg Saint-Honoré, à siroter un café au lait, jetant un coup d'œil rapide chez Colette avant de me rendre place Vendôme. Les couleurs vives et la pure beauté de la haute couture constituent le contrepoids parfait de la pression énorme et des piles de dossiers avec lesquels je passe le plus clair de mon temps.

Sur la 57e avenue, je m'arrête devant la majestueuse boutique Dior, et j'en absorbe tous les détails. On y montre des talons perlés et des sacs à main en cuir froissé qui me laissent bouche bée. Je ne peux pas croire que j'effectuerai du travail juridique pour Dior. Je respire profondément, complètement grisée par l'idée. Puis, je passe par Madison Avenue et jette un coup d'œil aux vitrines de Barney's. J'adore regarder les coupes, les tissus et la façon dont les stylistes jouent avec les proportions. Tous les magasins que je ne connais que par le Vogue américain et le blogue de Garance Doré se trouvent ici, devant moi. Pour l'instant, je délaisse le monde des prospectus, des notes de service et des dossiers juridiques pour rêver taffetas, organza et mousseline.

CHAPITRE 5

« Qu'est-ce que c'est que ça ? » Antoine fait irruption dans mon bureau, l'air complètement agité, brandissant le classeur Allen Partners sur lequel j'ai travaillé la veille.

« Heu… C'est le dossier que j'ai préparé pour la signature de l'entente d'Allen Partners, la semaine prochaine. » Je me repasse en vitesse le fil de la soirée d'hier. Pourquoi donc a-t-il l'air si fâché ? Qu'est-ce que j'ai bien pu faire de mal ?

« Ah, vraiment ? » En feuilletant furieusement le classeur, il fait claquer ses boutons de manchettes sur mon bureau.

Vu son expression grave, je reste muette.

« C'est un torchon, Catherine. As-tu réellement regardé ces documents avant de les insérer dans le classeur ? » Il pointe une page maculée de traits faits au surligneur jaune et d'annotations écrites grossièrement comme s'il s'agissait d'un simple brouillon.

Merde et remerde! Paniquée, je vérifie nerveusement mon courrier pour voir quel dossier j'ai envoyé à Maria avant de quitter le bureau hier.

«Tu as raison, ce sont les ébauches. Ce ne sont pas les documents que j'ai demandé à Maria d'imprimer pour moi.»

«Maria? demande-t-il, la voix de plus en plus forte et agressive. Tu me dis que tu demandes à *ma* secrétaire de passer en revue *ton* travail?» Son visage prend une teinte mauve foncé, assortie à sa cravate.

«Non… Euh. J'ai seulement cru que je pouvais lui confier sans problème l'impression du document final.»

J'ai l'estomac serré dans un étau, si fort qu'il pourrait retenir les voiles d'un trois-mâts naviguant dans le triangle des Bermudes.

«Je n'en crois pas mes oreilles, bordel! Catherine, c'est toi l'avocate, pas Maria. Dieu merci, j'ai relevé l'erreur. Peux-tu imaginer de quoi j'aurais eu l'air si ça avait été envoyé à Allen Partners?»

Je reste assise sur ma chaise, morte de honte. Je suis certaine de lui avoir envoyé le bon document, mais j'aurais dû vérifier le produit final, de toute façon. Embarrassée par ma négligence, je commence à m'excuser, les mains tremblantes.

«Je suis vraiment désolée, Antoine. Je ferai plus attention la prochaine fois.»

Il respire profondément et me fixe froidement dans les yeux. « Il vaut mieux qu'il n'y ait pas de prochaine fois, Catherine. » Il sort précipitamment de mon bureau.

Merde ! Merde ! Merde ! Qu'est-ce que je fais ? Je suis tentée de courir après lui dans le couloir et m'agenouiller en implorant son pardon tout en embrassant ses chaussures Boss, mais ma raison me dit que de me prosterner littéralement, ce serait franchir la limite entre les pieds dans les plats et le lèche-bottes.

Comment ai-je pu être si négligente ? Cela pourrait me coûter quelque chose d'essentiel : *le respect d'Antoine.* J'essaie de me plonger dans le dossier ABC de Bonnie, mais je mets une heure à me concentrer. J'ai passé six longues et pénibles années à tenter de grimper l'échelle pour devenir associée, un exploit qui n'a été atteint que par une minorité de femmes dans de grands cabinets juridiques. Et maintenant, ma chance de me rendre au sommet pourrait s'envoler en fumée à cause d'une stupide négligence.

Pour me changer les idées, j'essaie de faire avancer le dossier Dior, mais ce n'est qu'une distraction temporaire avant que Mel Johnson n'arrive à me retrouver.

« Maîîître ! Êtes-vous prête pour notre conférence téléphonique ? »

« Salut, Mel, oui, oui. On peut commencer maintenant ? J'ai un autre appel à midi avec un client brésilien. »

« Ah, vous êtes une femme du monde pleine de mystère, j'aime ça. Bon, commençons. »

Les yeux rivés sur la fenêtre, je reste en ligne pendant plus d'une heure avec Mel et ses collègues, qui discutent de l'expansion internationale de leur société. Ne voulant pas paraître manquer de professionnalisme, j'essaie de répondre clairement aux questions sur les exigences européennes quant à l'inscription des valeurs mobilières, même si, au fond de moi, je suis en train d'hyper ventiler à cause de l'incident qui s'est produit avec Antoine.

« Pouvons-nous continuer à en parler autour d'un verre après le travail ? » demande Mel, une fois terminée la conférence téléphonique.

« Désolée, Mel, je suis prise par un gros projet ce soir. »

« Tu vas être prise ce soir ? Ouah, j'adore ça quand une femme me parle avec des mots crus. »

Excédée par ses phrases à double sens, je coupe court à la conversation.

⚬⚬

« J'avais tellement de travail à faire hier que j'ai tout juste eu le temps d'avaler un demi-yogourt », annonce une grande blonde à son public ravi.

Je m'arrête à la salle de repos du personnel vers midi pour prendre une bouteille d'eau, et je tombe par hasard sur une conversation entre trois jeunes avocates du groupe chargé des litiges.

Une petite brunette s'empresse de répondre : « Mon Dieu, moi, j'ai passé presque toute la journée à la cour, et tout ce que j'ai mangé, c'est un bâtonnet de carotte durant la pause. »

« Oh là là », répond la blonde, nettement impressionnée.

La troisième participante pose les mains sur ses hanches avant de bafouiller : « Eh, les filles, si vous trouvez ça pénible, moi, je suis restée coincée à la bibliothèque à faire de la recherche pour Harry Traum jusqu'à deux heures du matin, et je n'ai *rien* mangé de toute la journée ! »

À mon grand désarroi, une expression d'admiration parcourt le visage des deux autres femmes. Seraient-elles fières de mourir de faim pour le travail ? Ou est-ce qu'en tant que groupe, les avocats sont si férocement compétitifs que nous sentons le besoin de nous concurrencer dans tous nos gestes, y compris le fait de ne pas manger ? Je suis convaincue qu'il s'agit de rivalité, car il est juste de dire que la plupart des avocats ont une personnalité de type A. Ici, à New York, la plupart des avocats appartiennent à la catégorie AAA ; comme les piles, avec une énergie, une compétitivité et une ambition inépuisables. Ils n'ont pas besoin de chargeurs, car la réserve de carburant est infinie : argent, pouvoir, sexe, reconnaissance des pairs et flatterie de l'ego.

Il n'est pas étonnant que les conversations près du proverbial distributeur d'eau au bureau tournent généralement autour de triathlons à venir (*non mais, sérieusement, quand est-ce qu'ils s'entraînent, pendant leur sommeil ?*), de voyages exotiques ou assortis d'épreuves physiques (*qui veut grimper le Kilimandjaro pour le plaisir ?*), et d'activités culturelles ou artistiques interminables, comme apprendre une quatrième langue ou un instrument de musique (*pendant de longues pauses pipi ?*).

Récemment, j'ai lu un article de *Psychology Today* qui soulignait les principaux traits de caractère des personnalités de type A : 1) l'insécurité à propos du statut, ce qui se traduit par une concurrence excessive ; 2) l'urgence et l'impatience, ce qui cause de l'irritation et de l'exaspération ; et 3) une hostilité flottante, qui peut être déclenchée par les incidents les plus insignifiants.

J'ai l'impression de me situer entre les types A et B. Je suis nettement compétitive, ça ne fait aucun doute. J'ai terminé en tête de ma promotion à la faculté de droit, j'ai fait partie d'une équipe de ski de compétition, et j'ai pas mal joué des coudes au bureau, mais je me considère assez souple, équilibrée, et même si j'en arrive parfois à exprimer de la frustration, je n'ai jamais élevé la voix ni été hostile envers qui que ce soit au cabinet. *Du moins, pas jusqu'à maintenant.*

∞

« Maria, vite, fais nettoyer ma veste. J'ai renversé du Coke Diète sur tout le devant et je rencontre un client cet après-midi », exige Bonnie, debout au milieu du corridor, sa veste de tailleur à la main. La soie de son chemisier froissé est si mince, et le décolleté si révélateur, qu'elle est presque en soutien-gorge. J'imagine qu'elle ne réalise pas que le morceau de soie transparente qu'elle porte couvre à peine ses dessous.

Je ne peux réprimer un petit sourire ironique. Pourquoi Bonnie se donne-t-elle la peine de faire nettoyer sa veste, alors qu'elle se livrera à son habituel numéro de femme fatale? Faire une remarque à propos de la température de la pièce, puis lentement, mais stratégiquement, déboutonner sa veste de tailleur de façon que tous les mâles hétéros de la pièce perdent le fil de la conversation. Elle pourrait réciter sa recette de tarte à la citrouille préférée et personne ne clignerait des yeux. D'après ce que j'ai vu, Bonnie sait comment conclure une transaction et cela implique rarement le port d'une veste.

« Catherine, j'ai pensé à quelque chose », dit-elle en s'adressant à moi qui n'arrive pas à me faufiler discrètement dans mon bureau. « J'ai besoin de savoir où se trouvent les meilleurs nettoyeurs du quartier. Pourquoi ne ferais-tu pas une recherche pour moi? Aujourd'hui. »

Des nettoyeurs? Pardon? Suis-je allée à la faculté de droit et me suis-je cassé le cul pendant six ans pour chercher des *nettoyeurs*?

« Est-ce à facturer pour un dossier en particulier? » murmuré-je.

« Non. Remarque aussi que j'aime que toute recherche effectuée pour mon compte soit présentée sous forme de note de service », crie-t-elle dans le corridor avant de se glisser à nouveau dans son bureau. (Souvenez-vous du trait de caractère numéro 3 de la personnalité de type A.)

Je claque ma porte si fort qu'on doit l'entendre jusqu'à Brooklyn. Rikash m'appelle à l'interphone, mais je ne réponds pas.

«Salope!» Ma haine est si intense que ce mot est nettement trop faible.

Je suis tentée d'appeler Scott et de lui dire à quoi je vais occuper les quelques prochaines heures de mon temps, mais je respire profondément et ravale mon orgueil pour commencer la recherche. Si c'est ce que veut la reine de glace, c'est ce qu'elle aura.

Edwards & White

Note de service

Destinataire : Bonnie Clark
Expéditeur : Catherine Lambert
Objet : Nettoyeurs de l'Upper East Side

I Objectif

Cette note de service, ainsi que la pièce à conviction ci-jointe, a pour objectif d'identifier les nettoyeurs à sec les plus compétents situés près de notre bureau. Bien qu'il y ait environ dix nettoyeurs à chaque intersection de Manhattan, leurs niveaux de qualité et de service divergent largement. Vous trouverez ci-joints les noms des nettoyeurs haut de gamme que je recommanderais le plus.

II Madame Paulette Dry Cleaners

Madame Paulette Dry Cleaners semble être le mieux pourvu pour répondre à vos besoins. Ce service de nettoyeur se vante d'avoir parmi ses fidèles clients une longue liste de distingués couturiers, comme Dior, Chanel, Givenchy, Gucci, Prada et Hugo Boss[1]. Il est convenablement situé sur la 2e Avenue, entre les 65e et 66e Rues, et son site Web présente des commentaires élogieux et des témoignages éclatants de clients

---

1. *New York Magazine,* mai 2009.

satisfaits et connus. « C'est très excitant, sur le plan du nettoyage à sec. Ce chemisier de soie délicat est passé d'un jaune triste au blanc d'origine[II]. » En outre, on a décrit Madame Paulette comme étant le nettoyeur de choix pour le perfectionniste et le plus pointilleux[III]. Il est reconnu pour son snobisme, mais il en vaut amplement la peine, car il a sauvé du gâchis un grand nombre de vêtements[IV].

Enfin, il est bon de noter qu'il est spécialisé dans l'entretien et la conservation des robes de mariées, anciennes et nouvelles. « Le seul établissement auquel je fasse confiance pour entretenir, renouveler et conserver ma collection de mariée, c'est Madame Paulette[V]. » Afin de vous permettre d'examiner leur niveau de soin élevé, j'ai joint pour votre convenance, en tant que pièce à conviction 1, une veste nettoyée à sec, cet après-midi, par Madame Paulette Dry Cleaners.

III Alpian's Garment Care of New York

Il est situé à un jet de pierre de notre bureau, au 325 Est de la 48e Rue.

« Alpian's connaît le soin à apporter aux vêtements », telle est sa devise. Son site Web présente une description précise des services disponibles. Son attention envers les détails est impressionnante : les employés sont formés à chercher les boutons en train de se défaire, les coutures ouvertes, les amas de fibres et les taches rebelles. De plus, il utilise une vaste gamme de techniques destinées à donner à votre vêtement sa meilleure allure dans votre penderie, votre valise et, surtout, sur vous.

Afin de vous assurer de l'absence de fausses représentations matérielles dans le site Web référencé

II. Nora Ephron, *New York Times*, 31 octobre 2009.

III. *New York Times*, 7 janvier 2010.

IV. *Lucky Magazine*, janvier 2009.

V. Vera Wang, *InStyle Magazine*, novembre 2009.

ci-dessus, quelques-uns des clients d'Alpian's ont été interviewés cet après-midi par un avocat junior. La plupart des clients interrogés aux fins de cette note de service se sont déclarés entièrement satisfaits des services d'Alpian's.

IV Anel French Cleaners

Il est situé avenue Columbus, entre la 69e Rue et la 70e.

Malgré la rareté des preuves écrites quant aux services offerts ici, j'ai été immédiatement attirée par ce nom. Comment une entreprise qui a eu la sagesse de choisir un nom qui rime avec Chanel et d'intégrer une tour Eiffel dans son logo n'aurait-elle pas tout autant de finesse dans l'exécution de ses services de nettoyage? De plus, une affiche dans la vitrine promet une « satisfaction garantie ».

Il faut toutefois noter qu'au cours d'une récente décision du tribunal dans la cause *Roy Pearson contre Custom Cleaners*, ce type de garantie a été interprété, et il fut conclu qu'un client ne peut exiger un certain type de service à partir d'une telle affiche. Par conséquent, un juge de Washington a perdu sa poursuite de 65 millions de dollars à l'encontre des nettoyeurs qui avaient supposément perdu l'un de ses pantalons.

La caractéristique la plus remarquable d'Anel est son service rapide et fiable, qui vous permet de garder toute votre attention sur votre travail ou vos activités parallèles.

V Conclusion

En conclusion, on peut avancer qu'à une courte distance de nos bureaux, vos vêtements peuvent être nettoyés d'une façon rapide, sûre et satisfaisante. J'espère que l'information ci-dessus vous aidera à l'avenir à satisfaire vos besoins en matière de nettoyage. N'hésitez surtout pas à prendre contact avec moi si vous avez des questions (ou un amas de peluche).

Après avoir cliqué sur « Envoyer », je fixe le mur en me demandant pourquoi j'ai suivi ses folles exigences. Pourquoi m'abaisser jusqu'à rédiger une note de service sur le nettoyage à sec ? Pourquoi ne lui ai-je tout simplement pas dit d'aller se faire foutre ? Après tout, je travaille dans ce cabinet depuis six ans et j'ai développé une bonne relation avec des associés principaux à Paris. Je hausse les épaules et m'avoue la vérité : c'est un jeu puéril pour voir de quoi je suis faite. Si j'ose protester, me plaindre, gémir, verser quelques larmes ou menacer de démissionner, elle gagne et je perds. Et j'ai beaucoup trop travaillé pour perdre à présent. Est-ce que je souhaite céder ma place dans la course au partenariat ?

Non. Je suis prête pour le prochain *round*.

CHAPITRE 6

« Je suis content que vous l'aimiez. Mais ne le tenez pas pour acquis tout de suite », me dit Brian, mon enthousiaste agent d'immeuble alors que nous sortons d'un appartement. Il date d'avant-guerre mais il est bien entretenu et éclairé, il compte une chambre à coucher, et se trouve à l'angle de la 68e et de la 1re. Brian et moi venons de passer six heures à visiter plus de deux douzaines d'appartements, dont la plupart exigeaient des rénovations majeures et un grand nettoyage. Épuisée, je ne suis pas d'humeur à continuer à chercher, à moins que je puisse trouver une façon de facturer ce temps à un client. Je ferai tout ce qu'il faut pour obtenir les clés de cet endroit-ci.

À peine assez grand pour contenir la commode et le lit antiques hérités de ma grand-mère et expédiés de Paris, mon nouveau chez-moi, situé dans une rue relativement tranquille, à distance de marche du bureau, a des fenêtres qui donnent sur une petite cour intérieure qui me rappelle mon vieil appartement de Saint-Germain. Ce minuscule joyau correspond exactement à ce que je recherche.

« Vous devez recevoir l'approbation d'*Elad* », dit-il avec un air menaçant, le sourcil dramatiquement soulevé, comme un personnage d'un ancien film d'épouvante. « Et il est très difficile. »

« Qui est Elad ? »

« C'est le gérant de l'édifice. Il a le dernier mot sur *tout*. Vous devez venir avec moi à son bureau pour le rencontrer en personne et remplir une demande. »

Brian m'escorte jusqu'à une salle d'attente sombre et sinistre, dans un immeuble à bureaux lugubre, et me serre la main. « Quelqu'un sera avec vous sous peu. Bonne chance. »

Alors qu'il sort de l'édifice, je l'imagine en train de rire comme Vincent Price dans le clip de *Thriller*.

« Entrez », bafouille une voix de femme dans un mystérieux système d'interphone. Je passe par une salle d'attente miteuse de l'autre côté du bureau. Complètement enfoui sous une montagne de papier, Elad est assis sur une chaise basse pivotante. Tout ce que je peux apercevoir de lui est le sommet de son crâne chauve. Qui n'est pas joli.

« Vous êtes qui, vous ? »

« Euh… Je m'appelle Catherine et je voudrais louer l'appartement de la 68ᵉ Rue. »

« Lequel ? J'ai des centaines de logements sur la 68ᵉ. Qui est la poulette qui se trouve dans mon bureau ? » hurle-t-il dans son interphone.

« C'est l'avocate française », répond la voix mysté-
rieuse.

Il murmure quelque chose d'incompréhensible.

« D'accord, assoyez-vous. »

Ses yeux sombres me transpercent pendant que je
m'approche.

« D'abord, parlons argent : je veux trois mois de loyer
d'avance, et un dépôt de garantie. Si vous faites le moindre
dommage au logement, vous ne reverrez jamais cet argent,
compris ? » mitraille-t-il avec un accent new-yorkais très
prononcé.

« Elad, la femme de Washington est ici pour signer le
bail de sa fille », annonce la dame mystérieuse dans
l'interphone.

« Dis-lui qu'il est trop tard. Quand j'aurai fini avec
l'avocate, je rentre chez moi… Dis-lui de revenir la semaine
prochaine. »

« Mais Elad, elle est venue en avion de… »

« C'est pas mon foutu problème », répond-il en criant
en direction de l'interphone.

« Avec sa fille… »

« COMME. JE. L'AI. DIT : PAS MON FOU-TU PRO-
BLÈME. »

L'horoscope d'aujourd'hui me prédisait beaucoup de
chance dans le domaine immobilier ; par contre, il passait
sous silence le gérant infernal.

«Alors, où est-ce qu'on en était? Ah oui, les frais de courtage. Vous payez des frais de courtage, qui s'élèvent à 15 % du loyer de votre première année, et on facture aussi des frais de traitement de paperasse de trois cents dollars.»

Je me redresse nerveusement sur ma chaise et j'essaie de calculer combien tout cela va me coûter. J'ai été gâtée par les lois françaises, qui sont un peu plus en faveur des locataires, et je ne m'attendais pas à payer autant de loyer à l'avance. J'imagine que les lois sont différentes à New York. Pendant une fraction de seconde, j'envisage de soulever le sujet, mais je me ravise. Dans ses yeux, je me vois sans-abri.

«D'accord.»

«Avez-vous un dossier de crédit aux États-Unis?»

«Non, pas encore.»

«Vous devrez trouver un garant, quelqu'un qui habite New York, qui fait des centaines de milliers de dollars et qui garantira le loyer.»

Merde! Me voilà coincée. Qui, à New York, pourrait garantir mon loyer? Quelques membres de la famille de mon père habitent New York, mais je ne leur ai pas parlé depuis une quinzaine d'années. Je ne peux quand même pas les appeler de but en blanc pour leur demander de garantir mon loyer exorbitant, non? Il y a mon amie Lisa, que j'ai rencontrée à la faculté de droit et qui vit maintenant à New York, mais je ne peux pas me résigner à l'appeler, elle non plus. Et si le cabinet signait? Après tout, je ne suis pas la première étrangère à être mutée dans cette ville. Je garde mon sang-froid.

« Aucun problème. »

« Bon, alors, laissez-moi vous dire une chose », dit-il en pointant son index tout en abaissant sa voix pour donner plus d'emphase à ses propos : « Il y a deux types de locataires que je n'aime pas avoir dans mes édifices : les mannequins et les avocats. Les mannequins ne paient pas leur loyer et finissent par filer en douce, et les avocats sont de vrais fouteurs de merde. Ils me citent toujours une satanée section de telle loi ou de tel code pour éviter de payer leur loyer. Je ne veux pas de problèmes, comprenez-vous ? Je n'ai aucune hésitation à évincer qui que ce soit. » Il claque des doigts de manière dramatique.

Je hoche la tête en guise de réponse, grinçant des dents et amusée d'entendre que, pour une fois dans ma vie, j'appartiens à la même catégorie que les mannequins. Je suis également heureuse d'avoir su fermer ma grande gueule plutôt que de discourir sur des lois françaises. Il aurait suffit que j'aborde le sujet des droits des locataires en France pour que ce type m'éjecte dans la rue plus vite qu'un cafard mort.

« Autre chose. »

Bon, alors là, j'ai vraiment peur. Qu'est-ce que ce ringard va me sortir d'*autre* ?

« Le concierge de votre édifice est sur la corde raide avec moi, en ce moment. » Il joint son pouce et son index en l'air, mimant une corde tendue. « Alors, je m'attends à ce que vous me rapportiez tout ce qu'il fait qui n'est pas kasher, compris ? » me dit-il, l'index encore pointé. « Alors, quand emménagez-vous ? »

« Le week-end prochain ? »

Il compose un numéro au téléphone. « Il y a une Française dans mon bureau. Elle signe un bail pour l'appartement 7A. Elle va venir chercher les clés et elle emménage le week-end prochain. Attention, pas de foutue gaffe cette fois-ci ! »

Il me faut une seconde pour comprendre qu'il a une conversation à sens unique avec le concierge de mon édifice, pour lequel je ressens soudainement une immense sympathie.

Après avoir signé une cinquantaine de formulaires et lui avoir versé une somme astronomique, je me lève pour sortir de son bureau, très fatiguée par toute cette expérience.

« Mademoiselle, envoyez-moi la garantie signée d'ici la fin de la semaine, sinon je donne l'appartement à quelqu'un d'autre, *capice* ? » Il sourit fièrement, comme s'il venait de prononcer un mot français.

∽

« Je veux l'éclat post coïtal. »

« Là tu parles, *dah-ling*. » Rikash me tapote le dos.

« Je ne peux pas croire que je viens de dire ça à une vendeuse de chez Sephora. »

Après une épuisante première semaine à New York et un rendez-vous traumatisant avec mon nouveau propriétaire, je m'offre un dimanche après-midi peinard à me balader dans Soho en compagnie de mon confident, conseiller en shopping et consultant en produits de beauté.

« J'adore la collection NARS Super Orgasm », roucoule Rikash tout en tapotant ses joues d'un peu de couleur. « Ce fard te donnera l'allure d'une fille qui a eu des aventures. »

« Au moins, ça va me donner un peu de teint. J'ai l'air d'être à moitié morte. »

« Oh, tu as meilleure mine que la plupart des avocats du bureau. Ils ont l'air d'avoir trépassé il y a des décennies. »

J'applique le fard sur mes joues, et le ton rose aux paillettes dorées donne à mon teint blafard un éclat immédiat.

« Je pense que tu devrais acheter l'ombre à paupières et le rouge à lèvres assortis », conseille Rikash après qu'une vendeuse m'a tendu un fard qui, apparemment, permet de simuler le plaisir. « L'annonce de ton magazine dit vraiment : pourquoi avoir un seul orgasme quand on peut en avoir quatre ? »

Ce matin, en route vers un brunch dans le West Village, j'avais attrapé une copie du *Vogue* français, et nous avions admiré avec beaucoup d'enthousiasme les nouvelles tendances et ricané devant les pubs provocantes.

«Bonne idée. Je n'en ai jamais vraiment simulé, mais maintenant, j'y vais à fond. Tu as une mauvaise influence, Rikash.»

«Je sais, et j'adore!» Il fronce le nez.

Après, il m'emmène voir l'exposition d'un de ses amis dans une galerie de West Broadway, où nous discutons d'art contemporain avant de nous arrêter chez Moss, pour acheter une paire de lampes en plexiglas hal-lu-ci-nan-tes pour mon nouvel appartement. Ensuite, nous allons chez Balthazar pour un café et des pâtisseries françaises.

«Je ne peux toujours pas croire que tu déménages dans l'Upper East Side. Soho est tellement plus amusant. Tu devrais faire ton shopping ici tous les jours.»

«Je reste à l'écart de toutes les distractions et les tentations possibles. Je suis venue pour travailler.»

Il roule des yeux.

«N'oublie pas de prendre le temps de sentir les camélias, mon amie. Ce cabinet va te pomper l'âme si tu le laisses faire. J'ai vu tellement d'enthousiastes avocats juniors arriver empressés et ambitieux, et repartir après quelques années complètement vidés.»

Je détourne un moment les yeux, tentant d'écarter le mauvais augure de sa déclaration.

«Et ne crois pas que ça s'améliorera quand tu seras devenue associée. C'est comme un grand concours de mangeurs de tartes aux pommes au cours duquel tu ne gagnes que de la croûte.»

« Je pourrais affronter un concours de mangeurs de pains au chocolat. » Je pointe à la blague notre sac de gourmandises.

« Ah, oui ! » Il soupire, la bouche couverte du sucre glace de son croissant aux amandes. « Moi aussi. »

« Ne t'en fais pas pour moi, Rikash, je suis plutôt solide. Je ne vais pas me laisser écraser par la charge de travail, pas maintenant. »

« Je ne parle pas de la charge de travail, mais des mufles esclavagistes qui mènent le navire. Ils peuvent te rendre folle. »

« En tout cas, jusqu'à maintenant, j'ai su garder mon équilibre mental. »

« C'est ce que tu crois ! »

« Ah ! Ah ! Très drôle ! »

« Laisse les galériens ramer ensemble ! » s'écrie-t-il en pleine rue en mimant les gestes d'un rameur. « Rame ! Rame ! Quatorze ou seize heures par jour, jusqu'à ce que tu t'effondres et qu'on jette ton corps épuisé aux requins ! »

« Chut ! Pas si fort ! »

« Quoi ? Je te gêne ? Eh ben, mieux vaut t'habituer à mes folies, *dah-ling*, car tu n'as encore rien vu. »

« Mon Dieu, je ne suis pas sûre de pouvoir m'y faire. »

« Oh, s'il te plaît, ne sois pas si rasoir. »

« Je devrais probablement rentrer bientôt. J'ai besoin de mon sommeil réparateur pour préserver ma beauté. Il y a des limites à ce que peuvent faire les fards de Monsieur Nars pour donner tout son éclat à ma peau.»

«D'accord, alors trouvons un taxi, ma chérie. Il faut vraiment que tu prennes du repos avant de commencer ta deuxième semaine au pays des merveilles.»

CHAPITRE 7

« J'ai besoin de ça *hier*», annonce Antoine en avançant d'un pas furieux vers mon bureau.

Ça m'énerve toujours un peu quand quelqu'un dit qu'il a besoin de quelque chose «hier» ou «il y a deux semaines». Pourquoi ne pas y aller à fond dans le rétro et dire que c'était pour 1895? (Souvenez-vous du trait de caractère numéro 3 de la personnalité de type A.)

«Qu'est-ce que c'est?» Je sens mes épaules se raidir. Peu importe ce que c'est, il faut que je rattrape ma méga gaffe de la semaine dernière.

«As-tu déjà entendu parler des règles de divulgation financière en langage simple?»

«Bien sûr. Ce sont les règles que la SEC a adoptées il y a plusieurs années pour faciliter les communications avec les investisseurs.»

Son visage se radoucit. Contrairement à ce qu'il supposait après l'incident du classeur de la semaine dernière, je ne suis pas une parfaite idiote.

« Il s'agit de convertir une partie des termes d'un vieux prospectus en langage simplifié, pour qu'il soit conforme. »

« Bien. Je m'en occupe. »

« As-tu une seconde pour parler ? »

« Oui, bien sûr. »

Il ferme la porte et s'approche de mon bureau ; pendant un instant, je me sens enivrée par son eau de Cologne. Cette sensation me prend par surprise. Pourrais-je être attirée par un homme qui m'a traitée comme un bout de papier mâché il y a quelques jours à peine ? Non, c'est probablement que mes hormones et phéromones sont un peu détraquées à cause du stress – je réagis à toute testostérone qui passe dans un rayon de moins de deux mètres de mon corps.

Il regarde par ma fenêtre avant de prendre place dans l'un des fauteuils.

« Tu as vraiment eu de la chance. Cette vue est incroyable. »

« Ouais, mais je n'en profiterai pas longtemps. Tout le monde ici s'empresse de me rappeler que ce n'est que temporaire. »

« Ils sont jaloux, tout simplement. » Il parcourt du doigt l'un des pétales des lis roses que j'ai apportés pour adoucir ce décor archi-masculin. « Catherine, je suis désolé d'avoir été abrupt avec toi l'autre jour. Je subis beaucoup de pression en ce moment.» Son regard reste fixé sur les fleurs.

Surprise par ses excuses, je sens tout mon corps se détendre.

«Ça va, je comprends. Et puis, tu avais raison. J'aurais dû revoir ces documents plus soigneusement.»

«Je suis d'accord, mais je n'aurais pas dû te parler d'un ton aussi brusque, comme je l'ai fait.»

«J'accepte tes excuses.»

Il fait une pause, puis me lance un sourire timide.

«J'ai entendu dire que Bonnie t'a fait rédiger une note de service sur les nettoyeurs à sec.»

«Comment l'as-tu appris?»

«Rikash l'a envoyée à tout le personnel de soutien, et mon assistante m'en a fait parvenir une copie. Bonnie peut être un peu exigeante.»

Un peu exigeante? C'est une vraie dictatrice! Je me retiens de formuler cette remarque.

«Qu'est-ce qu'elle essaie de prouver avec tout ça, d'après toi?»

«Qu'elle est le patron. Elle a travaillé vraiment fort pour arriver là où elle est, et je suppose qu'elle veut partager la souffrance qu'elle a connue.»

«Elle y arrive de façon remarquable.»

«Elle agissait de la même façon avec moi, au départ, puis elle a fini par s'ouvrir», dit-il d'un ton qui manque de conviction.

«Je parie qu'elle s'ouvre à moi comme un ours polaire le fait devant une otarie.»

Il glousse en desserrant sa cravate. C'est la première fois que je le vois sourire.

«Catherine, j'aimerais continuer à travailler avec toi sur la question de Dior, même après mon départ pour Paris.»

«Bien sûr.»

J'essaie de rester impassible.

«Ce sera pour moi une bonne façon de rester au courant de ce qui se passe au bureau de New York. Autrement, j'aurai l'impression d'être détaché du camp de base.»

Sentant qu'il est sur le point de se confier, j'attends qu'il continue.

«Je crains que mon départ pour Paris constitue un recul dans ma carrière.»

«Pas nécessairement; c'est un bureau où il y a beaucoup de travail intéressant à faire et où les associés sont exceptionnellement intelligents.»

«C'était comment pour toi? Avais-tu une bonne relation avec eux?»

« Je dirais que oui. J'avais des affrontements occasionnels avec certains de mes collègues, mais c'est un groupe talentueux, et j'ai un très grand respect pour eux.

Il continue de fixer le plancher. Un ange passe entre nous et ce moment de silence est étrangement agréable. L'expression que je lis sur son visage me fait me demander s'il a pris lui-même la décision de partir.

« Je suis sûre que tu pourrais revenir à New York, si tu le voulais. »

« Pas une fois sorti de l'orbite. J'espère seulement que cela ne gâchera pas mes chances d'être promu associé. C'est ce que je veux cette année. »

« Je suis sûre que ça ne gâchera rien pour toi. Tu es l'un de leurs meilleurs candidats. »

Il sourit tendrement avant de se lever.

« Merci, Catherine, j'apprécie. Vraiment. »

« Je t'en prie. Le plaisir est pour moi. »

« Je suis sincère, merci. » Il se retourne pour regarder dans ma direction avant de franchir le seuil. « Oh ! Et je voulais te dire que j'aime vraiment ce que tu portes aujourd'hui. Cette robe te va à merveille. »

Surprise par son compliment, j'ai besoin d'un moment avant que l'information se rende à ma cervelle. J'ai envie de répondre qu'il n'est pas trop mal non plus dans son complet à fines rayures taillé sur mesure.

« Merci. »

Il sort dans le couloir, les deux mains dans les poches de son pantalon, l'air triste, et mon cœur bascule à la pensée de ne plus le voir quotidiennement.

∞

Maintenant qu'Antoine et moi avons établi un contact plus personnel, il est temps de l'impressionner sur le plan juridique. Je me tourne vers mon nouveau projet de simplification du langage, qui est, en fait, beaucoup plus intéressant qu'il ne le paraît. Je suis tout à fait en faveur de l'élimination du jargon juridique, et j'adore le défi de le reformuler plus simplement. Je commence par une décharge située à l'intérieur de la couverture :

AUCUNE PERSONNE N'A ÉTÉ AUTORISÉE À DONNER QUELQUE INFORMATION QUE CE SOIT NI À EFFECTUER AUCUNE REPRÉSENTATION AUTRE QUE CELLE CONTENUE OU INCORPORÉE PAR RÉFÉRENCE DANS CE PROSPECTUS, ET, SI ELLE EST DONNÉE, UNE TELLE INFORMATION NE DOIT PAS ÊTRE CONSIDÉRÉE COMME AYANT ÉTÉ AUTORISÉE PAR LA SOCIÉTÉ.

Hum, voici ce que j'aimerais écrire :

Ne lisez rien d'autre que ce document. Si vous le faites, c'est de toute évidence que vous avez trop de temps libre.

Mais la professionnelle en moi griffonne ceci sur la page :

VEUILLEZ VOUS FIER EXCLUSIVEMENT AU CONTENU DE CE PROSPECTUS. AUCUN AUTRE DOCUMENT N'A ÉTÉ AUTORISÉ PAR LA SOCIÉTÉ.

Puis, je passe à la section « Usage des recettes », qui souligne ce que la compagnie fera avec l'argent qu'elle recueillera dans l'offre proposée.

NOUS AVONS L'INTENTION D'UTILISER LES RECETTES NETTES PROVENANT DE CETTE OFFRE À DES FINS COMMERCIALES GÉNÉRALES, NOTAMMENT LE DÉVELOPPEMENT DE NOTRE INFRASTRUCTURE, DE NOS PRODUITS ET DE NOS SERVICES, QUE NOUS N'AVONS PAS ENCORE IDENTIFIÉS.

Ma propre version en langage simplifié :

Nous n'offrons pas encore de produits ni de services de valeur, et nous n'avons pas non plus décidé de ce que nous allions faire de votre argent durement gagné. Au fond, si vous investissez dans notre société, vous êtes la preuve vivante que le monde ne manque pas de cons.

La version juridiquement correcte en langage simplifié :

NOUS SOMMES EN TRAIN D'IDENTIFIER ET DE DÉTERMINER AVEC CERTITUDE L'USAGE QUE NOUS FERONS DE L'ARGENT RECUEILLI AU MOYEN DE CETTE OFFRE.

Je passe aux « Facteurs de risques », une liste qui avise les clients potentiels des risques possibles associés à l'achat d'actions de la compagnie. Ceci attire mon attention :

IL SE PEUT QUE NOUS NE GÉRIONS PAS EFFICACEMENT NOS OBJECTIFS À LONG TERME ; NOTRE ÉQUIPE DE GESTION EST JUSQU'ICI DÉPOURVUE

D'EXPÉRIENCE DANS LA GESTION D'UNE GRANDE SOCIÉTÉ COTÉE EN BOURSE.

Ma version en langage simple :

Nous n'avons pas la moindre foutue idée de ce que nous faisons. Et vous ?

La traduction correcte en langage simplifié :

L'ÉQUIPE DE GESTION PEUT REQUÉRIR DE L'ASSIS-TANCE DANS LA GESTION D'UNE CROISSANCE RAPIDE DE L'ENTREPRISE.

Je révise prudemment mais rapidement les cinquante-cinq pages du prospectus. Satisfaite de mon travail, je clique sur « Envoyer », puis je passe à mon dossier préféré : la lutte contre les marchandises contrefaites.

Comme me l'a demandé Antoine, je parcours la note de service préparée par le directeur de la propriété intellectuelle de Dior, M. Le Furet, qui souligne l'effet nocif de la contrefaçon sur son commerce aux États-Unis, puis je commence à rédiger un résumé détaillé de la *Loi sur la propriété intellectuelle*. Finalement, je vais au site Web fakesareneverinfashion.com, tenu par *Harper's Bazaar*, pour y lire des conseils utiles afin de repérer un faux sac, lorsque Rikash m'appelle à l'interphone.

« Désolé d'interrompre le shopping, mais j'ai Mel au téléphone. »

« Je ne suis pas en train de faire du shopping, mais de la recherche ! Passe-le-moi. »

« Bonjour ! Comment vas-tu, ma belle ? »

« Très bien, merci. » Je me prépare mentalement à ses avances.

« J'ai une question urgente à propos de notre bureau de Paris. »

« Oui ? »

« Nous sommes à la veille d'embaucher un directeur général, et nous avons besoin d'aide concernant sa demande d'inscription auprès de l'organisme européen de contrôle des valeurs mobilières. »

« Aucun problème. J'ai rempli des centaines de ces formulaires. »

« Parfait, je savais que ma petite avocate favorite allait s'en occuper. »

Je me mords la langue à l'entendre utiliser l'adjectif *petite*. Pourrait-il être plus condescendant ?

« Je vous envoie immédiatement un questionnaire par courriel. Vous n'avez qu'à demander au directeur de le remplir et de me le retourner, puis je l'examinerai. »

Il fait une pause, ce que je ne l'ai jamais entendu faire auparavant. « Ils posent quels genres de questions ? »

« Les questions habituelles sur l'intégrité : s'il a commis des fraudes ou été condamné pour un crime financier. »

Il y a de nouveau un long silence.

« Eh bien… Notre candidat a été réprimandé pour quelque chose d'assez mineur : du blanchiment d'argent. On espérait te voir demander à l'organisme de contrôle des valeurs mobilières de fermer les yeux là-dessus, très chère. Tu vois où je veux en venir?»

Vraiment? Il vit sur quelle planète, ce mec? Je regarde un bref moment par la fenêtre, puis je retrouve mon calme. Si je posais cette question à n'importe quel membre du personnel de surveillance de la Commission des valeurs mobilières, on me rirait au nez. Comment quelqu'un comme Mel peut-il gérer des centaines de millions de dollars au nom d'autres personnes?

«Désolée, Mel. Je ne peux absolument rien faire.»

«Ah, voyons, maîîître, on ne va pas laisser une chose aussi insignifiante nous empêcher d'embaucher un bon candidat, hein?»

«Mel, nous parlons d'un crime financier grave. La commission n'acceptera jamais. La réponse est non.» Je le répète fermement, espérant résoudre la question à jamais.

Après que j'ai campé sur mes positions, Mel accepte de trouver un nouveau candidat, et je me remets à la défense des intérêts de Dior.

CHAPITRE 8

« Je sais ce que tu es en train de faire, *dah-ling*, et ce n'est pas une activité qui peut être facturée. »

Prise en flagrant délit ! Merde ! Je sais que ça semble contraire aux principes de l'avocate cartésienne que je suis, mais j'adore, à l'occasion, consulter mon horoscope. Quoi qu'en disent ses détracteurs, certaines prédictions astrologiques sont d'une exactitude renversante. À Paris, un bon ami m'a un jour offert, pour mon anniversaire, une carte du ciel qui avait prédit chaque relation décevante et chaque faux-pas de ma carrière, y compris la fois où je suis tombée de tout mon long devant un client au cours d'une présentation, alors que j'essayais d'expliquer une réglementation bancaire complexe avec des talons de dix centimètres. Mes amis soupirent quand je leur dis que s'ils perdent leurs bagages ou égarent leurs clés de voiture, c'est à cause de Mercure qui est rétrograde, et que si une conquête ne les rappelle plus, c'est parce que leurs signes chinois étaient incompatibles. Ils n'en croient pas un mot, mais tant pis ;

je sais au fond de moi que l'astrologie détient la plupart des réponses.

«Je prends juste quelques secondes pour lire mon horoscope. Qu'est-ce que ça peut bien te faire?»

«Mon Dieu, on dirait ma mère. Elle a fait préparer ma carte du ciel à ma naissance. D'ailleurs, elle s'est probablement évanouie en lisant que son fils aîné allait être gai.»

«En as-tu gardé un exemplaire?»

«Non, je l'ai fumé.»

«Allons, Rikash, arrête de te moquer de moi. Je crois vraiment à ces choses.»

«D'accord, quel est mon signe?»

«Tu es un singe taureau.»

«Ça a du sens. Je ne fais que des singeries.»

«Les singes sont charmants et ont beaucoup de cran.»

«Eh bien, merci, je le reçois comme un compliment. Étonnamment, je n'en avais pas encore reçu aujourd'hui, mais celui-ci me convient. Et toi, quel est ton signe?»

«Chien et Vierge. Tu sais, du genre perfectionniste et dévoué.»

«Oui, mais rappelle-toi que les chiens sont anxieux et ont habituellement le nez fourré dans le derrière de quelqu'un.»

«Merci pour le rappel. Je me demande quel est le signe de Bonnie. Probablement dragon ou serpent.»

« Non, je dirais plutôt lapin. » Il me fait un clin d'œil salace.

∞

Après ma dernière gorgée d'espresso, je rassemble le courage de demander à Scott de se porter garant de mon loyer.

En arrivant près de son bureau, je l'entends parler avec Antoine.

« Comment se débrouille Catherine ? »

« Pas mal, jusqu'ici, fait remarquer Antoine. Pas certain que ses heures facturables soient à la hauteur, cependant. »

Pas mal jusqu'ici ? Ses heures pas à la hauteur ? Merde ! C'est ce que je récolte pour avoir passé, la semaine dernière, chaque minute de mes interminables journées ligotée à mon bureau, à manger des sandwichs desséchés, à rédiger des notes de service sur le nettoyage à sec pour Bonnie la Tueuse de Vampires, à supporter des avances ridicules de clients dégueulasses, tout en facturant pas moins de cinquante heures au cours de ma première semaine à New York ?

J'essaie de me calmer, mais la colère bouillonne dans mon cerveau. Comment Antoine peut-il me poignarder dans le dos après avoir été si sympathique ? J'imagine que dans cette jungle, c'est chaque avocat pour soi. Je me rapproche à pas discrets du bureau de Scott, et je suis sur le point d'intervenir agressivement pour défendre mon honneur lorsque j'entends la voix d'Antoine se radoucir.

« En tout cas, Mel semble vraiment l'apprécier, et elle a fait un boulot magnifique sur des déclarations en langage simplifié que je lui ai données. Et le fait qu'elle parle français nous aidera dans le dossier Dior. Je vais lui confier d'autres dossiers aujourd'hui pour voir comment elle supporte la pression. »

Alors qu'Antoine se lève pour partir, il me voit debout dans l'embrasure de la porte et paraît surpris.

« Bonjour. »

« Oh, est-ce vraiment un bon jour ? » que je lui demande avant d'entrer dans le bureau de Scott.

Il me lance un regard abasourdi avant de s'éloigner.

« Eh ! Catherine, assieds-toi. Comment ça se passe, jusqu'ici ? J'ai entendu dire que Mel avait apprécié sa rencontre avec toi la semaine dernière. »

« Il semble… intéressant. »

Scott rit. « C'est une bonne façon de l'exprimer. Il se peut que j'aie un projet encore plus intéressant pour toi. Nous sommes engagés dans un concours et nous visons le financement d'une grande société de technologie. Si nous obtenons ce contrat, ce sera un bon coup pour toi. »

« Ça me paraît merveilleux », dit une voix qui ressemble à la mienne. Mon Dieu, est-ce que je peux inscrire une autre tâche à ma liste ? Comment arriverai-je à m'occuper du projet Dior sur la contrefaçon ? Il faudra peut-être que je cesse de dormir.

« Antoine me disait justement à quel point nous avons de la chance de t'avoir. Selon lui, tu es une excellente recrue pour notre bureau. »

« Vraiment ? Je croyais… »

Il m'interrompt.

« Antoine est aussi exigeant envers les autres qu'envers lui-même. Au fond, c'est un perfectionniste. »

« Oui, j'ai remarqué. Il n'y a rien de mal à cela. » Soulagée de ne pas avoir fait irruption pendant leur conversation, je finis par me détendre dans sa bergère en cuir.

« Alors ? Comment va la recherche d'appartement ? As-tu eu de la chance ? »

« En fait, j'allais… euh, t'interroger sur le processus. Il paraît que les propriétaires demandent parfois une garantie. »

« Tu n'as qu'à appeler Mimi, et on demandera à quelqu'un de la comptabilité de s'en occuper. Ils ont l'habitude de faire ce genre de chose. »

Mon horoscope devait être juste quand il disait que c'était la bonne journée pour demander une faveur à mon patron. Maintenant, je peux retourner la garantie à Elad et commencer à lui rendre la vie difficile.

« Si tu n'as pas d'engagement après le travail, j'ai deux billets pour une fête que l'Association du Barreau américain tient à l'hôtel Gramercy. Tu devrais y aller. Ce sera une bonne façon de rencontrer des gens d'ici. »

Cette offre est un peu inattendue, étant donné la conversation qu'il avait il y a à peine quelques minutes sur le fait que mes heures facturables n'étaient pas à la hauteur. Mais si ça vient du patron, alors pourquoi pas?

∞

«Rikash, qu'est-ce que tu dirais de m'accompagner à une fête de l'ABA au Rose Bar?»

«Tu veux dire fréquenter des avocats après mes heures de travail? Non merci, autant me couper le bras droit.»

«Allons, Rikash, s'il te plaît…»

«Non, désolé, *dah-ling*, j'ai déjà des plans. Je vais voir danser des hommes sexy. C'est bien plus amusant. Est-ce que tu n'as pas d'autres amis en ville?»

Le moment est venu d'appeler Lisa. C'était mon amie la plus intime au cours de l'année que j'ai passée à Pepperdine. Nous sommes restées en contact au moyen de courriels sporadiques à l'occasion de nos anniversaires et de Noël, mais je ne l'ai pas vue depuis des lustres. Comme moi, elle a fini par travailler pour un grand cabinet ultraconservateur, l'une de ces sociétés internationales basées à Londres et membre du Magic Circle[4].

«Allô, ma chérie, devine qui c'est? On ne s'est pas parlé depuis si longtemps, c'est dingue, non?»

«Oh mon Dieu! oh mon Dieu! oh mon Dieu! *Cathereeen*!! Comment vas-tu?»

---

4. Le Magic Circle désigne les cabinets d'avocats considérés comme les cinq premiers cabinets de Londres. (NDT)

« Très bien ! Tu ne devineras jamais où j'ai déménagé ? »

« Laisse-moi deviner. Dans une île française exotique comme la Martinique ? St. Barthélemy ? »

« Bien sûr que non, je suis loin de la semi-retraite. Non, je suis ici, à New York ! »

« Aaahhh ! C'est fabuleux ! Depuis quand es-tu ici ? Et pourquoi ne m'en as-tu pas parlé plus tôt ? »

« Ça s'est fait si vite. La firme a publié une annonce il y a quelques mois, en disant qu'on avait besoin de quelques associés à New York, et aussitôt, je me suis retrouvée à la recherche d'un appartement dans l'Upper East Side. »

« Tu as emménagé dans l'Upper East Side ? »

« Oui. »

« Oh mon Dieu, nous sommes voisines. Allons célébrer ! »

Plus ça change…

À l'époque, à l'université, Lisa était l'ultime fêtarde. Elle était non seulement un papillon, très sociable, qui connaissait tout le campus, mais elle était aussi la trésorière du Conseil des étudiants ; une position qui l'aidait à se préparer à une carrière en finance internationale, mais surtout, qui lui procurait une invitation à toutes les fêtes importantes.

« C'est exactement ce que je pense. Si on se rencontrait au Rose Bar après le travail ? Il y a une fête de l'ABA ce soir. »

« J'y serai à dix-neuf heures. J'en meurs d'envie ! »

CHAPITRE 9

C'est mon premier grand soir de sortie dans la ville qui ne dort jamais. Me voilà excitée comme une puce. Assise sur la banquette arrière d'un taxi filant vers Park Avenue, je me sens comme une New-Yorkaise de naissance qui se paie une virée en ville. J'aperçois le Chrysler Building couronné de sa flèche en gradins, un véritable joyau, et un frisson me parcourt l'échine. Qui sait ce qui m'attend ce soir ? Le suspense rend la course en taxi encore plus euphorique.

J'arrive au Rose Bar, un endroit rempli d'œuvres d'art situé dans le Gramercy Park Hotel. Je repère rapidement Lisa dans la foule. Toujours vêtue d'une façon ultra féminine qui la caractérise, elle porte une robe fourreau noire avec un cardigan rose indien, un collier de perles à trois rangs, des bas en dentelle, et des talons d'une hauteur vertigineuse. Ses cheveux sont noués en une élégante queue de cheval. Elle bavarde avec le jeune barman, qui paraît totalement hypnotisé par ses grands yeux verts et sa personnalité engageante. Nos retrouvailles m'allument à un point tel que je fends la foule à l'aide de ma pochette de satin rouge J. Crew (euh… toute neuve).

« Bonjour, ma chérie. »

Elle saute dans mes bras et me donne un triple bisou dans les airs.

« Catherine, je suis si heureuse que tu sois ici ! »

« Moi aussi, je suis vraiment ravie ! »

« Tu es magnifique, comme d'habitude. » Elle étudie mon ensemble. « Je vois que le flair français n'a pas disparu depuis ton arrivée aux États-Unis. Qu'est-ce que je vois là ? Un sac *J. Crew*? Ne me dis pas que tu es devenue américaine à mon insu ? »

« Tout à fait ! »

« Bienvenue en Amérique ! Le pays du shopping en ligne ! » Elle me tend un verre de champagne. « Tiens, j'ai commandé ton préféré de l'époque : du Taittinger rosé. Portons un toast à ton déménagement à Manhattan ! »

Elle se tourne vers le barman.

« Jaime, pourquoi ne te verses-tu pas un verre pour porter un toast à mon amie Catherine, de Paris, qui vient tout juste de s'établir ici ? »

Le barman s'exécute volontiers et nous levons tous les trois nos verres de bulles à l'unisson.

« Au célibat, à l'alcool et au sexe à trois ! » Elle porte un toast.

« Je vois que tu n'as pas du tout changé. Et c'est une bonne chose, bien sûr ! »

Elle rigole.

« C'est une très belle fête, malgré la présence de tous ces avocats ! »

Je parcours la salle des yeux : le champagne coule à flots, une jeune femme qui porte un minuscule bikini argent et qui semble sortie tout droit d'une pub de vodka Skyy est debout sur le comptoir et verse de la vodka glacée dans des verres à martini à des avocats bavant d'admiration. Une autre femme portant une robe bustier bien moulante se tient quant à elle derrière une table et sert huîtres, saumon fumé et caviar.

« Je ne peux pas croire que tu as fini par déménager ici, Cat ! »

« Je ne peux pas le croire, moi non plus. Même si j'ai déjà facturé près d'une centaine d'heures, signé un bail avec Robespierre et visité la moitié des nettoyeurs à sec de Manhattan, ça ne m'entre pas encore dans la tête. »

Elle fronce le nez. « Pourquoi tous ces nettoyeurs à sec ? As-tu égaré quelque chose ? »

« Fais-moi confiance, tu ne veux pas le savoir. » J'essaie de changer de sujet pour quelque chose de plus joyeux. « Tu ne devineras jamais qui est mon nouveau client ? Christian Dior ! Ça m'excite tellement, Lisa ! Cette occasion de rêve a confirmé à jamais ma décision de vivre ici. »

« Mon Dieu, c'est incroyable, Catherine ! J'ai toujours pensé que tu devrais travailler dans le monde de la mode. Qu'est-ce que tu fais pour eux ? »

« Je ne peux pas te le dire, mais je te mettrai au parfum dès que possible. »

Elle me fait un sourire entendu ; elle comprend que la déontologic nous empêche de divulguer quoi que ce soit quant à nos clients.

« Assez parlé de mon travail. Comment va le Magic Circle ? »

« Tu veux dire le Magic Kingdom[5] ? »

Je ris. « Je suis ravie d'apprendre que le cabinet ne t'a pas enlevé ton sens de l'humour. »

« Tu peux être rassurée. Et ne t'en fais pas, je te montrerai comment tu peux t'amuser dans cette ville. »

« J'en suis certaine. Tu te rappelles toutes nos folles soirées où on sortait en limousine et on buvait des panachés jusqu'à ce qu'on s'écroule sur la piste de danse ? On n'avait pas l'air de futures justicières. »

« On était très classe, à l'époque, non ? Crois-le ou non, je le fais encore ! J'ai un groupe de copines rigolotes avec qui je sors. C'est bien de décompresser de temps en temps. »

« Je ne l'ai pas fait depuis longtemps. J'ai été trop occupée à planifier mon déménagement. J'ai vraiment besoin d'une sortie entre filles. »

---

5. Magic Kingdom : parc à thèmes de Disney. (Ndt)

« Tu dois absolument te joindre à nous jeudi soir, aucune excuse ne sera admise. » Elle pointe vers moi un doigt manucuré.

« Oui, madame. »

Après quelques blagues, elle devient sérieuse. « J'ai une importante réunion avec mon patron demain. »

« À propos de quoi ? »

« Mon avenir dans le cabinet. »

« Oh ! »

« Je crois que je pourrais devenir associée. »

Mon estomac se serre. Comme Lisa faisait régulièrement la fête à la faculté, mes résultats étaient plus élevés que les siens, et j'avais obtenu de bien meilleures notes qu'elle au concours du tribunal école. Aujourd'hui, elle a fait un pas de géant dans la grande course au Graal juridique. Malgré tout, je suis aux anges pour elle.

« C'est pour quand, d'après toi ? »

« Je vais le savoir demain. C'est le grand entretien. »

« Ouah. J'ai l'impression qu'il me faudra probablement attendre encore dix ans avant d'avoir le grand entretien. »

« Arrête, Cat. Un peu de patience. Tu es l'avocate la plus brillante que je connaisse. »

« Tu devrais le répéter à mon seigneur de guerre. »

« À qui ? »

« Peu importe. Ne parlons plus boulot. »

Nous commandons un autre verre de champagne, et Lisa aborde son sujet préféré : les hommes.

« Alors, j'imagine que tu es encore célibataire, puisque tu as déménagé à New York ? »

« Oui, ma chérie ».

« Ça ne durera pas longtemps. Les Françaises ont la cote, ici. Vous êtes perçues comme des créatures exotiques. »

« Oh ? Comme des oiseaux ? »

« Exactement. Comme des oiseaux exotiques au métabolisme rapide ! »

« Je ne suis pas venue ici pour trouver un homme, Lisa. Je suis venue ici pour ma carrière. »

« Comme c'est en-nu-yeux. »

« Et toi ? Tu fréquentes quelqu'un ? » Je pose la question, même si je sais que Lisa ne peut rester célibataire plus longtemps qu'une abeille au sommet de la saison des amours.

« Mmm-hmm. Il s'appelle Charles. C'est un associé du cabinet. »

« Les choses vont bien ? »

Avant de répondre, elle détourne le regard un moment.

« J'ai l'impression que c'est toujours moi qui fais l'effort. Je suis un peu lasse. »

En fixant ses yeux verts pendant quelques secondes, je me rends compte à quel point je suis contente que nous ayons retrouvé notre vieille amitié.

« Pourquoi *tu* continues de faire l'effort ? Est-ce que les relations ne sont pas censées être un échange ? »

« Je sais, mais il a de l'affection pour moi. J'imagine qu'il a tout simplement une drôle de façon de le montrer. »

Cela me semble tellement familier. Je me retiens de lui resservir le conseil que je lui donnais il y a des années. Elle avait toujours un grand appétit pour des relations nocives, et elle était sortie avec tous les mauvais garçons, les narcissiques et les salauds égoïstes du campus. Pour justifier ses relations compliquées avec les hommes, elle en avait rejeté la faute sur son père, un magnat du pétrole, excentrique et coureur de jupons. À l'époque, je blâmais le schnapps aux pêches d'être la source de tous ses déboires amoureux.

« Quand l'as-tu vu, la dernière fois ? »

« Il y a deux semaines. »

« Deux semaines ? C'est long, non, quand on travaille dans le même bureau ? »

« Il a été très occupé par le travail. Toute la semaine dernière, il devait dîner avec des clients. Et mon horaire de travail a été épouvantable… Tu connais la musique… »

« Et qu'est-ce que vous avez fait, à votre dernier rendez-vous ? »

Évitant mon regard, elle développe une soudaine fascination pour le pied de son verre de champagne.

J'ai déjà entendu cette triste histoire : Lisa reste collée au téléphone, attendant que son homme l'appelle après avoir bu une dixième bière avec ses copains dans un bar quelconque. Et quand il appelle, elle saute dans un taxi et, tel un livreur de mets chinois, arrive à son appartement en quelques minutes. Un schéma qui fait inévitablement que les hommes se désintéressent d'elle plus vite qu'on ne peut commander un *chow mein*.

« Eh bien ? »

« Eh bien, on n'a vraiment *rien* fait. Je suis juste allée le retrouver. »

Je suis toujours étonnée de constater que des femmes si intelligentes et si instruites comme Lisa (et moi, je dois l'avouer) s'investissent dans des passions compliquées, en montagnes russes, avec des types louches et sans cœur, qui craignent de s'engager. Est-ce l'usage excessif des neurones de notre cerveau gauche qui tue la plupart des cellules du côté droit ? Ou peut-être sommes-nous tout simplement à la recherche désespérée de plaisir à la fin d'une longue journée ?

« Il m'a appelée après avoir dîné avec des clients en ville, et je suis allée prendre un verre chez lui. »

« Lisa, ce n'est *pas* un vrai rendez-vous, ça. »

« Cesse d'être si sévère envers moi. Nous sommes censées nous retrouver, pas nous engueuler. »

« Je n'aime pas qu'un pauvre type abuse de toi. »

Elle me jette un regard offensé. « Oh là ! Ne te retiens pas, Catherine, Charles n'est pas un pauvre type. »

Voyant les larmes lui monter aux yeux, je m'excuse et change rapidement de sujet pour passer à quelque chose de plus léger : le shopping.

« Peux-tu m'emmener dans l'une de ces magnifiques ventes d'échantillons dont me parle mon assistant ? »

Son visage s'éclaire instantanément.

« Absolument. Mes amies et moi sommes invitées à tous les grands soldes. Je peux t'emmener partout où tu voudras – je suppose que Dior est toujours en première position ? »

« Bien sûr ! »

« Vous êtes française ? » dit une voix grave. Un jeune homme en complet a saisi mon accent et se fraie un chemin jusqu'à nous. Lisa lève les sourcils vers moi et se tourne pour bavarder avec Jaime.

« Je m'appelle Patrick, je suis de Lyon. » Sa forte haleine de tabac m'assomme presque.

« Enchantée. Que faites-vous ici à Manhattan ? » demandé-je.

« Je suis dans le domaine financier. Je travaille pour la Banque suisse. »

« Et que faites-vous à une fête de l'ABA ? »

« C'est un endroit magnifique pour draguer les jeunes avocates. Et vous ? »

Je réponds avec hésitation, essayant d'éviter une banale phrase de séduction.

« Je travaille pour Edwards & White. »

« Eh, je connais un type nommé Antoine qui travaille à votre bureau. »

«Vraiment? Comment se fait-il que vous le connaissiez?»

«Il sort avec une amie à moi. Elle le voit rarement, cependant, car il est toujours en train de travailler.»

Très intéressant. Entre les heures insensées qu'il passe au bureau et son bénévolat durant les week-ends, quand Antoine trouve-t-il le temps d'avoir des rendez-vous?

Je vais une dernière fois vers le bar après avoir dit au revoir à Patrick avec un faux bisou près de sa joue.

«Allez, on y va», annonce soudainement Lisa, la veste à la main. «Je connais un super restaurant marocain, pas très loin d'ici, où on présente des concerts le lundi. Tu adoreras, c'est *très* français.»

Nous arrivons à L'Orange bleue, rue Broome, et ce n'est pas trop tôt: je suis complètement ivre. La pièce est un tourbillon de couleurs et une danseuse du ventre fait son numéro au rythme lourd et sourd des tambours nord-africains.

«Lisa, le restaurant a-t-il été nommé d'après le poème de Paul Éluard?»

«Hein?»

Je hurle à pleins poumons: «L'Orange bleue a-t-il été nommé d'après le poème de Paul Éluard?»

«Quel Paul? Est-ce que je suis sortie avec lui à la fac?»

«Peu importe.»

« Tiens, bois ça. » Elle me tend un verre de martini contenant une substance toxique inconnue. J'en prends quelques petites gorgées et je tente d'éviter la danseuse du ventre lorsqu'un homme aux cheveux noirs me saisit le bras et m'attire sur la petite piste de danse. Excitée, Lisa tape dans ses mains.

« *Go Cat! Go!* »

Après quelques rondes de mouvements suggestifs des hanches, je me trouve perchée sur une chaise, faisant ma propre version de la danse du ventre. Après une bonne dizaine de minutes d'encouragements de la foule, je bascule soudainement et me retrouve sur le plancher très dur du restaurant.

« Mon Dieu, Cat, qu'est-ce qui s'est passé ? »

« Lisa, je dois manger. *Vite.* » Elle lit sur mon visage que je suis sérieuse comme un pape et se précipite vers la salle à manger pour commander quelque chose.

Entre-temps, je cours vers les toilettes des femmes et m'effondre sagement dans l'une des cabines.

Un coup à la porte et la voix de Lisa me réveille de mon vertige.

« Ça va, Catherine ? »

« Oui, ça va. Je sors dans une minute. »

J'ouvre la porte et j'aperçois mon reflet dans la glace de la salle de bain. J'ai l'air d'un croisement entre Courtney Love et Amy Winehouse. Je ne me rappelle pas avoir vomi, mais la grande tache humide sur le devant de ma veste confirme que j'ai régurgité la boisson mystère sur mon tailleur il y a seulement quelques secondes. Gênée, je saisis un papier-mouchoir pour nettoyer le gâchis. Me rappelant soudain que j'ai des rendez-vous et des conférences téléphoniques demain matin, je dois rentrer sur-le-champ.

Au réveil, j'ai un mal de tête lancinant, causé par un mélange de tambours africains, de champagne et de martini. Je regarde la triste réalité d'hier soir : mon tailleur-pantalon Agnès B. est écartelé sur le tapis de mon salon, le collier de perles de ma grand-mère pend à ma lampe de chevet, et l'un de mes talons aiguilles est perché au sommet de ma bibliothèque. L'autre est introuvable.

Je me présente au bureau vers dix heures trente avec un mal de bloc géant. Dès que je mets le pied à la réception, Mimi murmure : « Salut ma chouette. Écoute, Antoine te cherche. Je pense qu'il est un peu fâché. »

Remarquant que je viens d'arriver, Rikash se précipite dans mon bureau et ferme la porte.

« *Dah-ling*, tu es dans l'eau chaude. Antoine te cherche depuis une heure. » Il s'approche de moi, puis recule rapidement d'un pas après avoir senti mon haleine d'alcool.

« Ooooh ! On a été vilaine hier soir ! »

« Comment tu sais ? »

« Le mascara étalé sous les yeux est toujours un signe évident. »

« Je ne me sens pas très bien. Je ne sais pas comment je vais faire pour arriver jusqu'à ce soir. »

« Ne t'en fais pas. Je fais ça tout le temps. En fait, j'arrive parfois au travail en sortant directement des boîtes de nuit et personne ne se rend compte de quoi que ce soit, grâce à ma petite recette : une bouteille de Gatorade et une dosa. Je vais descendre t'en chercher ; c'est miraculeux. Entretemps, respire profondément et reste calme. »

« Merci, Rikash. Tu es mon sauveur. »

Alors qu'il ouvre la porte, je vois Antoine qui attend à l'extérieur, faisant les cent pas, les mains sur les hanches. On dirait un nuage noir.

Ça y est, je suis cuite.

« Catherine, je comptais sur toi pour la conférence téléphonique de ce matin, pour le dossier PLC. Comme j'ai dû m'en occuper moi-même, j'ai pris un sérieux retard dans mes dossiers et j'en ai six à remettre aujourd'hui. »

Je me sens affreuse, et pas seulement sur le plan physique. Mes joues rougissent à mesure que la honte me gagne.

« Alors, comment s'est passée la fête de l'ABA ? Tu t'es amusée ? » demande Scott en passant.

Le visage d'Antoine s'empourpre. Pendant que je buvais du champagne à une vitesse record et que je faisais la danse du ventre sur des rythmes nord-africains, j'imagine qu'il était au bureau, travaillant jusqu'aux petites heures. Je suis vraiment cuite.

Quand tout le reste échoue, recourir au sexe.

« Antoine, j'ai rencontré quelqu'un, hier soir, qui connaît ta copine. »

«Vraiment?» répond-il, l'air gêné d'avouer devant Scott qu'il a une vie personnelle.

«Oui. Un banquier nommé Patrick.»

«Patrick? Je ne connais aucun Patrick.»

«Eh bien, il te connaît.»

«Ah, Patrick. Oui, oui, je me rappelle», ajoute-t-il après que Scott s'est éloigné. «Écoute, je n'ai *pas* de copine, d'accord? C'est juste une amie.» Le pourpre de son visage vire au rose. «Peux-tu rappeler Mel à propos du dossier PLC? J'apprécierais vraiment. Merci.»

Après avoir terminé avec Mel, j'appelle Lisa pour savoir en détail ce qui s'est passé hier soir.

«Toute une soirée, non? Tu étais défoncée.»

«Je sais. Comment est-ce que je suis rentrée?»

«Je t'ai mise dans un taxi et j'ai donné un petit supplément au chauffeur pour m'assurer que tu te rendrais en sécurité.»

«Je ne m'en rappelle même pas. Comment s'est passée ta rencontre avec ton patron?»

«Très bien! Je serai fort probablement nommée associée d'ici deux ans.»

Une vague d'envie me submerge. Je devrais être aux anges pour Lisa, mais je ne peux m'empêcher d'être jalouse. Je fais de mon mieux pour paraître sincère.

«Félicitations! Il faut qu'on célèbre! Mais pas ce soir, je suis claquée.»

« Ne t'en fais pas. Ce soir, je rencontre Charles après le travail. Il m'invite à dîner à la Gramercy Tavern. »

Je regrette d'avoir eu une mauvaise opinion de Charles. Pendant une fraction de seconde, je me trouve pitoyable, mais j'essaie de retrouver ma contenance.

« Comme c'est gentil de sa part. »

« Je t'ai bien dit qu'il a de l'affection pour moi, dit-elle d'un ton plein de sous-entendus. En tout cas, nous devons travailler ta tolérance à l'alcool. Elle est bien trop faible. »

Notre conversation est interrompue par des cris dans le couloir. Je raccroche et me précipite vers la photocopieuse. Devant le bureau d'Antoine se déroule l'histoire que Rikash a prédite la semaine dernière.

« Ce n'est qu'un simple document, bordel ! » hurle Antoine de son bureau.

« J'en ai plein le dos de toi et de tes foutus documents. Tu peux te les mettre là où tu sais ! hurle Maria de derrière son bureau. Demande à quelqu'un d'autre de changer vingt-cinq fois la police de caractères, parce que moi, j'en ai vraiment marre. Je m'en vais et je ne reviendrai peut-être plus. Jamais ! »

Elle met son manteau et s'élance dans le couloir, ses seins rebondissant sous son t-shirt qui affiche en toutes lettres « *Je m'en fous royalement* ».

Rikash fixe la scène, sa main soigneusement manucurée collée contre sa bouche, Mimi hoche la tête d'incrédulité, et Roxanne court pour rattraper Maria près de l'ascenseur. Un lourd silence plane alors que tous les autres avocats de notre département restent cois derrière leur bureau.

Quelques minutes plus tard, Antoine sort dans le couloir, visiblement secoué. « Je ne m'explique pas son comportement, c'est tout à fait inacceptable. » Il entre dans le bureau de Scott et claque la porte derrière lui. Après environ une heure, Antoine sort du bureau de Scott, enfile son manteau et quitte pour le reste de la journée, un départ hâtif qui bouleverse tout le monde.

∞

C'est ma chance de rentrer chez moi dormir un peu.

CHAPITRE 10

« Mieux vaut garder le silence et passer pour un fou, que de parler et d'éliminer tous les doutes », disait toujours mon père. J'essaie de garder ce dicton à l'esprit lorsque Nathan arrive d'un pas nonchalant pour me faire une visite.

« Quand est-ce que le nouvel associé s'installe dans ce bureau ? Je croyais que c'était temporaire ? »

« Je n'en suis pas sûre. J'ai entendu dire qu'il pourrait arriver plus tard que prévu. »

Il répond en fronçant les sourcils, puis étire le bras pour fermer ma porte. « As-tu lu l'article sur le cabinet dans le *Wall Street Journal* d'aujourd'hui ? »

« Non. Je n'ai pas encore eu la chance de lire le journal. »

« Alors, tu manques une information importante. » Il s'appuie contre le dossier de l'un de mes fauteuils de visiteurs, les bras croisés sur la poitrine.

«Ah bon ? »

« Je suppose que tu sais que les grands cabinets de New York ont augmenté les salaires de leurs avocats au cours des dernières années ? »

« Oui, bien sûr. »

« Eh bien il paraît que les associés leur en veulent, qu'ils vont augmenter les quotas minimums d'heures à facturer. As-tu entendu parler de *ça* ? » demande-t-il tout en balayant furtivement du regard chaque objet posé sur mon bureau, à la recherche de preuves indiquant que je saurais quelque chose qu'il ne sait pas.

« Non, je n'en sais rien du tout. »

Augmenter les quotas d'heures à facturer ? Est-ce humainement possible d'y arriver ? Pour ce faire je devrais monter une tente et une douche dans mon bureau. À bien y réfléchir, une pareille installation ne serait pas si mal si elle contribuait à tenir à l'écart des gens comme Nathan. Je trouve son insécurité déconcertante (se souvenir du trait de caractère numéro 1 de la personnalité de type A). Il est clair qu'il ne pourrait jamais facturer plus d'heures à moins que le cabinet ajoute une toilette portable dans son bureau et lui administre ses repas en intraveineuse.

« As-tu entendu dire que certains associés principaux s'en vont pour lancer leur propre cabinet ? »

Rikash l'avait mentionné au lunch, mais je ne dirai rien de ce que je sais.

« Vraiment ? Je n'ai rien entendu dire là-dessus non plus. »

Il plisse les yeux, incrédule. Pour une raison quelconque, il croit que j'en sais plus que lui sur la politique interne du bureau. C'est étrangement flatteur.

« Si tu apprends quelque chose, peux-tu me mettre au courant ? » dit-il avec une évidente exaspération devant mon manque d'information sur ce qui se passe dans le cabinet. « Si les associés principaux s'en vont, ce sera tout simplement la survie du plus fort, ici. » Il me jette un regard de supériorité, comme s'il voulait dire que a) je ne fais carrément pas partie des plus forts, b) dans l'éventualité d'une réorganisation, mes chances de survie sont quasi nulles, et c) il va dominer le nouvel ordre mondial. Je réplique par un regard qui lui signifie que d) il pourrait être un peu plus prudent jusqu'à ce qu'il sache où il en est.

Après le départ de Nathan, Maria frappe à ma porte, vêtue d'un complet marine d'un conservatisme inhabituel, et d'une blouse de bibliothécaire beige à volants.

« J'aimerais m'excuser formellement pour mon comportement d'hier. C'était tout à fait inacceptable, et je promets de ne plus recommencer. »

J'essaie de ne pas laisser transparaître mon état de choc. « Tu n'as pas à t'excuser. Écoute, tu as travaillé de longues heures ces dernières semaines, et il est normal que tu sois fatiguée. Ça aurait pu arriver à n'importe qui. »

Elle est surprise de trouver une oreille indulgente, et son visage s'éclaire.

« Je suis complètement épuisée. Antoine et Bonnie sont sur mon dos jour et nuit. Je n'ai pas eu une seule journée de congé depuis neuf mois, et je suis ici presque tous les soirs jusqu'à minuit. »

« Je sais. »

« Il me faut une heure et demie pour rentrer ; puis, quand j'arrive chez moi, je dois faire la lessive et, s'il n'est pas trop tard, préparer le dîner et aider les enfants à faire leurs devoirs. Je ne sais pas si je pourrai tenir le coup encore longtemps. »

Sa routine quotidienne me laisse baba. Je ne peux même pas concevoir en faire autant ; je m'effondre habituellement sur mon sofa après dix minutes de marche du bureau.

« Je comprends. Écoute, si jamais tu veux bavarder, ma porte est toujours ouverte, d'accord ? »

« Merci, j'apprécie. Ici, les avocats qui se préoccupent du personnel de soutien se font rares. »

« Oui, c'est un milieu un peu froid, parfois. »

« Un peu froid ? Je dirais que c'est carrément glacial. » Elle baisse les yeux et hésite avant de poursuivre, mais ma volonté d'écouter la pousse à continuer. « C'est en train de devenir assez affreux, ici… Je ne sais pas vraiment ce qui se passe. » Elle fait une nouvelle pause, espérant que je dise quelque chose, mais je reste muette. « Chacun fait l'innocent, mais je ne suis pas idiote… D'ailleurs, mieux vaut que tu le saches, je ne joue à rien, moi. Je dis les choses comme elles sont. »

Il me vient à l'esprit que tout notre département semble préoccupé par le climat empoisonné du cabinet. Je devrais peut-être commencer à m'inquiéter à mon tour.

« Tu as raison. Il vaut toujours mieux être honnête. »

Elle se lève et se dirige vers la porte avec une expression plus grave. « Pas toujours. »

Il doit être si difficile de supporter les jeux de pouvoir puérils et le comportement énervant d'avocats gâtés. Je serais exaspérée si j'étais à sa place. Je me jure de ne jamais manquer de respect envers Rikash.

Mon téléphone sonne quelques secondes après le départ de Maria.

« Maîîître, où est la note de service que tu m'as promise ? On l'attend avec impatience. »

« Salut, Mel, je te l'envoie d'ici dix heures. »

À 10 h 04, le téléphone sonne encore.

« Maîîître, la note de service n'est pas encore dans la boîte de réception de mon courriel. »

« Ça vient, Mel. Donne-moi encore une vingtaine de minutes. J'ai besoin de la corriger avant de te l'envoyer. »

« Ton petit secrétaire pourrait peut-être arrêter de se limer les ongles et taper un peu plus vite. Il ne travaille pas dans un spa. »

« Écoute, il n'a rien à voir là-dedans. Il me faut un peu plus de temps pour effectuer les dernières corrections, d'accord ? »

À 10 h 10, Mimi appelle pour me rappeler une réunion à venir sur le nouveau programme d'avantages sociaux des employés du cabinet.

À 10 h 13, Antoine veut savoir si j'ai déjà eu affaire à Hart-Scott-Rodino. Une fraction de seconde avant que j'avoue ne pas avoir eu de contact direct avec cette législation, il me vient à l'idée qu'il fait référence à a) un acteur de film de série B que représente notre groupe divertissement, b) une nouvelle sorte de cours prénataux pour femmes enceintes, ou c) le chef d'un quelconque réseau local de la mafia italienne.

À 10 h 15, l'inspecteur de la police de New York en charge de l'unité de lutte contre la contrefaçon des marques de commerce me rend mon appel.

À 10 h 19, la SEC veut discuter de l'inscription récente de l'un des clients d'Antoine.

À 10 h 22, le livreur du café du coin appelle de l'entrée de l'édifice pour livrer mon petit-déjeuner. (Je suis maintenant en train de devenir sérieusement accro aux sandwichs aux œufs à l'américaine : il faut que je trouve ce bouquin qui raconte que les Françaises restent toujours minces, sinon je deviendrai bientôt une exception à la règle.)

À 10 h 23, mon nouveau représentant de la Citibank veut savoir si j'aimerais investir dans des fonds communs de placement.

À 10 h 25, Bonnie cherche un précédent qu'elle m'a demandé de trouver pour l'une de ses acquisitions. (Et elle ne comprend pas pourquoi diable je mets autant de temps à le trouver.) « Il vaut mieux que tu t'arranges pour que j'aie cette foutue information sur la dragée toxique pour ma réunion de demain. Si tu ne peux pas faire le travail, bordel, je demanderai à quelqu'un d'autre de s'en charger. »

Une dragée toxique ? On dirait quelque chose que je mettrais volontiers dans son café du matin.

À 10 h 27, Nathan veut savoir pour combien d'heures j'ai établi une facture jusqu'ici cette semaine. (Je mens en doublant le nombre réel.)

À 10 h 28, Bonnie rappelle pour me dire que je dois vérifier auprès d'elle avant d'accepter de nouveaux mandats de Scott ou d'Antoine, car elle a un contrôle exclusif sur mon temps et ma charge de travail.

À 10 h 29, Lisa veut savoir si j'ai le temps de l'accompagner au Rescue Beauty Lounge pour un soin des mains et des pieds avant notre dîner de demain soir. (*C'est tout à fait hors de question.*)

À 10 h 35, le téléphone sonne encore.

« Catherine, c'est encore Mel, et il est plutôt grossier avec moi au téléphone », se lamente Rikash.

Je prends l'appel et je l'implore, les dents serrées. « Écoute, Mel, je fais de mon mieux. Le document va t'arriver sous peu. »

À 10 h 55, Rikash tape les révisions finales de la note de service et je l'envoie. Je meurs de faim, mais je n'ai pas le temps de prendre mon petit-déjeuner, car je suis censée être au bureau de Scott pour une conférence téléphonique dans moins de cinq minutes.

À **10 h 57**, la voix euphorique de Scott résonne dans l'interphone. « Eh ! Catherine, excellente nouvelle ! Te souviens-tu de ce concours ? On a le contrat. Browser nous a embauchés et nous serons les principaux conseillers juridiques de leur première tournée de financement. J'aimerais que tu sois mon principal intervenant dans cette transaction. Est-ce que tu peux te rendre à une réunion aux bureaux de la Banque suisse, demain après-midi ? Malheureusement, je ne pourrai pas y être, j'ai un autre rendez-vous. »

« Bien sûr. »

À **10 h 58**, je regarde par la fenêtre de mon bureau pendant un bref instant lorsque Rikash m'appelle dans l'interphone.

« Si c'est Mel, dirige l'appel vers ma boîte vocale. »

« Non, c'est ta mère. Elle dit qu'elle a de bonnes nouvelles pour toi. »

« Bonjour, ma chérie. Tu ne le croiras pas : ta cousine Françoise vient tout juste de trouver un boulot merveilleux à Paris. Elle sera acheteuse principale pour Chanel. Elle voyagera dans toute l'Europe et aura un compte de dépenses illimité et une allocation vestimentaire. »

« Ouais, c'est vraiment génial. » J'imagine ma superbe cousine s'envoler à bord d'un jet privé pour faire la tournée des défilés de mode, avec une veste ajustée en laine finement bouclée, une énorme paire de verres fumés Coco Chanel sur le nez, des rangs de perles délicates au cou, et un grand sac de cuir matelassé, tandis que de mon côté, mes voyages d'affaires ressemblent à un véritable cauchemar où j'ai à bousculer des préposés à la sécurité agressifs en suant dans des tailleurs fatigués que je porte depuis trois jours.

À 11 h 03, Roxanne m'appelle dans l'interphone : « Catherine, Scott t'attend dans son bureau pour la conférence téléphonique. Tu es en retard. »

Ma tête s'effondre sur mon bureau. Je veux pleurer.

CHAPITRE 11

« C'est une Louis Féraud des Puces à Paris. »
Jeudi à dix-neuf heures, Lisa me cueille en taxi devant l'édifice du bureau. Dès que je mets les pieds dans la voiture, elle me complimente sur ma robe.

« Ah oui, les Puces ! Je me rappelle. J'étais tellement jalouse des trucs que tu y dénichais, à l'époque de la fac. »

« Il faut que tu passes là-bas : j'y trouve les objets les plus incroyables. »

« Bah, je n'ai pas la patience de fouiller pour trouver de vieilles fringues que quelqu'un d'autre a déjà portées. J'aime mes vêtements neufs et prêts-à-porter. »

Lisa a toujours été mordue des griffes et des dernières tendances de la mode. Pour moi, ce n'est pas le prix qui compte, mais la façon d'agencer une tenue. Je décide de changer de sujet.

« Que fait Charles ce soir ? »

« Il est à Hong Kong, en voyage d'affaires. Il est parti hier. »

« Comment s'est passé votre dîner de célébration ? »

« Merveilleusement bien », répond-elle avec le regard rêveur d'une amoureuse.

« Je suis désolée de l'avoir jugé. »

« Ne t'en fais pas. Je comprends que tu veuilles simplement m'éviter d'avoir de la peine. »

« C'est vrai. Et je suis très heureuse de ta promotion. C'est moi qui paie les premiers verres. »

« Merci, Cat. J'espère que tu n'as pas eu de difficulté à partir tôt du bureau ? »

« Pas vraiment. Convaincre Rikash à garder le secret m'a coûté un triple Marble Mocha Macchiato et un éclair au chocolat. »

Nous arrivons au Blue Owl, un *lounge* branché de l'East Village, bondé d'hommes en complet et de filles aux allures de mannequins avec un arc-en-ciel de martinis à la main.

« Cat, je te présente mes amies Amanda, Leanne et Beverley. »

Lisa pointe de la main trois femmes, début trentaine, respectivement habillées en Prada, Gucci et Chanel.

Je m'avance pour serrer trois des mains les plus parfaitement manucurées et garnies de bijoux que j'aie jamais vues.

« Bonsoir, enchantée. »

« Catherine, Lisa nous a dit que tu venais tout juste de déménager ici de Paris. On adore Paris, n'est-ce pas, mesdames ? » dit Beverley (Chanel) en soulevant son verre de martini pour porter un mini toast.

« Ah oui, le meilleur shopping de notre vie ! » s'empresse d'ajouter Leanne (Gucci).

« Le meilleur ? Plutôt le plus fantastique ! J'ai presque vidé la boutique YSL au cours de mon dernier voyage », lance Amanda (Prada).

« Lisa nous a dit que tu étais avocate. Quel genre de droit pratiques-tu ? » demande Leanne.

« À quelle faculté de droit es-tu allée ? As-tu passé l'examen du Barreau de New York ? » demande Beverley avant que je puisse répondre à la question de Leanne.

« Je suis allée à la fac en France et j'ai rencontré Lisa au cours d'un programme d'échange à Pepperdine. Eh non, je n'ai pas encore passé l'examen. »

« Mon frère l'a passé l'été dernier. Il a dit que c'était un jeu d'enfant », dit Beverley.

J'ai entendu bien des récits à propos de l'examen du barreau, mais la plupart le représente comme un voyage en enfer et non comme un jeu d'enfant.

« Tu travailles chez Skadden ou Sullivan ? Tu dois avoir des horaires dingues, ces jours-ci », fait Amanda en pleine période de questions.

De toute évidence, je subis un contre-interrogatoire sérieux de la part de la brigade bling-bling. Avant qu'elles ne puissent poser une autre question, je fonce.

«Non, je ne travaille pas chez Skadden, ni chez Sullivan & Cromwell. Je suis chez Edwards & White et en effet, on peut dire que j'ai des horaires cinglés ces temps-ci. Et vous, qu'est-ce que vous faites?»

«Amanda travaille pour un fonds spéculatif, Leanne est courtier, et je suis médecin», répond Beverley d'une manière qui laisse croire qu'elle a répété sa réplique.

«Vous devez savoir ce que c'est que de travailler de longues heures.»

«Oui. Une folle équipée, répond Amanda. Je vis pratiquement dans un avion ces jours-ci. Mais au moins, *nous*, on est payés. Vous, les avocats, vous ne faites pas beaucoup d'argent à l'heure, vu la quantité de travail que vous y mettez.»

Ouille! Tu règles ma facture de bar pour avoir dit ça, ma petite demoiselle. D'ailleurs, j'ai soif. Après avoir passé en revue la carte impressionnante des cocktails, je choisis le Comtesse; canaliser la royauté française en moi me fera sentir un peu moins inférieure parmi ces princesses. Je commande deux verres, un pour Lisa et un pour moi. Je demande au barman de les faire bien forts.

«On a fait une réservation chez *Daniel* pour dîner; j'espère que ça te va. C'est notre restaurant préféré. Le plateau de fromages est délicieux et la liste des vins est incroyable.»

«Oui, ça me va très bien», dis-je faisant semblant d'être tout à fait à l'aise à l'idée de dépenser pour un dîner un montant qui pourrait couvrir une journée au spa ou la moitié du coût d'un fauteuil neuf pour mon appartement.

« Pourquoi vous ne partiriez pas tout de suite, les filles ? Cat et moi allons prendre un autre taxi pour vous rejoindre », suggère Lisa pendant qu'elles se drapent simultanément dans des impers qui leur ont coûté la peau des fesses.

« D'accord, on se revoit là-bas », s'écrie Beverley tout en agitant son écharpe Burberry. Dès qu'elles sont trop loin pour entendre, j'interroge Lisa.

« Comment as-tu rencontré ces nanas ? Elles sont un peu, euh, agaçantes, non ? »

« Je les ai rencontrées à une fête l'été dernier dans les Hamptons. En fait, elles sont plutôt inoffensives. »

« Inoffensives ? On dirait plutôt des piranhas en tailleurs griffés. As-tu entendu Amanda dire que les avocats sont sous-payés ? C'était impoli. »

« Écoute, mieux vaut t'y habituer. C'est comme ça que les gens parlent à New York. Nous sommes entraînés à être férocement compétitifs. »

Le ton de sa voix me dit qu'il est temps de battre en retraite.

« Désolée, j'imagine que je suis habituée à ce que les gens soient un peu plus discrets. En France, parler de son salaire est considéré comme une maladresse. »

Je saisis mon sac et lui passe son écharpe qui était posée sur le banc à côté.

.«Ici, c'est différent. Ton salaire, tu le portes en sautoir. Tous les jours, tu dois affronter cette jungle professionnelle et le défendre.»

«Eh ben, tant pis, je préfère tout de même rester discrète sur ma situation financière.»

Nous passons la porte devant l'hôtesse et je lève la main pour héler un taxi.

«Allons, Cat, détends-toi! C'est ce qui rend la vie à New York si stimulante! Gagner de l'argent et le dépenser!» s'exclame Lisa alors que nous montons dans la voiture mal aérée. «Ces filles sont tellement drôles, tu verras.»

Même si Lisa et moi nous entendons bien, lorsqu'il est question d'amis et de connaissances, nous pouvons être diamétralement opposées: je ne peux pas supporter le bavardage superficiel et je préfère rester chez moi à regarder un film ou à lire un bon livre, tandis que Lisa est un animal sociable qui a besoin de sortir, même lorsque l'entourage a l'air d'une version haut de gamme d'*Alvin and the Chipmunks*.

«D'accord. Si tu le dis…»

Au nom de notre amitié, je garde le silence pendant le reste du trajet. Alors qu'on roule en direction des quartiers chics de l'Upper East Side, je me prépare mentalement à la conversation compétitive que nous aurons durant ce dîner.

Je suis bouche bée à la vue du décor de chez *Daniel* : plafonds à la hauteur du ciel, verres de cristal étincelant, couverts Bernardaud, et bouquets de roses méticuleusement placés ici et là dans la salle. Nous prenons nos places et, comme je m'y attendais, le ton de la conversation de la soirée est fixé.

« J'ai tellement hâte d'être au Memorial Day[6], commence Amanda. Mon copain nous a loué une maison à East Hampton. Nous adorons y aller avec notre nouvelle Porsche. »

Et voilà, c'est parti !

« Malheureusement, je n'y serai pas cette année. J'ai vraiment besoin de me reposer de la ville. Je m'en vais dans une île privée. »

Leanne passe en première place.

« Et toi, Catherine, qu'est-ce que tu fais, pour le week-end du Memorial Day ? » demande Beverley d'un ton guilleret.

Je jette à Lisa un regard de panique. Comme je ne peux pas facturer la planification des longs week-ends, j'ai complètement oublié. Soudainement, j'aimerais avoir mobilisé Rikash pour mes projets d'été.

« Euuuh, je ne sais pas encore. Franchement, il m'est difficile de faire des plans, ces temps-ci, avec un horaire aussi chargé. »

6. Jour du Souvenir, aux États-Unis. (N.D.T.)

Les trois me fixent en silence avec un air de déception. Il est clair que nous ne deviendrons pas les meilleures amies. Même si je n'ai aucun intérêt à fréquenter ces filles, je me sens soudain complètement terne et inintéressante.

«Donnez une chance à Catherine, elle vient d'emménager ici!»

Lisa tente de me secourir de ma pitoyable vie sociale.

«Je vais me faire coiffer chez John Frieda la semaine prochaine. J'ai tellement hâte.»

Lisa dévie la conversation vers les traitements de beauté à prix d'or. J'espère qu'elle n'a pas perdu son côté terre-à-terre pour devenir aussi précieuse que ses amies.

«Ouh», roucoulent-elles toutes en même temps.

«Je vais avoir un gommage la semaine prochaine chez Elizabeth Arden. Ma peau est si terne que j'ai l'air d'être à la fin de la trentaine – c'est hideux.»

Le serveur finit par venir prendre notre commande et me sauver de l'enfer des spas.

«Mademoiselle», commence-t-il par me dire en français. Ses yeux d'un bleu perçant me vrillent et cela me donne un frisson.

Je lui réponds avec mon accent parisien le plus pointu.

«Bonsoir, monsieur, je vais prendre les raviolis en entrée, puis votre filet de sole, merci.»

Les trois me regardent, bouche bée. Bravo, un point pour Catherine; allez-y, mes chères Américaines, essayez d'en faire autant. Avec jubilation, je les regarde commander maladroitement et je rigole en mon for intérieur de les voir éviter soigneusement de prononcer quoi que ce soit en français au menu. Je passe les quinze minutes suivantes à examiner minutieusement la carte des vins rouges de *Daniel*. Lorsque nos plats arrivent, Lisa et moi entamons nos raviolis, tandis que les autres jouent avec leurs salades de roquette sans vinaigrette.

Ma dégustation des pâtes est interrompue par le bourdonnement de mon BlackBerry. J'ai reçu un courriel d'Antoine.

« J'ai besoin de discuter d'un sujet urgent avec toi. As-tu quelques minutes ? »

Je m'excuse auprès de mes compagnes de table et je bondis vers les toilettes des dames. Il faut que je réponde à ce message sans laisser deviner que je suis en pleine sortie et que j'ai pris quelques cocktails Comtesse et verres de vin. Du calme, Catherine, et reste vague.

Je réponds ceci :

« Bien sûr, peux-tu me dire de quoi il est question ? Je travaille à distance, ce soir. »

J'imagine que l'expression *je travaille à distance* est suffisamment ambiguë pour que je puisse me trouver à la bibliothèque du Palais de justice, enfouie sous une pile d'actes législatifs et de jurisprudence. Je retiens mon souffle dans la cabine de marbre et clique nerveusement sur sa réponse :

« Je suis en train de passer en revue le prospectus de l'American Bank et j'ai besoin de ton aide concernant la section sur les exigences en capital. C'est toi l'experte, pas moi. »

« Sans problème. Tu n'as qu'à m'envoyer l'ébauche ; je serai heureuse d'y jeter un coup d'œil dès que j'aurai terminé le pain que j'ai sur la planche. »

Fière de ma subtile réplique, je me détends et appuie fermement mes pieds contre la porte de la cabine. Bien joué, Catherine, tout va bien !

« Je ne sais pas où tu es, mais tu sembles débordée. »

« Oui, totalement submergée. »

« As-tu besoin d'aide ? »

Mon Dieu, oui, plus que jamais. S'il te plaît, sauve-moi de ce trio archi superficiel. J'essaie de mettre fin à notre échange de *mails* avant que Lisa envoie le serveur me chercher et me débusque.

« Non, je vais m'en tirer, mais merci de ton offre. Je passerai à ton bureau demain matin pour revoir les exigences. »

« S'il n'était pas si tard, je te proposerais de les revoir devant un verre de vin. »

Je suis étonnée par le ton dragueur de sa réponse. Si je n'étais pas coincée ici à tenir une conversation polie avec une bande de divas nombrilistes, j'accepterais volontiers l'invitation.

« J'aurais bien aimé, mais ce n'est pas le moment de me tenter. J'ai d'autres chats à fouetter pour l'instant. Bonsoir, Antoine. X »

Je ne peux pas croire que je viens de terminer mon courriel par un bisou ! Et s'il allait s'imaginer que je suis une parfaite idiote ? J'espère qu'il pensera tout simplement que c'est une coutume française. Je me débats pour trouver la fonction de rappel sur mon BlackBerry, lorsqu'il vibre quelques secondes plus tard. Je retiens mon souffle et clique nerveusement sur sa réponse :

« Bonsoir, Catherine. X à toi aussi ! »

Eh bien. Pas mal. J'imagine qu'il n'est pas si coincé que ça, après tout. Fière de l'avoir amené à jouer un peu et d'avoir désamorcé un éclat potentiel à propos de ma sortie avec les filles, je retourne à notre table pour la dernière période de cette compétition féminine.

Mes compagnes me jettent un regard étrange lorsque je reprends ma place.

« Je suis désolée. Le travail. »

« Cat, regarde ce que notre serveur a apporté, juste pour toi ! » s'exclame Lisa.

Un plat de délicates truffes au chocolat est placé en face de ma chaise.

Je reconnais maintenant leur expression, c'est *de l'envie.*

« Je crois qu'il a le béguin pour toi, fuse Lisa. Comme c'est mignon. »

Si c'est le cas, c'est une bonne nouvelle pour mon ego. Je décoche au serveur un sourire de reconnaissance. Même si je ne suis pas tout à fait d'accord avec la façon dont Lisa choisit ses amies, la soirée n'a pas été mauvaise du tout : j'ai réussi à quitter le bureau à une heure convenable, j'ai pu apprécier un cocktail de reine ainsi qu'un délicieux dîner dans l'un des restaurants les plus en vue de la ville, et je flirte outrageusement avec non pas un homme, mais deux. Pas mal, n'est-ce pas ?

« Je dois m'excuser. Je pars pour San Francisco à la première heure demain matin, pour un week-end d'affaires », dit Amanda en rassemblant son stock Prada : téléphone portable, porte-clefs et sac à main.

« Bonsoir, les filles, à la semaine prochaine au cours de *spinning*. »

Elle quitte la table sans offrir de payer sa part.

« Oh, elle a probablement oublié ; nous allons tout simplement payer à sa place. Elle est si occupée au travail, ces jours-ci », dit Beverley en fixant l'addition.

Occupée au travail ? La belle excuse. Ah, la vache ! Je n'étais pas vraiment d'humeur à payer le coûteux repas d'une odieuse inconnue. Surtout pas en sachant qu'elle m'a insultée il y a moins de deux heures. À presque trois cents dollars par tête, ce n'est pas tout à fait ce que j'appelle une bouchée du jeudi soir entre filles.

En sortant, j'envoie des bisous à notre serveur et le remercie de son geste généreux, et il murmure à mon oreille :

«Ne vous en faites pas, mademoiselle. Je passerai le congé du Memorial Day à Staten Island[7].»

---

7. Staten Island est un des districts situés à la périphérie de Manhattan. (N.D.T.)

CHAPITRE 12

Les lendemains de veille, peu de combinaisons sont plus mortelles qu'un BlackBerry, un excès d'alcool et un flirt – subtil ou non – avec un collègue. J'aimerais pouvoir invoquer l'Édith Piaf qui sommeille en moi et chantonner « non, je ne regrette rien », mais ce n'est pas le cas. J'aurais dû rappeler ce dernier courriel à Antoine – je le savais dès que j'ai cliqué sur « Envoyer » hier soir ; je le savais quand je me suis éveillée, rouge d'embarras, ce matin ; et je l'ai vraiment su quand je l'ai croisé à la salle de photocopies et qu'il m'a ignorée.

Je fixe mon écran d'ordinateur en me demandant ce que cela voudra dire pour la suite de notre relation et, surtout, pour ma carrière. Pourquoi me snoberait-il ? S'imagine-t-il que j'ai un faible pour lui ? Après tout, c'est lui qui a suggéré d'aller prendre un verre ! Catherine, tu ne peux pas laisser le stress et l'excès de vin te pousser à prendre de mauvaises décisions.

Rikash se précipite dans mon bureau avec une pile de reçus dans les mains.

« Qu'est-ce qui ne va pas ? Tu as l'air soucieux. »

« J'ai besoin de ton aide, *dah-ling*. Je subis une pression immense. »

« Comment cela ? »

« Bonnie vient de me faire une scène parce que je n'ai pas fini le rapport de remboursement des dépenses de son plus récent voyage en Europe. J'y travaille depuis trois jours, mais je ne crois pas pouvoir réconcilier les reçus. »

« Pourquoi pas ? »

« Il y en a un que je ne sais pas trop comment traiter… C'est pour une jarretière et un soutien-gorge achetés dans une boutique de sous-vêtements de Londres. »

« Quoi ? Tu blagues ? »

« Selon toi, est-ce qu'un 34C d'Agent Provocateur pourrait passer pour un repas ? »

« Je ne peux pas croire qu'elle fasse porter cela à son compte de dépenses. Pourquoi Bonnie se ferait-elle rembourser ses soutifs ? Elle fait suffisamment d'argent pour acheter la boutique de lingerie au complet. D'un autre côté, quand il est question de conclure une entente, ses dessous s'avèrent aussi essentiels que son acuité de juriste. À bien y penser, oublie ce que je viens de dire. C'est son principal outil de négociation. »

« Qu'est-ce que je dois faire ? »

« Il y a sûrement une façon de faire passer cela dans ses dépenses. Attends, des tas de restaurants utilisent des numéros dans leurs noms, n'est-ce pas ? Eleven Madison Park, Candle Seventy-nine, et Five Napkin Burger. Alors, pourquoi pas Thirty-Four C Regent Street ? »

« C'est brillant. Absolument brillant, merci, *dah-ling*. Au fait, toi, ça va ? Tu as l'air un peu démoralisée. »

« Ça va aller. Je suis préoccupée par le travail, c'est tout. »

Malgré une augmentation régulière des inscriptions féminines à la faculté de droit et les lois destinées à promouvoir l'égalité entre les sexes, on dirait que les femmes sont encore fortement sous-représentées dans le monde de la haute finance. Je me présente à la réunion que Scott a fixée aux bureaux de la Banque suisse, et nous ne sommes que deux femmes dans la pièce : celle qui prépare le chariot à café, et moi. La grande salle de conférence est remplie de jeunes hommes s'exprimant à toute vitesse dans un jargon financier tout en prenant des notes sur une épaisse ébauche de prospectus ; je me sens un peu perdue dans un océan de dockers et de chemises bleues. Pendant une fraction de seconde, je voudrais être dans la salle de réunion chez Dior, à discuter sacs Lady Dior contrefaits. Mais j'écarte rapidement cette pensée ; cette transaction très en vue et chargée de testostérone est exactement ce qu'il me faut pour oublier le fait qu'Antoine m'a snobée. Je regrette sérieusement ce stupide échange de courriels. Comment ai-je pu baisser ma garde si aisément, surtout en temps de guerre? C'est une erreur tactique et une dure leçon. Catherine, ne va jamais au combat sans ton armure. Mes pensées sont interrompues par la voix grave d'un homme.

«Bon après-midi tout le monde, et merci de vous être libérés pour assister à cette rencontre au pied levé. Je m'appelle Jeffrey Richardson. Je suis le directeur financier de Browser.»

Cet homme qui se tient à l'avant de la salle de réunion est superbe. Il a les cheveux noirs et les épaules carrées, et il porte une chemise rose pâle avec un costume rayé ajusté. On dirait Nacho Figueras, le joueur de polo argentin et mannequin de Ralph Lauren. Toutes les réflexions que je ruminais encore à propos d'Antoine disparaissent rapidement de mon esprit.

«Comme tout le monde le sait, nous avons choisi le cabinet Edwards & White en tant que premier conseiller juridique. Quelqu'un d'Edwards est-il présent ce matin?»

Mon pouls commence à accélérer.

«Oui, bonjour, mon nom est Catherine Lambert.»

«Enchanté de vous rencontrer, Catherine. Je suis content que vous soyez ici avec nous, aujourd'hui.»

Jeffrey m'accueille avec un sourire éclatant. J'ai les paumes moites et peur de bientôt bafouiller comme une idiote. Sois professionnelle, Catherine! Rappelle-toi la leçon que tu as apprise ce matin même!

«Vous êtes la personne-ressource chez Edwards concernant cette transaction, je présume?»

« Scott Robertson, l'associé directeur général de notre service, sera l'avocat principal chargé de ce dossier, mais je serai en effet l'intervenante. »

Les autres personnes présentes se nomment, mais j'ai de la difficulté à rester attentive : je suis complètement hypnotisée par la fière allure et le sourire chaleureux de Jeffrey.

« En combien de temps pouvons-nous nous attendre à ce que votre cabinet complète le processus de diligence raisonnable ? »

Mon voisin me tapote l'épaule.

« Excusez-moi, mademoiselle, je crois que cette question vous était adressée. »

« Oh, désolée, pouvez-vous répéter la question ? »

Je sors de ma transe.

« Oui, bonjour, Catherine, mon nom est Howard Greenblatt. Nous représentons les banquiers. Dans quel délai votre cabinet peut-il préparer les documents pour le processus de diligence raisonnable ? Nous essayons de déterminer les dates de remise à venir et d'établir un échéancier. »

« Bien sûr, oui, oui. Pour répondre à votre question, je n'entrevois aucun retard et je peux vous assurer que j'accorderai, euh, je veux dire nous, chez Edwards & White, accorderons à ce dossier la plus haute priorité. »

Ce n'est pas la réponse la plus éloquente, mais elle semble satisfaire Howard. Allons, Lambert, tu ne vas pas laisser un mec sexy te distraire comme ça, hein ?

« Parfait. Merci. »

Une période de questions débute après les présentations.

« Quels sont les bénéfices de la compagnie avant intérêts, impôts et amortissement ? » demande un banquier.

« Combien de négociations de financement avez-vous traitées jusqu'ici ? » demande un autre.

J'essaie de suivre le rythme rapide de la période des questions en transcrivant frénétiquement chaque question et réponse sur mon ordinateur portable. Après deux heures et demie intenses et bien remplies, Jeffrey remercie la foule et précise que nous poursuivrons à la prochaine réunion.

Je suis en train d'emballer mes affaires lorsque Jeffrey s'approche de moi.

« Très heureux d'entendre que ce dossier sera une priorité pour vous. J'imagine que cela signifie que, dorénavant, vous et moi allons être en contacts réguliers, n'est-ce pas ? »

« Oui, j'imagine. »

Je lui tends ma carte.

« Très bien. Je vais demander à ma secrétaire d'ajouter votre nom à la liste du groupe de travail. »

« Parfait. »

Je le surprends à regarder mon ensemble.

« Joli tailleur. »

« Merci. »

Je lève les yeux et nos regards se rencontrent ; même si je m'efforce, avec toute la volonté du monde, de ne pas rougir, je rougis.

« À l'image de la femme qui le porte. »

Mon cœur s'arrête ; je cherche mes mots. Allons, ressaisis-toi ma pauvre !

« Je devrais retourner au bureau, à présent. Euh, je vous reparlerai bientôt. » Mes joues s'empourprent de plus belle.

En guise de réponse, il me fait un clin d'œil. Je veux mourir.

Je franchis les portes de verre pour me diriger vers la sortie. Pendant ce temps, il reste planté dans le hall de l'édifice, à me regarder ; il me fait un au revoir de la main.

Mon Dieu, il sera difficile de résister à un flirt avec *lui*. Je décide de marcher le long de Park Avenue pour retourner au bureau. Tout au long du trajet, je ne peux m'empêcher de penser à Jeffrey ; je rejoue notre brève conversation dans ma tête. Il est évident qu'il y a eu une attraction mutuelle, mais de là à fréquenter un client important, ah ça, non merci. Je ne suis pas prête à naviguer dans des eaux aussi troubles.

☙

« Rikash, tu peux ouvrir un dossier pour Browser Inc., s'il te plaît ? »

« Browser ? J'ai lu quelque chose à leur propos dans le *Herald Tribune* au cours du week-end. »

« Tu lis le *Herald Tribune* ? »

Rikash ne cesse de m'étonner. Je le savais cultivé, mais je n'aurais jamais cru qu'il lisait un tel journal.

« Bien sûr. J'aime être bien informé. J'espère que tu es en étroite relation avec la haute direction. »

« Pourquoi donc ? »

« Leur directeur financier est vraiment très séduisant. »

Il me prend tout à fait au dépourvu, et je suis sûre qu'il peut lire l'expression de surprise sur mon visage.

« Comment le sais-tu ? »

« Une photo de lui accompagnait l'article. Quel homme ! Je me porterais bien volontaire pour donner avec lui une toute nouvelle signification à l'expression *jouer avec les chiffres.* »

Ouh là là ! Moi aussi, si seulement il ne s'agissait pas d'un de nos clients… Cela dit, rien ne m'empêche de parler de son charme irrésistible avec Rikash.

« Mon Dieu, ne m'en parle pas. J'ai failli m'évanouir quand il m'a serré la main. Il n'est pas seulement séduisant, Rikash, c'est un super canon. Au fait, il s'appelle Jeffrey. »

« Connais-tu son orientation ? »

« Ce n'est pas la tienne, j'en ai bien peur. »

«Dans ce cas, saute-lui dessus, car si je ne peux pas l'avoir, il faut au moins que quelqu'un que je connais se le mette sous la dent.»

Ça y est, c'est parti. Attache ta ceinture, Catherine. Je suis certaine que Rikash essaiera de te détourner du droit chemin.

«C'est un client, et je veux que ça reste ainsi.»

«Rappelle-toi, *dah-ling*: les bonnes filles vont au ciel, les mauvaises vont très loin.»

Avant que je puisse poursuivre notre conversation, Scott entre dans mon bureau.

«Comment s'est passée la réunion?»

«Extrêmement bien.»

«Magnifique, je suis content de l'entendre. On m'a invité à assister à une réception donnée par Browser au Carnegie Hall, la semaine prochaine, mais je ne pourrai pas y aller. Maintenant que tu es engagée dans la transaction, j'aimerais que tu y ailles à ma place.»

«Au Carnegie Hall?» J'hésite avant de répondre. Scott m'avait également demandé d'assister à une soirée bénéfice organisée par la femme de Mel pour la St. Matthew's Society la semaine prochaine, et il faut que j'augmente le nombre de mes heures à facturer. Si seulement je pouvais comptabiliser les heures que je vais passer à ces réceptions, au moins, elles en vaudraient la peine.

Il sent mon appréhension. «Je sais que je te demande d'assister à beaucoup de réceptions de clients, ces jours-ci, mais j'ai bien peur que cela fasse partie du travail. Il faut inviter les clients à boire et à dîner. »

« Bien sûr, je comprends. Je serais enchantée d'y aller. »

« Très bien, je demanderai à l'assistant de Jeffrey de prendre contact avec toi et de te donner les détails de la soirée. »

Quelques minutes plus tard, Nathan entre dans mon bureau, l'air perplexe.

« J'ai entendu dire que tu travaillerais à l'introduction en Bourse de Browser. »

« Tu as très bien entendu. »

« Est-ce que ça ne va pas interférer avec tes autres mandats? Tu as déjà la plupart des dossiers d'Antoine. »

« Je peux m'en charger. »

« Eh bien, si j'étais toi, je déléguerais une partie de mon travail. Il ne faudrait pas qu'on t'accuse de négligence professionnelle. Ça peut arriver quand la charge est trop lourde, tu sais. »

Voilà une très faible tentative d'avoir l'air de se soucier de mon sort. Il est vrai que ma charge de travail est en train de s'alourdir et que j'ai pris du retard dans ma recherche pour Dior, mais il n'est pas question que je le laisse poser ses sales pattes sur l'introduction en Bourse de Browser, qui pourrait me valoir le partenariat. On dit que pour avancer, il faut prendre des bouchées doubles, *et ensuite, s'appliquer à les mastiquer.*

« Je te remercie de te soucier si gentiment de mon équilibre professionnel, mais je vais m'en tirer, vraiment. »

Frustré, Nathan sort de mon bureau les mains vides.

« C'est Mel. Tu veux le prendre ? » me demande Rikash à l'interphone.

« Bien sûr, passe-le-moi. »

Je me mets un doigt dans la bouche en faisant semblant de vomir.

« Allô, maîîître, j'ai bien hâte de te revoir lundi, au bal de charité de la St. Matthew's Society. »

« Moi aussi. Et j'ai hâte de faire la connaissance de ta femme. »

Je me demande si mon nez est en train de s'allonger.

« Elle aussi, euh, elle a bien hâte de… ça. As-tu le temps, maintenant, de passer en revue la note de service que tu as préparée ? »

« Bien sûr, laisse-moi prendre mon dossier. »

Quinze minutes de questions plus tard, mon autre ligne sonne et *Browser* apparaît sur l'afficheur. Je jette un coup d'œil à Rikash pour m'assurer qu'il prend l'appel. Il répond et me fait de grands signes avec les mains.

« Mel, je suis désolée, mais puis-je te faire patienter une minute ? »

« Catherine, c'est Jeffrey sur ton autre ligne. »

« Très bien, passe-le-moi. »

« Mon Dieu, même sa voix est superbe. »

« Rikash, passe-le-moi. »

« Si tu es occupée, je peux prendre un message pour toi. »

« Rikash, passe-moi la communication. »

« Tu sais que les jolis abdos m'intéressent aussi ? »

« PASSE-LE-MOI TOUT DE SUITE ! »

« D'accord, d'accord, pas besoin d'être aussi rabat-joie. »

« Allô, Catherine ? C'est Jeffrey. Scott m'a dit que tu te joindrais à nous jeudi soir prochain. »

« Oui, et j'ai bien hâte. »

« Pouvons-nous d'abord dîner ensemble, afin de discuter de certains détails ? Je veux que cette introduction en Bourse se déroule sans problème et comme prévu. »

« Euh… Oui, d'accord. »

Il sent mon hésitation.

« C'est strictement pour affaires, j'ai besoin de conseils juridiques – vous pourrez donc me facturer les heures. »

Comme ces mots sont doux à mes oreilles.

« Oui, bien sûr. »

« Parfait. Je vais faire une réservation et vous envoyer l'invitation par courriel. »

Je reprends l'autre ligne avec réticence.

« Mel, je suis désolée, où en étions-nous ? »

« Ça fait bien plus qu'une minute, maîîître. J'espère que tu as arrêté ton compteur pendant que tu étais sur l'autre ligne. Pas de double facturatiiiion ! »

« Ne t'en fais pas, Mel, je ne te facturerai pas pour ça. »

« Un cadeau d'un avocat ? Ouah, c'est bien la première fois ! Est-ce qu'on peut revoir la note de service, maintenant ? »

« Absolument, mais le compteur repart. »

Après une discussion juridique d'une demi-heure, Mel termine la conversation.

« Il faut que je file. On se revoit au Waldorf. N'oublie pas, c'est un dîner habillé et le cocktail commence à dix-neuf heures. »

« J'y serai ; je ne raterais pas cet événement pour tout l'or du monde. »

Je ricane et raccroche, étonnée de réussir à avoir l'air si sincère.

CHAPITRE 13

Françoise Sagan a dit un jour qu'une femme ne doit pas porter une robe pour impressionner ou éblouir d'autres femmes. Qu'elle devrait plutôt le faire pour être déshabillée par l'homme qu'elle aime. Le hic, c'est que je suis en train de mettre une robe longue à paillettes, de couleur rouge, pour rencontrer Mel et sa femme.

Roxanne et Maria entrent pendant que je vaporise mes poignets de J'adore.

« Wow ! Quel glamour ! fait remarquer Maria en m'examinant de la tête aux pieds. Oh, j'adore les chaussures. »

Roxanne se tient devant moi dans un silence total et m'envoie son habituel regard de glace.

« T'as un rendez-vous amoureux ? »

« Non, Scott m'a demandé d'assister à une soirée bénéfice avec Mel Johnson et sa femme. Apparemment, Mᵐᵉ Johnson siège au conseil d'administration de la St. Matthew's Society. »

«Vraiment?»

Maria et Roxanne se regardent fixement.

«Amuse-toi bien.»

Mon Dieu, que ces deux-là sont bizarres.

À l'entrée, j'entre presque en collision avec Mel.

«Maîîître, vous êtes ravissante.»

«Merci, tu n'es pas mal du tout, toi non plus.»

Je rends le compliment, bien qu'il porte un smoking trop petit de quelques tailles, ce qui lui donne l'allure du bonhomme Michelin coincé dans du Azzedine Alaïa.

Nous grimpons deux longs escaliers et parcourons un vaste corridor qui mène directement à une suite de salons très élégants, avant d'arriver à la grande salle de bal. Je tends le cou pour regarder jusqu'aux plafonds ornés de peintures magnifiques.

«Aimerais-tu un verre de champagne?»

«Ah oui, volontiers. Alors, où est Mme Johnson?»

«Elle est retenue dans une réunion. Elle se joindra à nous un peu plus tard. Allons, faisons le tour. Je vais te présenter à certains amis et collègues.»

Nous nous approchons d'un homme de grande taille qui se tient près du bar, un cigare à la main.

«Frank, permets-moi de te présenter notre adorable avocate française, Catherine. Elle s'occupe de nos formulaires d'inscription aux organismes de règlementation.»

« Enchanté de vous rencontrer, Catherine. J'aime beaucoup le français. C'est la langue de *l'amouuur*, dit-il en formant un petit cercle avec ses lèvres. »

« Ah oui, la langue de *l'amoowr* », ajoute Mel, essayant d'exhiber sa connaissance des langues étrangères.

Après une pénible demi-heure de conversation peu stimulante avec Frank et Mel, je suis contente qu'on nous demande de prendre place pour le dîner. Étrangement, il n'y a encore aucun signe de Mme Johnson.

« Et ta femme, Mel? Devrions-nous l'attendre avant de prendre nos places? »

« Je ne suis pas certain qu'elle viendra ce soir. Elle ne semblait pas dans son assiette ce matin quand je suis parti de la maison. »

Est-elle malade ou en réunion? Il y a anguille sous roche, car Frank fait un clin d'œil à Mel et lève le pouce. *Oh mon Dieu, quelle horreur!*

« Alors, depuis quand ta femme siège-t-elle au comité d'administration de la St. Matthew's Society? »

« Depuis toujours. C'est elle qui dirige toutes leurs affaires », répond-il avec indifférence.

« Mesdames et messieurs. »

Un homme prend le micro, après que notre plat principal a été servi, pour remercier les organisateurs. Comme je m'y attendais, il n'y a aucune référence à une Mme Johnson. Peu après le dessert, l'orchestre commence à jouer et plusieurs couples dansent sur la piste.

« Maîîître, me feriez-vous l'honneur ? »

« Bien sûr », dis-je à regret.

Il me prend la main et me dirige dans un médiocre fox-trot.

« J'espère que tu passes une belle soirée. Mes collègues sont vraiment très contents de te rencontrer. »

« Oui, Mel, je m'amuse bien. Merci de m'avoir invitée. Par contre, je partirai probablement bientôt, j'ai une réunion tôt demain matin. »

« Mais non, voyons, la soirée vient à peine de commencer. Le plaisir aussi », répond-il en me faisant maladroitement pirouetter sur la piste et presque trébucher dans ma robe.

« Maîîître, j'adore ta robe. Elle est électrisante. Elle fait monter la flamme en moi. »

De grâce, que quelqu'un appelle les pompiers.

« *You are ze one, for mee !* » murmure-t-il à mon oreille. Je détourne le visage, mais il se penche vers l'autre oreille. Sortez-moi d'ici !

« *And you are so very, veery, deeesirable !* »

Alors qu'il rapproche son visage du mien pour m'embrasser, je détourne la joue pour éviter la forte puanteur de scotch et de cigare de son haleine.

« Écoute, Mel, j'espère qu'il n'y a pas de malentendu, mais je tiens à ce que notre relation reste professionnelle. »

« Oh, maîîître, j'adore quand une femme devient dure avec moi. »

Il me fait tourbillonner de nouveau, me faisant cette fois tamponner le président de l'œuvre de charité.

« Et Mme Johnson ? Tu es marié, te rappelles-tu ? »

« Eh bien, comme le disent les avocats, j'ai légèrement dénaturé les faits. »

« Comment donc ? »

Je reste immobile devant lui, car j'ai arrêté mon jeu de jambes compliqué.

« Euh, il n'y a pas de Mme Johnson, seulement plusieurs ex-Mme Johnson. »

Bon, Catherine, fais semblant d'être sous le choc – c'est ta carte de sortie.

« Quoi ? Tu m'as menti ? »

« Tu n'as jamais raconté un petit mensonge pieux pour séduire la personne que tu aimais ? Tu t'amuses bien, non ? Ne sois pas trouble-fête. »

« Trouble-fête ? J'ai accepté ton invitation uniquement parce que tu es un client. »

« *Voolay voo kooshay avek mwaa ce swaar ?* » murmure-t-il avec un ridicule accent et un regard provocant et peu naturel, qui pourrait être un croisement entre ceux de Pepe Le Pew et de Rodney Dangerfield. Il plaque ensuite sa main sur mes fesses.

Bon, ça y est, cette fête est carrément finie.

« Écoute, Mel, au cas où tu n'aurais pas compris ce que je viens de te dire, je ne suis pas intéressée. »

Je me dégage et cours aux toilettes des femmes tout en composant le numéro de portable de Lisa.

« Lisa ? C'est moi. »

« Où es-tu ? »

« Je suis dans une cabine des toilettes des femmes au Waldorf. M'entends-tu bien ? »

« Oui, qu'est-ce qui ne va pas ? »

« J'ai besoin de ton conseil », dis-je en me perchant maladroitement avec mes talons aiguilles de huit centimètres sur le siège des toilettes pour avoir une meilleure réception.

« Je suis à un bal de charité avec un client, et il vient d'essayer de m'embrasser et m'a empoigné le derrière. Je le trouve vraiment dégoûtant. Qu'est-ce que je fais ? »

Je manque de tomber. Au même moment, une femme entre dans les toilettes.

« Dis que tu as reçu un appel du bureau, et ne dis rien d'autre. Il te laissera tranquille après. Ne te laisse pas bousculer, mais reste professionnelle. »

« Tu as raison. Merci, Lisa, tu es ma meilleure amie. »

Je m'effondre bruyamment en soulevant ma robe pour descendre de ce siège de toilettes.

Mel m'attend à la réception.

« Je viens de recevoir un appel du bureau. Je dois y aller. »

« Je serais très prudente à votre place, maîîître. Je réfléchirais sérieusement à ma prochaine décision. »

Je ne peux pas croire qu'il me menace. Je me sers des conseils de Lisa : reste professionnelle.

« Bonne nuit, Mel. »

Je prends mon sac de soirée et me dirige vers la sortie, l'ourlet de ma robe rouge à paillettes ballotant d'un côté et de l'autre alors que j'essaie de marcher aussi rapidement que possible avec une douloureuse ampoule au pied.

Je hèle un taxi devant l'hôtel et j'aperçois Frank près de l'entrée, en train de fumer un cigare avec un groupe d'hommes.

« *Bon swaar*, Catherine », s'écrie-t-il.

J'ai la tête qui tourne, je me cale dans le siège arrière du taxi. Déjà, Mel me mettait régulièrement mal à l'aise avec ses blagues lascives et me rabaissait en m'appelant sa « petite avocate préférée ». Non, cette fois, il a dépassé les bornes.

« Nous faisons un court arrêt à la 42ᵉ Rue. J'ai besoin de prendre quelque chose à mon bureau. »

Dans cette robe de soirée moulante et avec cette douleur lancinante aux orteils, sortir du taxi et entrer dans l'édifice constituent un exploit majeur. Lorsque les portes de l'ascenseur s'ouvrent au vingt-huitième étage, il pourrait bien être seize heures, étant donné le cliquetis bruyant des claviers et le murmure des photocopieuses. Je reconnais une partie du personnel de nuit, au travail à minuit et demi, qui se chargent de retranscrire au propre les ébauches annotées à la main qu'on a laissées là pour qu'elles soient déposées, à la première heure, sur les bureaux des avocats.

Comme je ne suis pas d'humeur à bavarder, je file devant les postes de travail du personnel de soutien et j'arrive à mon bureau. Au grand soulagement de mes pieds trop serrés, je me glisse dans mes godasses usées et jette un blazer sur mes épaules nues. Je m'assois un instant dans ma chaise pivotante, en repensant aux événements de la soirée. Comment Mel peut-il se permettre cela à notre époque? Et comment pouvons-nous continuer à travailler ensemble après un tel piège? Je dois avouer que je n'étais pas totalement surprise par son comportement. Jusqu'ici, dans ma carrière, je m'étais habituée au fait que certains clients de sexe masculin me fixent les jambes pendant que je livre une présentation. Est-ce que j'ai utilisé cela à mon avantage? *Absolument.* Si une paire de bas vous aide à fendre ce très lourd plafond de verre, alors pourquoi pas? Était-ce une invitation ouverte à baiser et à me tripoter? *Absolument pas.*

Grinçant encore des dents à la pensée des mains de Mel sur mon corps, je passe devant le bureau de Bonnie et remarque que sa porte est entrouverte. Un coup d'œil rapide me permet de voir qu'une jupe a été jetée là et que deux paires de jambes sont entrelacées sur le tapis de son bureau. Étonnée, j'avance à pas de loup vers les ascenseurs jusqu'à ce que la voix de Bonnie, dans un roucoulement digne de *Je t'aime moi non plus* m'arrête net.

«Oh, Harry.»

CHAPITRE 14

«A lors, *dah-ling*, comment ça s'est passé hier soir?»
demande Rikash, debout dans l'embrasure de la
porte de mon bureau. Il arbore un sourire malicieux digne
du chat du Cheshire. «As-tu rencontré quelqu'un d'intéressant?»

«Bien sûr, à condition de trouver les bedaines et le
comportement grossier séduisants. J'ai passé une dure
soirée à vrai dire, mais je ne tiens pas que tout le bureau le
sache. Sais-tu garder un secret?»

«Ouiii, gémit-il comme un gamin de quatre ans. Allez,
dis-moi *tout*!»

«C'était horrible. Mel m'a tripotée pendant toute la
soirée avec ses gros doigts boudinés.»

«Oh non!»

«Oh oui. Et je suis sûre que ce n'est pas fini. Tu
verras.»

J'allume mon ordinateur et, évidemment, il n'y a pas un, mais bien deux courriels de Mel Johnson dans ma boîte de réception, et mon nom est inscrit à la ligne Objet. Le premier est adressé à Scott et à Antoine :

Chers Messieurs,

C'est à regret que je dois vous avertir d'un malheureux incident qui s'est produit hier soir.

L'une de vos avocates, Catherine Lambert, a eu un comportement déplacé en ma présence. Alors qu'elle participait au bal annuel de charité de la St. Matthew's Society, elle s'est enivrée au point de me mettre dans l'embarras, ainsi que plusieurs de mes collègues et leurs épouses. Sa conduite m'oblige à envisager un changement de cabinet juridique.

Ses gestes ont gravement terni la réputation de votre cabinet, et j'espère que vous prendrez les mesures nécessaires pour éviter qu'un tel comportement se reproduise à l'avenir.

Bien à vous,

Mel S. Johnson

Directeur général

PLC Partners

Le second n'est adressé qu'à moi :

Chère Catherine,

Dommage que tu n'aies pas su saisir ta chance hier soir…

Non, mais c'est une blague ? Quel cauchemar ! Ces jeux de coulisse sexuels sont aussi toxiques qu'un excès de lotion après-rasage Azzaro. Je me dirige à pas décidés vers le bureau de Scott, bien déterminée à blanchir ma réputation.

« Il est déjà avec quelqu'un », m'avise Roxanne en me voyant approcher.

« J'attendrai. »

« Il n'aime pas que les gens restent debout devant sa porte. »

Je la fixe avec défiance.

« Comme je l'ai dit, je vais attendre. »

J'entends la voix d'Antoine à travers la porte.

« Je ne peux pas croire qu'elle ait fait quelque chose comme ça. Ça ne cadre pas du tout avec sa personnalité. »

J'ai le cœur qui flanche.

Je frappe, j'entre et je referme la porte derrière moi.

« Scott, le courriel de Mel est un mensonge fabriqué de toutes pièces. »

« C'est une affirmation plutôt forte, Catherine. Qu'est-ce qui s'est passé ? »

Antoine me fixe avec sérieux. Mon visage vire au rouge pivoine et mes mains commencent à trembler.

« Il m'a fait des avances hier soir, et il est frustré parce que je les ai refusées. »

Il y a une longue pause silencieuse pendant laquelle les deux hommes se regardent.

« Ce sont des allégations très graves, Catherine. Tu es sûre de toi ? Il y a habituellement deux façons de voir les choses », lance Antoine.

Je retiens mes larmes. Je croyais que nous étions en voie de devenir amis, pas à deux doigts de nous pousser mutuellement dans la fosse aux lions.

« Je te jure que c'est ce qui s'est passé. Je croyais que nous faisions tous partie de la même équipe, ici. »

Un ange passe. Le temps me paraît insupportable. Je suis sur le point de mentionner le second message de Mel, lorsque Antoine intervient.

« Il est vrai que Mel a la réputation d'un coureur de jupons. »

Je lui envoie un regard plein de gratitude.

« Ouais… mais c'est un client majeur. Si on le perd, on perd beaucoup d'heures facturables. »

Scott semble soupeser attentivement ses choix. Mais comment peut-il envisager de prendre le parti de Mel ?

« Donc, je ne suis pas sûr que nous puissions nous permettre de rompre la relation. Je dois y réfléchir. »

Merde! Je me précipite hors du bureau de Scott pour me réfugier dans le mien. Je m'en veux d'avoir eu la naïveté de croire que le cabinet me défendrait dans cette histoire. Il est clair que l'argent passe bien avant le respect des employés. L'acharnement de Scott pour accroître le nombre de clients pourrait-il lui monter à la tête au point de lui faire perdre toute décence ?

Après quelques minutes, j'ouvre la porte et j'essaie de retrouver mon calme. Je suis furieuse de m'être laissée piéger, mais est-ce que je vais laisser le courriel de cet homme entraver ma carrière ? Jamais de la vie ! La question, c'est : qu'est-ce que je fais, maintenant ? Je décide de garder pour moi le second courriel de Mel jusqu'à ce que je parle à Lisa. J'ai besoin de son opinion juridique sur mes choix, dans l'hypothèse où je poursuivrai Mel pour harcèlement sexuel. Mon Dieu, j'espère que ça n'ira pas jusque-là. Mais avec la réaction de Scott, qui sait ?

« Dure soirée hier ? » demande Maria en passant devant mon bureau.

« Comment as-tu deviné ? »

« Tu m'as dit que tu sortais avec Mel Johnson. Tout le monde sait que c'est une vraie sangsue. »

« Qu'est-ce que tu veux dire ? »

« Ma pauvre chérie, il l'a déjà fait à d'autres avocates de ce bureau. Tu n'es pas la première sur laquelle il pose ses sales pattes. »

Époustouflée, j'ai la tête qui tourne. J'étais sûre d'avoir gagné le respect de Maria lorsqu'elle est venue me voir à mon bureau pour s'excuser après sa grande montée de lait.

« Pourquoi ne pas me l'avoir dit avant que je parte pour le dîner ? »

« Je n'ai pas à faire de commérages sur des clients du cabinet. »

« Tu aurais pu m'avertir, au moins, Maria. »

« Tu es une grande fille, tu peux affronter tes prédateurs comme une dame ; c'est du moins ce que je croyais. »

Elle fait subitement demi-tour et sort de mon bureau.

Complètement baba, je regarde fixement par ma fenêtre. Dans cette boîte, sont-ils tous ligués contre moi?

« Rikash, tu veux bien venir? »

Il entre en hâte.

« Ferme la porte. »

« Qu'est-ce qui se passe? »

« Mel a envoyé à Scott un courriel disant que je me suis enivrée et que je l'ai mis dans l'embarras hier soir, et qu'il envoie son travail ailleurs. »

« Quel trou du cul! »

« Il m'a même envoyé un courriel disant que je n'avais pas su saisir ma chance. Peux-tu imaginer un pareil salaud? »

« Quoi que tu fasses, n'efface pas le message. »

« Jamais de la vie. Mais je ne sais pas encore quoi en faire. »

« J'ai une idée. »

« Oh là là! J'ai peur de ce que tu vas me dire. Attention, je suis déjà suffisamment dans le pétrin. »

« Ne t'en fais pas. Rikash a la situation en main. »

« Autre chose: je crois que Maria et Roxanne sont liguées contre moi. Est-ce qu'elles parlent dans mon dos? »

« *Dah-ling*, ne fais pas semblant d'être si étonnée. Ce sont des garces, je te l'ai dit. »

« Alors, ça y est. C'est la guerre. »

CHAPITRE 15

Il y a un bon côté à toute chose. Alors que j'envisageais sérieusement de prendre le prochain vol d'Air France pour rentrer à Paris et d'abandonner ma carrière juridique pour servir aux tables du bistro de mon beau-père, Lisa m'appelle avec une proposition alléchante.

« Que dirais-tu de filer en douce et d'aller au solde d'échantillons de ton client ? »

« Mon client ? »

« Oui, chez Dior. C'est comme si tu allais en repérage après tout ! »

« Où ? Quand ? »

« Dans la salle de bal du St. Regis. Tout de suite ! »

« Ça ne pourrait pas mieux tomber, j'ai besoin de te parler. J'arrive. »

Je bondis de ma chaise et me dirige vers la sortie ; du Dior à rabais, ça va certainement me remonter le moral.

Alors que je passe devant le poste de travail de Rikash, il prend ma ligne. «C'est Antoine. Il a besoin de te parler d'urgence.»

«Dis-lui que je le rappellerai. Je m'en vais à un rendez-vous avec un client.»

«Quel rendez-vous?»

«Je ne peux pas te le dire. Couvre-moi, c'est tout.»

«Et si Scott ou Bonnie te demandent?»

«Dis-leur seulement que je serai de retour dans une heure. Envoie tous mes appels dans ma boîte vocale, s'il te plaît. S'il y a le feu à l'édifice, appelle-moi sur mon portable, sinon, ça peut attendre.»

Je fais un long détour par l'autre côté des ascenseurs pour éviter de passer devant le bureau de Bonnie. Il n'est pas question que je laisse quiconque entraver mes plans de shopping à ce moment-ci.

J'arrive hors d'haleine. La dernière fois que j'ai couru aussi vite pour arriver quelque part, c'était à la faculté de droit, alors que j'étais en retard pour un examen final. À l'extérieur de l'immeuble, une immense file de femmes toutes plus raffinées les unes que les autres s'étend le long de deux pâtés de maisons. Lisa, habillée d'un tailleur noir, me salue.

«Coupe la file, viens par ici.»

Elle m'accueille avec une chaude accolade.

«Je suis contente que tu aies pu te libérer. Il y a un tas de choses fabuleuses ici, et c'est vraiment bon marché!»

Je regarde autour de moi et je sens mon pouls s'accélérer d'un coup : des ensembles taillés à la perfection sont soigneusement suspendus à travers toute la salle, des chaussures splendides sont rangées dans des boîtes entrouvertes, empilées bien haut le long du mur, et des chapeaux et des bijoux de fantaisie sont méticuleusement exposés sur des comptoirs de verre. De toute évidence, il n'y a aucune copie frauduleuse ici. Avant de nous attaquer à la marchandise en solde, il me revient à l'esprit la technique de shopping de Rikash en ce qui concerne les soldes d'échantillons : si on aperçoit quelqu'un en train d'essayer un article qu'on veut désespérément, il suffit de lui dire « *Quel dommage qu'ils ne l'aient pas dans votre taille !*»

« Je n'ai pas vraiment *besoin* de quoi que ce soit », dis-je en essayant de paraître sincère. Qu'est-ce que je raconte ? À Paris, j'avais des amies qui assistaient à ces soldes, auxquels je ne réussissais jamais à être invitée. Et ça me rendait toujours malade de jalousie.

« De quoi voulais-tu me parler ? demande Lisa en examinant les bijoux. J'imagine que c'est à propos d'hier soir ? Comment ça s'est terminé avec le client ? »

« D'une façon horrible. Après que je lui ai donné une douche froide en refusant ses avances, il a envoyé un courriel vicieux à mon patron et m'a accusée de m'être enivrée et de l'avoir mis dans l'embarras. »

« Non ? Sans blague ? »

Elle prend une broche en cristal noir dans le présentoir.

« Je sais, cet homme est incroyable ! Il a même eu le culot de m'envoyer un second courriel me disant que j'avais manqué de discernement. Et quand j'ai essayé de donner ma version de l'histoire à Scott, il a pris le parti du client. »

« Bingo ! Ta cause est là. Si les choses se gâtent, tu peux toujours en discuter avec quelqu'un de mon cabinet. Il y a une avocate au bureau spécialisée dans les cas de harcèlement. »

« Merci, Lisa, je vais peut-être recourir à son aide. J'espère seulement que Scott reviendra à la raison. »

« Je ne miserais pas trop là-dessus. »

« Au moins, Antoine semble être de mon côté. »

« Bien. Il a l'air d'un type honnête. Est-ce qu'il est beau ? »

Elle marche vers la section prêt-à-porter.

« Oui, mais très imprévisible. Un jour, il m'engueule à propos de mon travail, et le lendemain il blague et me demande d'être son contact principal à New York quand il sera à Paris. Je ne le comprends pas. »

« Ça veut peut-être dire que tu lui plais. »

J'écarte son affirmation, pour deux raisons. D'abord, c'est sans pertinence, car il s'en va à Paris. Deuxièmement, si c'était vrai, pourquoi m'aurait-il ignorée après notre flirt par courriel ?

« Je ne crois pas. Il voit quelqu'un. »

Une blouse de chiffon bleu pâle attire mon attention.

« Les hommes voient toujours quelqu'un, Cat. Ce n'est pas sérieux pour autant. »

« Il part pour Paris dans quelques semaines, alors je suis certaine que ce n'est pas ça. Et puis, de toute façon, il est bien trop soupe au lait pour moi. Tu aurais dû voir l'engueulade qu'il a eue avec l'une des secrétaires. *Oh là, là, c'était horrible.* »

« Il subit beaucoup de pression. Tu connais la chanson. »

« Bah! Changeons de sujet. Pourquoi ne pas discuter du fait que Bonnie a fait l'amour hier soir dans son bureau avec le chef du contentieux? Quel scandale! »

« Quoi? »

« Eh oui, ma chère ; je les ai surpris en flagrant délit. Ils ne m'ont pas vue, mais je les ai entendus. »

« Ouah! »

« Rikash avait laissé entendre qu'elle voyait quelqu'un du cabinet, mais je n'aurais jamais deviné que c'était Harry Traum. »

« Le pouvoir est un grand aphrodisiaque. Et puis, ce sont des choses qui arrivent partout. Tiens, tu devrais essayer ce pull, il t'irait bien. »

Elle ajoute à ma pile d'articles un tricot de cachemire turquoise renversant. Je la suis jusqu'à l'arrière de la salle où des femmes qui ne se connaissent ni d'Ève ni d'Adam se changent côte à côte sans pudeur devant de grands miroirs.

« Je me demande si c'est à cause d'elle qu'Harry a divorcé. De toute façon, moins j'en sais là-dessus, mieux ça vaut. Assez parlé de moi. Comment va Charles ? »

J'essaie un tailleur de tweed.

« Il va très bien. Nous partons aux Bahamas pour le week-end. C'est lui qui a tout organisé, dit-elle, admirant la coupe de son ensemble dans la glace. J'adore ceci. Je vais acheter ce pantalon. »

« Que dis-tu de ça ? » J'ai ajouté à l'ensemble de tweed une ceinture cloutée en cuir verni noir. « C'est le style New Look revisité. »

« Ouah ! Ça te donne une allure du tonnerre, Cat ! Tu as l'air de Marion Cotillard dans les pubs pour Lady Dior ! Tu as l'oeil. Tu devrais travailler dans la mode, pas dans un cabinet juridique ! »

Je reviens à sa vie amoureuse.

« J'ai vraiment mal jugé Charles. Il semble te traiter comme la reine que tu es, ma chérie. J'ai hâte de le rencontrer. »

« Ne t'inquiète pas, ça viendra. J'espère seulement que je ne perds pas mon temps à sortir avec lui. Je cherche à m'engager dans une relation sérieuse. »

« Alors, il faut que tu crées un certain mystère. Deneuve l'a si bien dit : j'aime l'idée du mystère, c'est le plaisir d'être une femme. »

« Merci pour le tuyau. Je vais essayer de me faire mysté-rieuse quand on sera en vacances », dit-elle en blaguant.

«Fais-moi confiance, la meilleure façon de garder un homme, c'est de le laisser dans le doute.»

J'essaie un manteau de laine rose pâle que Lisa avait choisi pour moi. Debout devant les glaces, plusieurs des femmes commencent à roucouler : «Oooh, ça vous va comme un gant; vous devez absolument l'acheter.»

Un coup d'œil à l'étiquette révèle le prix d'origine : 2 500 dollars. Ouf! Heureusement qu'il y a un rabais de 85 %.

«C'est presque donné», dit une femme à côté de moi.

«C'est un classique, tu l'aurais pour *toujours*», dit Lisa en s'extasiant.

«Mais c'est ça, le problème. Côté manteau, je n'ai pas tendance à être monogame.»

Elle ignore mon commentaire.

«Essaie le tailleur marine, chaque femme en a besoin d'un.»

«J'ai déjà un tailleur marine. Ce serait ridicule d'en acheter un autre.»

«Celui que tu as est un *Dior*?»

«Euh… non.»

J'ai toujours rêvé d'en avoir un, mais je ne pouvais me résigner le payer plein prix.

«Alors, tu n'en as *pas* vraiment un. Allez, essaie-le ! N'oublie pas d'essayer aussi la robe de soirée et ces chaussures vernies noires. Tu ne peux pas partir sans elles. C'est la dernière paire de ta pointure.»

Après avoir fini d'essayer la montagne de vêtements et d'accessoires que j'avais choisis, nous nous dirigeons vers la sortie et je me heurte à un mur de culpabilité financière.

« Lisa, je ne devrais vraiment pas acheter tout cela. J'ai besoin de meubler mon appartement. »

Ébahie, elle me fixe.

« Écoute, ce sont des rabais imbattables. Et quand il est question d'acheter quelque chose qui durera toute la vie, le moment n'est jamais mal choisi. Puis, dis-moi, quand passes-tu vraiment du temps dans ton appartement ? »

Je tends ma carte de crédit à la caissière. Pendant qu'elle la fait glisser, je grimace, sachant que je suis en train de crever mon budget.

« N'es-tu pas excitée ? Tu repars avec des choses si formidables ! »

« C'est vrai. Je suis contente. La thérapie par le shopping, c'est exactement ce qu'il me fallait. Je ne suis tout simplement pas habituée à dépenser autant d'argent pour des vêtements. Il faut dire que de ce point de vue-là, j'ai été bien avantagée par le style *vintage* – des fringues glanées dans les friperies, ça ne m'a jamais coûté trop cher ! J'ai besoin de temps pour digérer cette folle dépense, c'est tout. »

« N'y pense pas trop ! Je dois retourner au bureau pour un rendez-vous. Je t'appellerai plus tard. »

Elle me fait des bisous à la volée et disparaît dans les rues agitées avec trois grands sacs.

En retournant au bureau, je suis envahie par un intense sentiment de remords. Ai-je vraiment laissé tomber Antoine pour aller faire du shopping? Puisque son BlackBerry n'a pas sonné, son appel ne devait pas être *si* important. Miss Lambert, une fois pour toutes, mets tes priorités dans le bon ordre. Mais d'abord, retourne au bureau sans te faire prendre avec tes deux immenses sacs. J'entre sur la pointe des pieds par la porte arrière, espérant que personne ne me verra. Heureusement, Nathan a fermé sa porte et Rikash est hors de vue. Essayant de me faufiler à la hâte, je m'élance dans le couloir et arrive abruptement face à face avec Roxanne.

«T'as fait quelques courses?» fait-elle remarquer en jetant un regard désapprobateur sur mes sacs.

«Oui, euh… c'est l'anniversaire de ma mère. C'est un tournant majeur, elle a soixante ans. Tu sais ce que c'est.»

«Non, pas du tout», ricane-t-elle.

Merde.

Je cache les sacs derrière la porte de mon bureau et consulte ma boîte vocale.

Vous avez sept nouveaux messages. Double merde. En catastrophe je vérifie mon BlackBerry, qui n'a pas sonné: la batterie est à plat. Triple merde.

«C'est Phil Purcell, de l'American Bank à San Francisco. C'est un appel urgent. Veuillez me rappeler dès que possible.»

« Catherine, c'est Antoine, s'il te plaît, passe à mon bureau quand tu auras un moment. J'ai besoin de discuter d'un dossier avant de partir. »

« C'est encore Antoine. Où es-tu ? »

« Bonjour Catherine, c'est maman. J'appelle pour te dire bonjour. »

« Catherine, c'est encore Phil. Je m'attends à ce que vous me rappeliez rapidement, d'accord ? On ne vous paie pas grassement pour rien. Et j'espère que vous n'êtes pas en train de facturer le temps que vous passez à écouter tous mes messages. »

« Catherine, c'est Scott. Phil Purcell vient de m'appeler en disant qu'il a tenté de te rejoindre toute la matinée. Ignores-tu notre politique de rappel systématique du client en moins de quinze minutes ? Oh, en passant, n'oublie pas de facturer le temps que tu passes à écouter tous ses messages. »

« Catherine, c'est Rikash. Où es-tu ? J'ai essayé ton cellulaire, mais il est éteint. Scott te cherche et il ne semble pas d'humeur à gober l'alibi du rendez-vous avec le client, je ne sais pas trop quoi lui dire d'autre. S'il te plaît, rappelle-moi si tu prends tes messages. »

Ouille ! Je me suis foutue dans le pétrin. Je prends le téléphone pour retourner mes appels lorsque Rikash fait soudainement irruption dans mon bureau.

« Où étais-tu ? Tout le monde te cherchait, y compris ta mère. »

« J'étais occupée à faire un peu de thérapie par le shopping. J'étais légèrement déprimée après l'épisode avec Mel. »

Il entre dans le bureau et regarde derrière la porte où mes sacs géants débordent de boîtes de chaussures, de cintres, de tailleurs et de paillettes.

« Je crains que tu ne confondes légère thérapie avec processus complet de psychanalyse. Oh mon Dieu! Du Christian Dior? Regardez-moi toutes ces choses! As-tu gagné à la loterie? »

« Rikash, ferme la porte. J'ai été invitée à une braderie, je n'ai pas payé le prix affiché. »

« Pourquoi ne me l'as-tu pas dit? »

Il fait la moue.

« Il y avait des articles pour hommes? »

Je croise les doigts derrière mon dos avant de répondre à sa question; je ne voudrais pas être la victime des méchantes tactiques de riposte de Rikash concernant les soldes d'échantillons.

« Rien, j'ai vérifié, je t'assure. »

« C'est superbe, dit-il en soulevant une robe de cocktail en dentelle noire, finement brodée de minuscules perles assorties. Essaie-la. Je veux te voir la porter. »

« Rikash, je ne vais pas me changer devant toi dans mon bureau. »

« Pourquoi pas? Je suis gai, on s'en fout. »

« Et si quelqu'un entrait? »

« Ils sont tous partis luncher. »

« Je dois rappeler Phil Purcell avant qu'il m'envoie un de ses hommes. »

« Allons, essaie-la. Ça va te prendre une seconde. »

Je me glisse derrière la porte et enfile la robe.

« Bon. Qu'est-ce que tu en penses ? »

« Chérie, c'est absolument ravissant. »

Je me pavane devant lui, comme si j'étais un mannequin dans un défilé.

« Quand est-ce que tu vas la porter ? »

« Je ne sais pas vraiment. J'ai un événement important à venir avec un client. »

« Avec qui ? Monsieur Browser ? »

Je hoche la tête.

« Il faut que tu la portes. Laisse-moi toucher le tissu. »

Pieds nus, je grimpe sur une pile de dossiers, tandis que Rikash, assis sur mon bureau, relève le bas de ma robe pour mieux y toucher, lorsque Scott ouvre la porte de mon bureau. Il nous fixe un moment et secoue la tête avec un air exaspéré.

Et voilà, je ne deviendrai *jamais* associée.

« Désolé d'interrompre le défilé de mode. Catherine, Phil te cherche, l'as-tu rappelé ? Et, j'aimerais que tu viennes à mon bureau, s'il te plaît. »

« Bien sûr, j'arrive tout de suite. »

Aïe, aïe, aïe. Qu'est-ce que j'ai fait ? Je me sens comme une parfaite idiote. J'aurais dû rester dans mon bureau et prendre une longueur d'avance sur le dossier de Browser. C'est bien la dernière chose dont j'avais besoin après l'incident avec Mel. J'espère seulement que j'aurai encore un boulot après cette rencontre. Je jette un blazer sur mes épaules et suis Scott dans le couloir.

« Écoute, Catherine, je me fiche vraiment de ce que tu fais de tes temps libres, mais courir les soldes pendant que les appels de ton client restent sans réponse, c'est un peu déplacé, tu ne trouves pas ? Nous sommes complètement débordés et nous ne te payons pas pour te balader sur Madison Avenue. »

Gênée et rouge de honte, je remue sur ma chaise, m'en voulant à mort, tout en essayant de couvrir mes cuisses avec la robe. Cette virée de shopping pourrait me coûter mon avenir au sein du cabinet. Je veux étrangler Roxanne d'avoir mouchardé.

« Au moins, emporte ton cellulaire pour que nous puissions te joindre. »

« Je suis terriblement désolée de tout cela, dis-je, la voix tremblante. »

Il change de sujet.

« Je viens de recevoir un appel de Jeff Richardson. Il revient en ville la semaine prochaine, il veut nous rencontrer pour discuter du prospectus. »

« Oui, bien sûr. Pas de problème. »

« Je comprends qu'il a appelé et t'a donné les détails de l'événement au Carnegie Hall ? »

« Oui, c'est bien ça. »

« Bien, c'est tout pour l'instant. »

Il retourne à son ordinateur.

Soulagée, je sors du bureau de Scott alors que Roxanne a un sourire ironique en tapant à son ordinateur.

Rikash avait raison. *Elle. Est. Ignoble.*

CHAPITRE 16

On trouve deux catégories de personnes dans des cabinets d'avocats : ceux qui souffrent d'ulcères à l'estomac et ceux qui les génèrent. Alors que Rikash me tend une note de service que j'ai préparée hier pour Bonnie, il est évident qu'elle se classe dans la seconde catégorie. Sur la première page est griffonnée une note manuscrite :

Ce n'est PAS ce que j'ai demandé.
Il faut retravailler ceci DAVANTAGE.
Viens me voir pour qu'on en discute.

J'ai perdu tout un après-midi et une soirée en recherches juridiques et en rédaction. De toute évidence, Rikash avait raison de dire que Bonnie était extrêmement pointilleuse dans le domaine de la recherche juridique des avocats. Elle a remporté un quelconque concours d'écriture à la faculté de droit, elle a été coéditrice en chef de la *Columbia Business Law Review*, et elle a fini parmi les meilleurs étudiants de sa promotion. Elle s'est vantée de sa capacité à dicter en un temps record une note de service sans fautes et qu'elle pouvait fournir sans peine une critique détaillée de l'écriture juridique des autres avocats. Je me demande si elle s'engage dans ce type de critique avec Harry derrière la porte de sa chambre à coucher?

Alors que je songe à jeter sa note dans ma corbeille, le téléphone sonne.

« Catherine, quand puis-je m'attendre à recevoir ta note de service révisée? »

Je respire profondément. J'avais espéré quitter le bureau assez tôt pour pouvoir passer chez moi me changer avant d'aller dîner avec Jeffrey, mais je rêvais en couleurs.

« Je travaille à quelques documents urgents pour le contrat avec Browser. Est-ce que ça peut attendre à demain? »

Je ne sais même pas pourquoi je me suis donné la peine de poser cette question, car je connais déjà la réponse.

« Non, j'en ai besoin maintenant. »

« Bien. »

« Et quand je dis maintenant, je veux dire tout de suite, alors mieux vaut t'y mettre. C'est un dossier majeur concernant les lois antitrust, qui implique l'un de nos plus gros clients. »

Je me précipite à la bibliothèque du cabinet afin de demander de l'aide pour trouver quelques livres qui manquaient aux rayons la veille.

« Désolée, Catherine, ils sont encore sortis », dit la bibliothécaire en haussant les épaules.

Ce doit être un retour de karma pour la fois où j'avais caché un traité sur le droit maritime à un collègue qui le cherchait désespérément à deux heures du matin ; tout ça parce qu'il avait médit de moi devant mon patron. Je dépêche immédiatement un assistant afin qu'il fouille chaque bureau et trouve les livres qu'il me faut pour rédiger la note de service de Bonnie, et je lui demande de commencer dans le bureau de Nathan.

Le plaignant est un grand fabricant de pièces de matériel informatique qui croit que notre client s'est secrètement entendu avec d'autres membres de cette industrie pour faire monter les prix, se mettant ainsi en infraction avec les lois sur la concurrence. Je consulte à la hâte les services de recherche en ligne Lexis Nexis et Westlaw, pour trouver d'autres précédents. Après avoir imprimé chaque décision de commission, statut, communiqué de presse et article jamais écrits sur le sujet des infractions aux lois antitrust, j'étale le tout sur trois tables, noue mes cheveux en un chignon négligé, et envoie valser mes talons hauts. J'indexe chaque document au moyen de notes adhésives pour classifier ma recherche. *Échouer à se préparer, c'est se préparer à échouer* – telle est ma devise.

Je m'affaire à la tâche pendant au moins cinq heures sans prendre de pause. Je synthétise rapidement mes découvertes et griffonne furieusement des notes dans les marges de la première note de service, afin de pouvoir déléguer la dactylographie de mes révisions pendant que je continue à faire une recherche finale.

Lorsque j'ai terminé de lire tous les précédents et de réécrire la note de service, Bonnie entre dans la bibliothèque en se pavanant.

«Catherine, es-tu encore en train de travailler à cette note de service?»

«Bien sûr.»

«Personne ne t'a mise au courant? Nous sommes arrivés à un règlement après le lunch.»

Je veux lui lancer ma pile de documents au visage, mais à la place, je sors en trombe de la bibliothèque, sans chaussures.

❧

«Alors, où est-ce qu'il t'emmène dîner?» demande Rikash en me tendant de nouveaux dossiers.

«Au Per Se.»

«Oooh, très sophistiqué. C'est un des meilleurs restaurants de la ville.»

«Promets-moi de rester discret sur mes projets de dîner. Même si c'est un événement organisé par un client, auquel Scott m'a demandé d'assister, et même si ça compte comme du temps à facturer, dorénavant, je veux que personne, au bureau, ne soit au courant de mes sorties.»

«Bien sûr, *dah-ling*, ton secret sera le mien.»

À seize heures trente, je repasse dans ma tête les choses à terminer avant mon départ : appeler les imprimeurs, contacter la SEC pour faire en sorte qu'elle reçoive l'ébauche des documents de Browser, rendre des appels téléphoniques. Je termine rapidement ces tâches et me prépare à quitter le bureau.

À dix-sept heures trente, le téléphone sonne. Rikash prend l'appel et m'avise à l'interphone :

« C'est Phil qui appelle de Californie, il semble très agité. Veux-tu le prendre ? »

« Bien sûr, passe-le-moi. »

Je prends l'appel, tenant pour acquis que c'est ma dernière tâche de la journée.

« Catherine, c'est Phil Purcell de l'American Bank. Nous sommes chez l'imprimeur et nous avons besoin du document ce soir. »

« Bonjour Phil, le document est presque prêt, mais vous m'avez dit que vous n'alliez pas chez l'imprimeur avant demain. Puis-je vous l'envoyer à la première heure demain matin ? »

« Non, j'en ai besoin maintenant. »

« Mais… »

« Pas de mais, Catherine, il nous le faut ce soir. Nous sommes coincés ici depuis quarante-huit heures et c'est le dernier élément qui nous manque avant d'imprimer et de rentrer chez nous. »

Zut! Je fais quoi? Je ne veux pas donner l'impression de lâcher le boulot, mais je ne peux pas vraiment laisser tomber mon meilleur client non plus. J'hésite un instant avant de bondir hors de mon bureau et de courir dans le couloir pour voir si quelqu'un peut me remplacer.

«Où est Antoine?»

«Il est sorti rencontrer un client.»

Tous les autres avocats du bureau sont soit au téléphone, soit affairés derrière leur porte.

«Ah, merde! Merde! Je vais être en retard!»

Rikash entre dans mon bureau.

«Qu'est-ce qui ne va pas? Je peux t'aider?»

«Je dois partir tout de suite, sinon je vais être en retard, et j'ai besoin d'envoyer un document à l'imprimeur, à San Francisco.»

«Est-ce qu'il est prêt? Je peux l'envoyer à ta place.»

Étant donné ma récente altercation avec Antoine sur le fait de déléguer du travail aux assistants, j'hésite un moment avant de tendre le dossier à Rikash. Si je prépare et passe en revue tout le texte à l'avance, rien ne peut aller de travers, n'est-ce pas? Et puis, j'ai confiance en Rikash. J'effectue quelques dernières modifications et lui envoie par courriel le dossier, avec la liste du groupe de travail et la liste détaillée des coordonnées de chacun.

«Bon, je pars. Tu es sûr de pouvoir dominer la situation?»

« Ooooh, j'adore quand tu dis des saletés. Allez, vas-y, ma puce, et prends ton pied. »

Après avoir répété vingt-trois fois mes instructions dans les moindres détails, et vérifié à deux reprises la batterie de mon BlackBerry, je file à mon rendez-vous.

∞

« Catherine ! »

Une voix m'appelle, venant du bar.

« Salut, Jeffrey. Je suis vraiment désolée d'être en retard. Un client a téléphoné à la dernière minute. »

« Aucun problème. On s'assoit et on prend une bouchée ? »

Il désigne une table intime près d'un feu de foyer rugissant, avec une vue saisissante de Central Park.

« J'espère que tu apprécies mon choix », dit-il alors que nous prenons place.

En guise de réponse, je soulève exagérément mes sourcils.

« Tu plaisantes ? C'est l'un des meilleurs restaurants de la ville. »

« C'est l'un de mes préférés, répond-il en posant son veston Boss sur le dossier de sa chaise. »

« Tu manges ici régulièrement ? »

« Oui. Le chef est reconnu pour son restaurant dans la vallée de Napa, et j'avais l'habitude d'emmener des clients là-bas quand je vivais en Californie. »

« Et apparemment, son homard poché au beurre est tout simplement divin. »

« Comment le sais-tu ? »

« Tu ne t'attends tout de même pas à inviter une avocate à dîner sans qu'elle ait fait un peu de recherche au préalable, n'est-ce pas ? »

« Non, bien sûr que non. Surtout une avocate fraîchement mutée du bureau parisien d'Edwards. »

« Comment le sais-tu ? »

« Tu ne t'attends tout de même pas à dîner avec un directeur financier dont la société est sur le point de faire son entrée en Bourse sans qu'il ait fait un peu de recherche sur l'avocate qu'il vient d'embaucher, n'est-ce pas ? »

« Très juste ! Bien sûr que non. »

« Nous devrions commander tout de suite : les menus de dégustation sont composés de plusieurs plats. »

« Je vais te laisser choisir, puisque tu es l'habitué. »

« Une avocate qui cède un pouvoir de décision. Je suis vraiment flatté. »

Il fait un signe au serveur.

« Nous allons choisir le menu de dégustation du chef, avec une bouteille de cet excellent rouge que j'ai pris la semaine dernière. »

Le serveur hoche la tête, comme une geisha, et d'un geste gracieux, prend nos menus.

« J'espère qu'ils servent la pêche melba, ce soir. Elle est incroyable. Du foie gras avec de petites pêches marinées dans une sauce qui… »

Je me mets à rigoler avant qu'il finisse sa phrase.

« Qu'est-ce qui ne va pas ? S'il te plaît, ne me dis pas que tu n'aimes pas le foie gras ou que tu es végétarienne, je vais pleurer. »

« Non, en fait, c'est mon plat préféré. Ce qui me fait rire, c'est que les Américains l'aiment tant. On dirait qu'on trouve plus de foie gras à New York que dans tout Paris. »

« Et j'espère que ce sera toujours le cas. »

Il sourit chaleureusement et déplie sa serviette sur ses genoux.

« Alors, est-ce que ta vie à New York s'avère agréable, jusqu'ici ? »

« J'adore ça. C'est si excitant. L'énergie, ici, est carrément enivrante. »

« C'est vrai, même si une partie de l'ivresse finira par s'atténuer. »

« J'ai de la difficulté à le croire. Il se passe tellement de choses dans cette ville. Je voudrais avoir plus de temps libre. »

« Tu es une avocate en droit commercial à New York. À quoi t'attends-tu ? J'ai de la chance que Scott te permette de sortir ce soir. »

« Il ne m'a pas vraiment *permis* de le faire. Il m'a *obligée* à le faire ! »

Je ris.

« Ah, je vois. Alors, c'est bien pour moi. »

« Sérieusement, j'étais ravie que tu me demandes de me joindre à toi. Je n'ai pas vu de concert depuis des siècles et je meurs d'envie d'entendre de la musique *live*. »

« Alors comme ça, tu aimes la musique ? »

« Oui, j'adore. »

« Quel genre ? »

« Tous les genres, vraiment. J'aime me détendre au son du classique après le travail, mais je préfère le jazz. »

Son visage s'éclaire.

« Vraiment ? Tu aimes le jazz ? »

« Oui, *j'adore.* »

Le serveur apporte le premier service, un cappuccino de champignons sauvages.

« Bon appétit. »

« Bon appétit, répond-il après avoir desserré le nœud de sa cravate et retourné celle-ci sur son épaule. Qui est ton musicien préféré ? »

« J'en ai plusieurs, mais Wynton et Ella sont mes favoris. »

« Alors tu es au bon endroit. »

« Comment cela ? »

« La salle de concert Jazz au Lincoln Center est ici, dans l'édifice Time Warner, et c'est le port d'attache de Wynton Marsalis. »

« J'adorerais le voir jouer à New York. La dernière fois que je l'ai vu en spectacle, c'était au Festival de Jazz de Montréal. J'ai eu la chance de le rencontrer dans les coulisses, grâce à un ami qui le connaît. Il nous a donné un concert privé. Je m'en souviendrai toute ma vie. »

« Cela a dû être incroyable ! Je présume que tu es déjà allée au Festival de Marciac, alors ? »

« Bien sûr, c'est formidable. »

« J'adorerais y aller, surtout en compagnie d'une jolie Française. »

Légèrement prise au dépourvu, je poursuis notre conversation comme si de rien n'était. Après tout, cela a l'allure d'un flirt sans conséquences. Et ça peut être facturé.

« Alors, tu aimes le jazz, toi aussi ? »

« J'adore. »

« Qui est ton musicien préféré ? »

« Miles. Pour moi, c'est le plus grand musicien de notre époque. Je suis aussi un grand fan de Dave Holland et de Charlie Mingus. »

Agréablement surprise par son niveau d'appréciation de la musique, je souris avant de répondre.

« Je viens de lire une biographie de Miles. Il a eu une vie très tragique. »

« Les musiciens n'ont-ils pas tous une vie tragique ? Et, dis-moi, quand trouves-tu le temps de lire, avec une pratique juridique aussi chargée ? »

« Surtout le week-end, mais j'essaie de lire chaque soir, avant de m'endormir. Quoique, ces dernières semaines, je n'ai rien lu d'autre que la *Loi sur les valeurs mobilières.* »

« Tu parles de cette brique qui est posée sur une étagère de mon bureau ? Je ne crois pas l'avoir ouverte plus de deux fois. »

« Tu as de la chance », dis-je à la blague.

« Oui, j'ai de la chance d'avoir quelqu'un comme toi qui peut le lire à ma place. »

Il sourit d'une façon qui creuse ses fossettes.

Je sens mes joues devenir aussi rouges que notre vin. Même si cela s'avère de plus en plus difficile à chaque seconde, j'essaie de garder notre conversation purement professionnelle. Ce qui m'aide – un peu – c'est de me rappeler ce qui vient d'arriver avec Mel.

« J'ai terriblement envie d'une lecture qui ne soit pas juridique, mais j'imagine que ce ne sera pas avant un moment, étant donné cette introduction en Bourse. »

« En effet, on ne lira pas de romans de sitôt. Trop de jargon juridique à parcourir. Je suis tellement épuisé après avoir lu ces choses que je m'endors instantanément. »

« Je comprends très bien ce que tu veux dire. »

« Mais ce que tu fais pour gagner ta vie, ça ne t'assomme pas ? »

« Ça peut être épuisant. C'est pourquoi j'ai une carte d'abonnement chez Starbucks. Je me fais injecter de l'espresso en intraveineuse. »

« Ne me dis pas qu'une Française prend son café chez Starbucks ? N'est-ce pas un sacrilège ? »

« Ça l'est. Mais il y a une franchise juste en bas de mon bureau. J'imagine que je suis en train de devenir une vraie New-Yorkaise. Les solutions pratiques passent avant tout ! »

« Je connais un endroit à Midtown où on prépare un café extraordinaire. On devrait se retrouver là-bas la prochaine fois. J'ai besoin de ma dose de café, moi aussi, ces jours-ci ; je voyage trop, et ça m'épuise. »

« Ah, tu voyages beaucoup ? »

« Je fais des allers-retours chaque semaine entre New York et San Francisco, mais maintenant que nous avons déménagé ici, ça devrait se régler. »

« Le voyage d'affaires n'est plus ce qu'il était. Ces files aux postes de sécurité, c'est ridicule. »

« Ne m'en parle pas. La semaine dernière, je suis resté coincé à la sécurité d'un aéroport de l'Arizona pendant au moins une heure. »

« Essaie de franchir la sécurité en talons hauts avec un passeport français. »

« Non merci, ça ne m'intéresse pas. Du moins, pas en talons. Je voudrais bien avoir le passeport français, cependant. »

« Ah bon ? »

Je me demande pourquoi il dit quelque chose d'aussi étrange.

« Parce que je pourrais te suivre plus facilement en France au cas où tu déciderais de quitter le pays. »

Je me redresse nerveusement, ne sachant pas trop comment réagir. Il est nettement passé en mode de drague totale. Ne voulant pas me faire prendre encore une fois dans une situation comme celle que j'ai subie avec Mel Johnson, j'essaie de ramener la conversation à l'introduction en Bourse.

« L'introduction en Bourse semble très emballante, n'est-ce pas ? »

« C'est vrai. J'espère qu'elle ne t'occasionne pas trop de surplus de travail ? »

« Ne t'en fais pas, j'y arriverai. »

« Y a-t-il des développements dont je devrais être au courant ? » demande-t-il après que le serveur est revenu avec notre deuxième service.

« Jusqu'ici, tout se déroule comme prévu. Vendredi, nous avons rempli les documents nécessaires auprès de la SEC, et nous sommes fin prêts pour le début du processus de diligence raisonnable. »

« Et le plan d'actions réservées ? Tout va bien de ce côté ? demande-t-il avec insistance. Comme nous avons beaucoup de partenaires commerciaux importants à qui nous voulons offrir des actions, je tiens à ce que tout se déroule sans anicroche. »

Je suis un peu étonnée qu'il veuille entrer dans ces détails – mais enfin, c'est un dîner d'affaires. Un programme d'actions réservées permet aux dirigeants de la compagnie, à ses employés, ainsi qu'à ses clients et vendeurs d'acheter des actions dans le cadre de l'introduction en Bourse. Je repasse à toute vitesse dans ma mémoire les quantités d'actions que nous avons réservées à leurs partenaires et employés, et les documents qu'il a fallu remplir auprès des organismes de réglementation.

« Ça semble bien aller. Tout est déjà à la SEC. »

« Ça fait du bien d'entendre ça. Je dois à nouveau m'absenter au début de la semaine prochaine, et je ne veux pas de ratés. »

« Fais-moi confiance. Je vais veiller au grain, il n'y aura aucun problème, dis-je en tentant de donner l'impression que je maîtrise parfaitement la situation. »

« Alors, Catherine, qu'est-ce qui t'a donné envie de devenir avocate ? » demande-t-il après l'arrivée de notre dernier service.

« J'adore analyser les choses, et je prends plaisir à simplifier des questions compliquées et à les expliquer en termes compréhensibles. »

Il sourit.

« Alors je vais prendre plaisir à travailler avec toi. Je n'aime pas passer des heures à essayer de décoder des détails juridiques compliqués. Je travaille avec les chiffres. »

« On dirait que nous avons tous les deux choisi le domaine qui nous convient. Comment as-tu abouti chez Browser ? »

« J'ai étudié la comptabilité à l'université, puis j'ai travaillé chez quelques jeunes entrepreneurs de Silicon

Valley. L'un des investisseurs de mon ancienne société m'a attiré chez Browser. Il n'y avait aucune garantie de succès, à l'époque, mais maintenant, je suis content de l'avoir fait. Les choses se sont vraiment bien déroulées depuis que j'ai commencé. Et regarde-nous maintenant, prêts à entrer en Bourse ! »

Il reste silencieux un moment, puis sourit tendrement tout en me regardant dans les yeux.

« Alors, as-tu quitté un pauvre type à Paris pour déménager à New York ? »

Nous revoilà sur le terrain glissant qui sépare la vie professionnelle de la vie privée. Je dois infléchir la conversation vers le professionnel avec la grâce et la stratégie de Mary Pierce jouant contre l'une des sœurs Williams à l'U.S. Open.

« Non, j'ai trouvé quasi impossible de mêler les relations personnelles et les exigences de ma carrière. » *(15/0)*

« Je ne peux pas croire qu'une femme comme toi soit seule dans la grande ville ? » *(15 partout)*

« Mon travail est ma priorité, actuellement. » *(30/15)*

« Trop de travail finit par provoquer l'ennui. » *(Ouille ! 30 partout)*

« Tu seras content que le travail soit pour moi une priorité essentielle quand tu essaieras de me joindre à deux heures du matin pour discuter de ton prospectus. » *(bien joué !! 40/30)*

« Quand je t'appellerai à deux heures du matin, tu pourras carrément tenir pour acquis que ce ne sera pas pour discuter de l'introduction en Bourse.» *(Ouah, impressionnant revers! Égalité.)*

«En tant qu'avocate, je ne tiens jamais rien pour acquis. Je m'appuie uniquement sur les faits.» *(D'accord, retour assez fort, avantage Lambert.)*

«Et j'aimerais découvrir tous les faits relatifs à votre personne, mademoiselle Lambert.»

Mes joues virent du rouge syrah à celui du porto alors que je fixe mon assiette à dessert vide. Sentant mon malaise, il fait signe au serveur de nous apporter l'addition et lui tend sa carte de crédit avec le petit sourire satisfait de la victoire.

Jeu, set et match.

∞

Au Carnegie Hall, je règle la sonnerie de mon BlackBerry sur la fonction vibration. *Juste au cas où.*

Après que Jeffrey m'a présentée à tout l'exécutif de Browser, nous gagnons nos places.

«J'espère que ça te plaira. Il y a une distribution spectaculaire, ce soir.»

Il me tend un exemplaire du programme, et je vais tout de suite aux détails: *Concerto pour piano numéro 4 en sol majeur* de Beethoven.

Dès qu'il se met à jouer, l'orchestre me transporte dans un rêve. Je suis dans la ville la plus grisante du monde, dans une salle de concert qui me fait frissonner d'émotion, à écouter des musiciens parmi les meilleurs de la planète, en compagnie d'un gentleman, heu, je veux dire d'un client fantastique. Qu'est-ce qu'une femme pourrait demander d'autre? Je savoure le moment lorsque ma jambe gauche commence à vibrer: mon BlackBerry clignote avec un courriel d'Antoine.

J'ai le choix: l'ignorer – de peur d'être impolie *et au risque de perdre mon emploi* – ou le lire rapidement (après tout, je peux le faire discrètement).

Je prends quelques secondes pour envisager mes choix, et mon appareil vibre une deuxième fois.

Puis, une *troisième*.

Et une *quatrième*.

Toute cette vibration est suffisamment forte pour provoquer un microséisme dans le parquet et le soubassement de la salle de concert. Nous sommes si proches de la fosse d'orchestre que je suis convaincue d'avoir entendu de la friture dans le système de sonorisation et que cette interférence est causée par mon BlackBerry. Je parviens à tâtons à le régler en mode silencieux et je jette un coup d'œil aux messages reçus.

Le premier courriel se lit comme suit:

Catherine, es-tu là?

A.

Le deuxième:

Où es-tu? Je suis en ligne avec un directeur furieux de l'American Bank; il dit que tu lui as envoyé le mauvais document. S'il te plaît, rappelle le plus tôt possible.

A.

Le troisième :

Je suis en pleine conférence téléphonique avec un client. Où diable es-tu ?

Le quatrième :

CATHERINE, OÙ QUE TU SOIS, BON SANG, PRENDS LE TÉLÉPHONE ET APPELLE LE BUREAU TOUT DE SUITE.

Je suis dans le caca jusqu'au cou.

Je compte le nombre de sièges entre le mien et l'allée : six. Ce n'est vraiment pas si mal, hein ? Je me penche vers Jeffrey : « Je suis terriblement désolée, mais je dois m'excuser un moment. Je reviens tout de suite. » Il paraît perplexe en me voyant maladroitement me frayer un chemin en frôlant les genoux de toute l'équipe de direction de Browser, et courir vers l'arrière.

« Antoine, c'est Catherine. Qu'est-ce qui se passe ? »

« Où es-tu, nom de Dieu ? »

« J'accompagne un client au Carnegie Hall. »

« Quoi ? »

Je reste muette.

« C'est vraiment, incroyablement super, Catherine. Tu es à un concert pendant que nous, on travaille comme des esclaves au bureau. »

« Scott m'a demandé de le remplacer à la réception de Browser, d'accord ? J'ai lu ton message à propos du document. Est-ce que Rikash est là ? »

« Non, il est parti pour le reste de la soirée. »

«Je ne comprends pas ce qui s'est passé. J'ai remis le document à Rikash avant de partir, pour qu'il puisse l'envoyer à Phil.»

«Est-ce qu'on n'a pas déjà parlé de ça? Combien de fois devrai-je te le répéter? Tu ne dois pas déléguer ton travail à un assistant.»

Mon cœur bat la chamade et des perles de sueur me coulent dans le dos, mouillant ma robe. Catherine, comment as-tu pu laisser cela arriver, *encore une fois*?

«Je n'ai pas délégué la rédaction proprement dite, juste l'envoi. Si je te dis où est le document dans notre base de données, peux-tu l'envoyer à Phil?»

«Grand Dieu, Catherine, je n'ai pas le temps de m'occuper de ça. Je travaille à une transaction gigantesque et je suis en plein appel avec un client. Reviens au bureau pour t'en occuper.»

Je reste interdite au milieu de l'entrée déserte de la salle de concert. Est-ce qu'il m'a vraiment demandé de retourner au bureau au milieu d'un concerto de Beethoven? Comment expliquer ça à Jeffrey? La coéquipière et la nouvelle recrue en moi répond: «D'accord, je serai là dans dix minutes.»

Je me retourne et me dirige vers un monsieur âgé qui semble être un placier. Je lui demande s'il peut glisser un mot à Jeffrey. *S'il vous plaît?* Voyant mon regard désespéré, il accepte. Je griffonne un message sur un bout de papier, lui montre mon billet pour qu'il sache exactement où est assis Jeffrey, et cours attraper un taxi.

En route vers le bureau, mes sentiments passent de la colère à la crainte. J'espère ne pas être congédiée pour cela ; je suis sûre d'avoir donné la bonne information à Rikash. Et si je ne l'ai pas fait, je serai complètement morte de honte.

Je passe en courant devant le bureau d'Antoine et ferme ma porte. Je m'assois devant l'ordinateur, avec une seule chose à l'esprit : retourner au Carnegie Hall. J'essaie de me calmer avant de composer le poste de Phil chez l'imprimeur.

« Phil, c'est Catherine d'Edwards & White. Qu'est-ce qui ne va pas avec le document que nous vous avons envoyé plus tôt ? »

« Nous l'avons reçu, mais nous n'avions pas le prix de l'offre révisée sur la page couverture, et le logo de la compagnie est manquant. »

« Est-ce que vous ne pouvez pas ajouter le prix et le logo, là-bas ? L'imprimeur a le graphisme et toute l'information. »

« On aurait pu, mais Antoine nous a dit que vous alliez vous en occuper. Vous devriez vous concerter. »

Furieuse, j'ajoute le prix de l'action et le logo, et envoie l'ébauche du prospectus. Pourquoi m'a-t-il fait revenir au bureau pour une chose qu'il aurait pu faire en tout juste deux secondes ? Au moment où je suis sur le point de partir, Antoine se pointe dans l'embrasure de la porte de mon bureau.

« Écoute, je ne veux pas être trop sévère, mais tu ne sembles pas prendre ton rôle ici très au sérieux. Si tu veux avancer dans ce cabinet, tu dois mettre la main à la pâte, comme nous tous. »

« Je suis désolée que tu le ressentes ainsi, mais j'ai travaillé extrêmement fort et j'y ai passé de longues heures. Je fais de mon mieux – je succède à une grosse pointure, tu sais. »

Je lui lance cette dernière phrase, espérant qu'un peu de flatterie donne de bons résultats.

Il croise les bras.

« Je m'inquiète pour ton avenir dans le cabinet. Il ne faut pas que tu sois perçue comme étant davantage inté-ressée par le prestige et le shopping que par le travail juridique. Je t'ai confié le dossier Dior pour que tu puisses les impressionner avec tes compétences juridiques, et non pour participer à leur solde d'échantillons. Le client a des attentes, et moi aussi. »

« As-tu vu les heures que j'ai facturées jusqu'ici ? J'ai fait ma part de travail. »

« Je les ai vues. Tes heures sont acceptables, mais honnêtement, ce n'est pas assez. Nous avons besoin de ton engagement le plus absolu pour faire fonctionner cette relation. »

Super : maintenant, il parle comme l'un de mes ex. Se fait-il réellement du souci, ou bien est-il jaloux que Scott m'ait demandé d'assister à des réceptions avec des clients pendant qu'il reste ici à se couper les doigts avec des rebords de feuilles?

«Catherine, si tu veux devenir associée, tu dois te concentrer sur ta carrière.»

Il touche à dessein mon nerf sensible et je sens mon estomac se nouer.

«Écoute, Antoine, je me donne entièrement, ici. J'ai travaillé jour et nuit. Je ne sais pas ce que tu peux encore exiger de moi. Je suis désolée à propos de l'histoire du shopping, mais je t'ai déjà présenté mes excuses à ce sujet-là.»

«Ce n'est pas seulement ça.»

«Qu'est-ce que c'est, alors?»

Il me fixe en silence et ses lèvres se plissent.

«Quoi?»

Il répond par un haussement d'épaules et fixe ses chaussures. Je me demande si cela a quelque chose à voir avec le courriel que je lui avais envoyé l'autre soir. Ce n'est pas le moment d'y faire allusion. Reste professionnelle, Catherine.

«Qu'est-ce que c'est?»

Il reste silencieux.

«L'affaire Mel Johnson?»

Il répond par un regard vide et un signe affirmatif de la tête.

«Scott m'a demandé de participer à ce stupide gala, alors je n'ai pas à me justifier d'y être allée, que je réponds en fulminant. J'ai déjà expliqué ce qui s'était passé, et franchement, je suis déjà bien assez furieuse que Scott n'ait pas pris ma défense sur ce point. Je pourrais formuler une plainte pour harcèlement contre le cabinet pour m'avoir fait subir ça. »

« Tu aurais pu le traiter différemment. »

Différemment ? Comment ? En couchant avec Mel ? Je sens mes yeux se gonfler de larmes alors qu'une vive frustration me gagne, et je veux hurler.

« Vraiment ? Comment ? »

« En n'y allant pas. »

« Je n'avais pas le choix, Scott m'avait demandé d'y aller, je te l'ai déjà dit. »

« Nous avons tous le choix, Catherine. Tu n'as pas à honorer toutes les réceptions ou les concerts auxquels tu es invitée. »

« Tu suggères donc que j'aurais dû dire non à notre patron ? »

« Tout ce que je dis, c'est de garder l'œil ouvert. Ne vois-tu pas ce qui se passe ici ? Les choses sont sur le point de changer, et tu ne devrais pas croire que les gens protègent autre chose que leurs propres intérêts. »

« Alors pourquoi devrais-je te faire confiance ? »

Son visage passe au rouge foncé. Je le vois respirer profondément.

« C'est assez simple, vraiment. Nous sommes dans le même bateau, toi et moi. Tu as beaucoup de pain sur la planche, des échéances à respecter, et je compte sur toi pour m'aider à faciliter mon départ. Compris?»

Alors tout ça c'est pour sauvegarder *sa* réputation, et non la mienne. Je me sens humiliée de ne pas m'en être aperçue plus tôt. Et dire que je pensais qu'il flirtait avec moi. Je passe devant lui pour lui signifier la fin de notre conversation. Il reste planté dans l'embrasure de la porte.

«Quoi? As-tu d'autres critiques à me formuler?»

«Seulement…»

«Seulement quoi?» Je le supplie, mon visage à quelques centimètres du sien, le cœur battant.

«Peu importe.»

Il retourne à son bureau et claque la porte.

Furieuse, je pars en grommelant: «Je te souhaite bonne chance à Paris.»

∞

De retour à la salle de concert, j'attends l'entracte avec impatience pour aller trouver Jeffrey. Je l'aperçois et lui fais signe de la main.

«Désolée de m'être éclipsée.»

«Je me suis dit que tu avais été kidnappée ou que tu étais retournée au Per Se pour une autre portion de foie gras! Qu'est-ce qui t'est arrivé?»

«J'ai reçu un appel urgent du bureau.»

«Ne t'en fais pas, j'ai reçu la note. Que dirais-tu d'un verre de vin pour t'aider à te détendre?»

Soulagée de n'avoir pas gâché la soirée, je lui souris et hoche la tête.

« Excellente idée. Mais… et tes collègues ? »

« Je les vois déjà assez souvent. Allons au bar. »

On sirote notre vin tout en déambulant dans le Rose Museum, nous arrêtant ici et là pour lire des informations sur l'histoire du Carnegie Hall ou contempler de fabuleux souvenirs de concerts.

« J'espère ne pas m'être trop avancé au dîner. »

« Peut-être juste un peu, mais je sais faire la part des choses », dis-je en plaisantant.

« Je rencontre rarement des femmes aussi captivantes et aussi bien parfumées que toi », dit-il le regard braqué sur un portrait d'Andrew Carnegie.

« Merci. Quant au parfum, tu peux remercier M. Dior. »

« Je ne manquerai pas de lui envoyer un courriel demain matin à la première heure. » Il sourit tout en désignant d'un geste l'entrée principale.

Nous revenons à nos places et apprécions la seconde moitié du concert. Cette fois, alors que *j'éteins* mon BlackBerry, je remarque que la dame assise près de moi me jette un regard mauvais.

∞

« C'était fabuleux, non ? » demande Jeffrey, alors que nous gagnons la sortie.

« Tout à fait. »

Dehors, l'air embaume une odeur de printemps.

« On marche un peu ? La soirée est si belle. »

« Volontiers. »

Nous descendons lentement la majestueuse Cinquième Avenue, et tournons à droite sur la 68ᵉ Rue, jusqu'au pied de mon immeuble.

« Je suis vraiment désolée à propos de l'appel du bureau. »

« Ne t'en fais pas. Ça fait partie du jeu. »

Il se penche vers l'avant et me donne un rapide bécot sur la joue. La pulpe de ses lèvres semble brûler ma peau. Reste professionnelle, Catherine !

« Bonsoir, mademoiselle Lambert. »

« Bonsoir. Merci encore pour cette magnifique soirée. »

Il se dirige vers la rue et me salue de la main alors que je pénètre dans l'immeuble.

« Ne t'en fais pas, je ne t'appellerai pas tout de suite à deux heures du matin, crie-t-il. Sauf si tu me le demandes. »

Il sourit, les mains dans les poches.

Je le salue à mon tour pour lui faire comprendre que notre soirée est terminée.

« Bonne nuit, Catherine. »

Dès que la porte est bien fermée derrière moi, ma tête commence à tourner. Oh mon Dieu! Ce mec est tellement parfait! Il faut absolument que j'appelle Lisa pour un debriefing.

«J'ai une conférence téléphonique à six heures trente avec un client européen. Il vaut mieux que ce soit important.»

Je raconte ma soirée dans le détail, et j'attends sa réaction.

«Alors, où est le problème?»

«Je suis attirée par un client, alors que je ne devrais pas. J'aimerais sortir avec lui, mais je ne peux pas. Et je ne le ferai pas.»

«Que tu es sage! Je vois que tu as déjà résolu ton grand dilemme.»

«Tu me trouves vieux jeu?»

«Peut-être. Écoute, combien de fois dans une vie a-t-on la chance de rencontrer quelqu'un avec qui le courant passe vraiment? Garde la porte ouverte, c'est tout.»

«Je m'inquiète pour ma réputation au cabinet.»

«Pourquoi? Tu peux sortir avec qui tu veux. Les règles de conduite des avocats ne l'interdisent pas. Seuls les avocats engagés dans le droit familial doivent s'abstenir d'avoir des relations personnelles à cause de la vulnérabilité émotionnelle de leurs clients.»

Elle marque une pause.

«À moins que tu n'utilises une influence indue ou la coercition pour obtenir des faveurs physiques... mais ça pourrait être plutôt amusant, non?» ajoute-t-elle pour blaguer.

«Très drôle, mon amie. Je n'aime pas l'idée de mélanger vie personnelle et travail; je veux qu'on me prenne au sérieux. Déjà que je marche sur des œufs.»

«Ce n'est pas parce que cet Antoine est complètement dérangé que tu dois marcher sur des œufs. Et comme tu t'occupes d'une transaction qui concerne Jeffrey, tu vas nécessairement le revoir. Tu n'as pas à décider tout de suite. Tu peux toujours attendre que la transaction soit conclue pour te lancer dans une relation avec lui. Écoute, ma chérie, je dois me coucher.»

«Bonne nuit, Lisa. Merci de m'avoir écoutée.»

Au lit, j'analyse chacun des mots que Jeffrey et moi avons prononcés au cours de notre soirée, tour à tour du point de vue de la Catherine professionnelle et de la Catherine passionnée.

Je finis par m'endormir, épuisée comme une pro du tennis à l'issue d'un grand chelem.

CHAPITRE 17

« T'as de la chance d'avoir un ange qui veille sur toi », fait remarquer Scott dès que je pose le pied au bureau, le lendemain matin.

« Pardon ? »

Il jette une copie du second courriel de Mel sur ma table de travail.

Oh merde ! Rikash a envoyé ce message à Scott sans mon consentement. Comment a-t-il pu oser faire cela ?

« Écoute, Catherine, je tiens à m'excuser. J'aurais dû te croire dès le début et dire à ce con d'aller se faire foutre. »

Je soupire, soulagée de voir que Scott a un peu de cœur, finalement.

« Pourquoi est-ce que *tu* ne m'as pas fait suivre ce message ? J'aurais résolu la question sur-le-champ. »

« Je ne sais pas. J'imagine que j'étais fâchée et que je voulais réfléchir avant de réagir. J'ai ma propre façon de traiter les choses. »

« Ça, tu peux le dire. »

Il pointe des yeux le bureau de Rikash.

« Il est parfois imprévisible. »

« Ouais, c'est une façon intéressante de le décrire. » Il me fait un clin d'œil. « De toute évidence, il cherche à protéger tes intérêts; de nos jours, il est rare d'avoir un allié si fidèle dans ce bureau, et cela peut s'avérer fort utile... »

Sa voix s'estompe.

« Je veux seulement que tu saches que tu es un membre apprécié de l'équipe. »

Ahhh, je sens mes épaules se soulager d'un poids. Je n'ai quand même pas la naïveté de croire que Scott me complimente par simple souci de gentillesse; je travaille (et consigne) de longues heures pour sa transaction Browser, et je l'aide à garder le client satisfait. Cela lui permet de gagner une avance dans la dure bataille des seigneurs de guerre. Antoine a peut-être raison de dire que Scott m'utilise mais, au moins, il prend aussi soin de moi.

« Nous nous rendons à l'édifice de la Met Life pour rencontrer l'avocate responsable de leur division d'investissement, à la Met Bank. Tu veux venir avec nous? J'imagine qu'ils seraient très contents de te rencontrer, car ils ont des plans d'expansion en Europe. »

« *Nous*, qui est-ce? »

« Bonnie, Nathan et moi. »

« C'est bon, merci de penser à moi. »

« Très bien. Une voiture nous attend. Viens nous rejoindre en bas dans cinq minutes. »

« Une voiture ? Ce n'est qu'à quelques rues d'ici. »

« Je sais. Bonnie n'aime pas marcher. Ça abîme ses chaussures. »

Scott grimace – et je souris aussi en pensant à la fois où Rikash a « oublié » de lui appeler une voiture.

Nathan, Scott et moi sommes assis depuis trente minutes, à l'étroit sur la banquette arrière de la limousine, lorsque Bonnie fait son apparition grandiose dans un tailleur bleu pastel moulant qui dégage ce je-ne-sais-quoi de la femme d'affaires toute-puissante.

Scott lui lance un regard désapprobateur.

« Quoi ? Il y a un problème ? »

Elle jette sa mallette sur le siège avant, manquant bousculer le chauffeur.

« Tu es *très* en retard », siffle Scott.

« J'ai eu un appel. Comme d'habitude, le client ne voulait pas me laisser partir. »

« C'est un peu court, non ? »

Il lance un regard furieux vers sa jupe.

« Tu plaisantes ? C'est du *Givenchy*. »

« N'importe quoi », murmure-t-il en secouant la tête.

À la Met Bank, nous sommes accueillis par une femme énergique et trois hommes en tenue décontractée.

« Eh Scott, c'est super que tu aies pu venir nous rencontrer. »

« Désolé du retard, Amy ; la circulation était infernale. »

« Pas de problème. Installons-nous dans la salle de conférence. Nous y serons plus à l'aise. »

« Amy, tu connais Bonnie et Nathan, mais j'aimerais te présenter Catherine Lambert, qui a travaillé à notre bureau de Paris pendant six ans avant de se joindre à notre groupe de New York. Elle a une expérience importante dans le domaine bancaire, et c'est une excellente recrue pour notre équipe. »

Bonnie et Nathan roulent discrètement des yeux.

« Prendriez-vous un café ou autre chose à boire ? » demande-t-elle.

« Oui, je veux bien », répond Bonnie en étalant ses affaires à l'extrémité de la table avant que quiconque n'y prenne place. « Est-ce que vous avez une machine à cappuccino ? Je suis toujours d'humeur à prendre un *bon* café. »

Scott la fixe d'un œil méchant.

« J'ai bien peur que non, répond Amy en fronçant les sourcils. »

« Bon, alors, je prendrai un Coke Diète. »

Dès que tout le monde est assis, Bonnie ouvre sa cannette, pose les pieds sur une chaise vide, et se lance dans un arrogant monologue sur ses réalisations et celles du cabinet.

«Vous avez probablement lu des articles dans le *Wall Street Journal* sur le fait qu'Edwards & White était le premier conseiller juridique dans cette transaction Blue Crest. Nous sommes aussi au sommet des palmarès dans la catégorie introduction en Bourse, et nous représentons la plupart des grandes banques.»

À mi-chemin de son discours, elle baisse la tête et sort son BlackBerry.

«Vraiment désolée, dit-elle en faisant rouler la bille de commande de l'appareil. Ce n'est pas pour rien qu'on appelle ces petits gadgets des CrackBerrys, on en devient accro.»

Oh mon Dieu! Elle a vraiment perdu la tête. Assise à l'autre bout de la table, je suis en état de choc. Comment cette femme a-t-elle pu devenir associée? Ne devrait-elle pas se concentrer sur les besoins du client, au lieu de palabrer sur notre cabinet?

«Le seul problème avec ces petits joujoux, c'est que, si on les utilise trop souvent, on développe un *pouce* de BlackBerry. C'est très mauvais pour mon jeu de squash.»

Scott a viré au violet foncé. Essayant de sauver la face, il interrompt Bonnie et murmure quelque chose à propos d'un article paru aujourd'hui dans le *Times* sur les résultats financiers positifs de la Met Life. Indifférents au baratin de

Scott, les quatre avocats de l'entreprise restent cloués sur place, fixant Bonnie comme si elle était Méduse. Celui qui est assis à la droite d'Amy semble particulièrement s'intéresser à la longueur de sa jupe.

En fait, c'est plutôt amusant. Je me trouve soudain à chantonner dans ma tête les paroles de *Legs*, de ZZ Top, une chanson sur laquelle je dansais avec Lisa, à l'époque de la fac.

« Alors, quels sont vos plus grands défis ces temps-ci ? demande nonchalamment Bonnie. Je suppose que vous avez de la difficulté à suivre tous ces nouveaux règlements sur les banques et les exceptions au règlement R de la Loi Gramm Leach Bliley ? » poursuit-elle avant qu'Amy ou quelqu'un d'autre ne puisse réagir.

Les quatre avocats font un signe affirmatif de la tête.

« Tout en contrôlant vos frais de conseillers juridiques extérieurs ? »

Encore une fois, ils hochent la tête à l'unisson.

« J'ai découvert que certains de mes clients épargnent temps et argent en utilisant un service de réglementation bancaire électronique. Si vous êtes intéressés, vous pouvez utiliser notre accès sans frais pendant quelques semaines. Aussi, vous ne devez pas trop vous inquiéter, car le règlement R comprend une date de conformité retardée – vous êtes conformes jusqu'au premier jour de la fin du premier exercice financier après septembre prochain. Ce qui, pour vous, veut dire le 1er février de *l'an prochain*. Et je crois vraiment que vos activités se classent parmi les exemptions à l'inscription des banques. Si vous voulez, je vous enverrai une note de service que j'ai rédigée là-dessus la semaine dernière. »

« Ce serait merveilleux! répond Amy, les yeux ronds d'excitation. On aimerait vraiment essayer ce service.

« Oui, ce serait vraiment formidable! » dit l'avocat assis à la droite d'Amy tout en fixant les mollets de Bonnie.

« Je vais demander à Catherine de vous envoyer mon texte et un lien vers le service », dit-elle avant de se lever, prête à partir.

À présent, je pige pourquoi Bonnie arrive à s'en tirer malgré son comportement outrancier : c'est une sacrée bonne avocate. Pour réussir un numéro pareil, il faut du talent. Elle est l'une des meilleures avocates de société en ville, et je vois à quel point les clients ont l'impression qu'elle comprend vraiment leurs besoins commerciaux, et ils la respectent. Je regarde par-dessus mon épaule pour voir les grimaces de Scott – il est clair que le client ne fera plus affaire avec *lui*.

« Je suppose que vous avez le dernier mot sur le cabinet choisi lorsqu'il est question de retenir les services d'un avocat de l'extérieur? demande Bonnie à Amy en tendant le bras vers sa mallette. Sinon, nous devrions peut-être rencontrer quelqu'un de la banque qui *a* autorité pour prendre cette décision? »

« Oui, oui, bien sûr, répond Amy. C'est moi. »

« Très bien. Nous avons hâte de travailler avec vous, alors. C'était une réunion très productive, n'est-ce pas? »

Elle allonge son bras orné d'un bracelet Verdura pour lui serrer la main.

« Oui, très productif, en effet. »

Les trois hommes se lèvent d'un même mouvement pour saisir une meilleure vue de son décolleté.

Nathan est perplexe, Scott en colère, et moi amusée ; nous suivons la trace de son parfum capiteux.

∞

De retour au vingt-huitième étage, je remarque que le bureau d'Antoine est vide.

« Il a emballé toutes ses choses pendant la nuit, fait remarquer Mimi en me voyant regarder son espace vacant. J'imagine qu'il était pressé d'arriver à Paris. »

« Je croyais qu'il partait à la fin du mois ? Pas d'au revoir, pas de fête de départ ? » Je suis surprise.

« Non. » Elle secoue la tête. « Tu connais Antoine, il préfère toujours travailler sans jamais s'amuser. »

Je ressens un pincement au ventre. Comment a-t-il pu partir sans dire adieu ? Un mélange de tristesse et de désillusion me submerge. J'avais cru que nous finirions par devenir amis après qu'il m'eut demandé d'être son principal contact à New York, mais notre dernière conversation a mis fin à tout espoir en ce sens.

« Alors, comment c'était ? » demande Rikash quand je passe près de son bureau.

« Fascinant. Je n'ai jamais vu personne décrocher un client de cette façon. »

« Je ne parle pas de la réunion à la Met Bank, idiote, mais de ton rendez-vous amoureux avec M. Browser. Vous êtes-vous retrouvés au lit ?»

« Tout d'abord, ce n'était pas un rendez-vous amoureux, et même si c'en avait été un, je n'aurais jamais fait ça lors d'un premier rendez-vous. Ne sais-tu pas que les hommes ne rappellent jamais si on le fait ? »

« C'est exactement *pour ça* que je le fais. Bon, raconte-moi ta soirée. »

« C'était pas mal. »

« Vraiment ? J'aurais cru le contraire, étant donné ce qui se trouve sur ton bureau. »

Une boîte emballée de papier argent et garnie d'un gros nœud rouge est posée sur une pile de dossiers et de documents. Une petite carte dit : « *Merci pour cette soirée merveilleuse. À très bientôt. Jeffrey.* »

En ouvrant la boîte je découvre un coffret de CD d'Ella Fitzgerald et un flacon de J'adore. Bien que touchée par son geste, je trouve gênant de recevoir un tel cadeau personnel de la part d'un client. À bien y penser, j'ai l'impression que cette relation doit rester strictement professionnelle. J'ai appris ma leçon.

« Mon impression, c'est que tu as passé une soirée plutôt agréable. »

Je hausse les épaules.

« Qu'est-ce qui s'est passé ? »

« Rien. »

« Allons, ne sois pas si maussade, dis-moi ! Tu sais bien que nous formons une grande famille dysfonctionnelle. Nous n'avons pas de secret les uns pour les autres. »

« Disons seulement que nous avons subi une interruption majeure qui a un peu gâché la soirée. »

« Quel genre d'interruption ? Le genre épouse jalouse ? »

« Antoine m'a appelée au Carnegie Hall parce qu'il y avait un problème avec le document destiné à l'American Bank. »

« Ah, zut ! Ce n'était pas ma faute, j'espère ? J'ai envoyé le document comme tu me l'avais demandé. »

« Ça n'avait rien à voir avec toi. Antoine m'a fait revenir au bureau sans autre raison que de gâcher ma soirée. »

« Qu'est-ce qu'il a donc, lui ? Un jour, il est sympathique et le lendemain, il est complètement détestable. »

« Tu parles ! J'espère ne plus jamais avoir affaire à lui. Bon débarras. »

Je m'assois devant mon ordinateur et un courriel « PRIVILÉGIÉ ET CONFIDENTIEL » de Jeffrey m'attend dans ma boîte de réception.

À l'équipe d'introduction en Bourse de Browser

Veuillez dégager votre emploi du temps pour lundi matin. La SEC demande des renseignements sur une entrevue menée par le Business Magazine avec les cadres supérieurs de Browser et menace de retarder l'offre. Cela pourrait potentiellement perturber notre échéancier et affecter le prix de l'opération.

Mon assistante enverra les détails de la réunion sous
pli séparé. Votre attention immédiate à cette question
sera grandement appréciée.

Merci. Jeff Richardson.

J'appuie sur Répondre et lui écris un courriel formel
de remerciement pour son cadeau, et il répond :

Avec plaisir, ma chère Catherine.

Passe un merveilleux week-end. À lundi.

Je regarde fixement la boîte-cadeau posée sur mon
bureau. Mon esprit tourne à toute vitesse. Normalement,
je me méfierais d'une telle tactique de poursuite. Ça fait
tellement cliché. Mais pour une raison que j'ignore, j'ai cet
homme dans la peau. Pourquoi ne l'ai-je pas plutôt
rencontré dans une boîte de jazz ?

CHAPITRE 18

Comme le disait Oscar Wilde, la seule façon de se débarrasser d'une tentation est d'y céder. Mais ce n'est pas toujours futé d'obéir au conseil d'un homme qui est mort le cœur brisé, en exil et sans le sou. Alors que Jeffrey s'apprête à s'adresser à la foule rassemblée au siège social de Browser, je me sens reconnaissante du fait que Scott est assis près de moi et me garde concentrée sur le travail.

« Je suis vraiment inquiet à propos du moment choisi pour notre inscription en Bourse, annonce Jeffrey, debout à l'avant de la salle, en bras de chemise. (*Aïe, qu'il est beau ! Non, Catherine, ne t'envole pas dans tes rêveries, reviens sur terre !*) Le PDG a accordé une entrevue à *Business Magazine* avant que nous déposions le prospectus à la SEC. À cause de cela, *Business* prévoit de publier l'article avant l'évaluation de la transaction. La SEC veut imposer un délai avant que nous passions à l'action. »

« Alors, qu'est-ce qui se passe, maintenant ? » lance l'un des banquiers à l'assemblée de professionnels du droit.

« Je crois que nous avons un problème majeur, déclare un éminent avocat et ancien membre du personnel de la SEC qui représente les banquiers. La SEC peut obliger Browser à retarder l'offre. Elle l'a déjà fait plusieurs fois. »

Je fouille ma mémoire. L'entrevue pourrait retarder l'offre de Browser parce que les organismes de réglementation restreignent ce que les cadres de l'entreprise peuvent dire publiquement en se préparant à vendre des actions pour la première fois. Mais y a-t-il une façon de contourner le problème ?

Le cœur battant, je rassemble mon courage et donne mon humble avis.

« Je ne suis pas d'accord. »

Environ vingt-deux paires d'yeux dédaigneux se tournent vers moi. J'en aperçois quelques-uns qui sont fixés sur mes talons aiguilles en cuir verni. J'ai l'estomac qui flanche et je me mets à transpirer. Je sens le regard de Scott.

« Ah ? » demande Jeffrey.

« Je crois qu'on peut établir un argument valide selon lequel l'entrée en Bourse de Browser a déjà été largement couverte dans la presse, et que l'article n'ajoute rien de neuf. »

« Je trouve cela plutôt faible, réplique l'ancien cadre de la SEC. Scott me jette un regard sévère. »

« J'ai déjà avancé cet argument et cela a fonctionné. »

« Je ne veux pas crever votre bulle, ma petite mademoiselle, mais je fais ce métier depuis beaucoup plus longtemps que vous. »

« Je ne conteste pas cela, monsieur, mais votre travail n'est-il pas de représenter les intérêts supérieurs de votre client ? Je ne crois pas que le fait de permettre à la SEC de retarder cette offre soit au mieux des intérêts de Browser ni de votre client. »

« Je suis d'accord », dit Jeffrey.

Humilié, l'ancien avocat de la SEC se tortille sur sa chaise.

« Catherine, voudriez-vous appeler le directeur de la SEC pour discuter de ce point ? J'aimerais que vous preniez cela en main », annonce fièrement Scott.

« Bien sûr, avec plaisir. »

À la fin de la réunion, alors que Scott est engagé dans une conversation avec un autre avocat, Jeffrey se précipite vers moi.

« Ouah ! Je constate que tu ne perds pas ton temps avec les imbéciles ! Tu m'as bien impressionné. Si on prenait un petit café ensemble ? »

« Pas le temps. Je dois passer un coup de fil important à la SEC, tu te souviens ? »

« Un lunch ? »

« Il faudra que tu vérifies auprès de Rikash, mon assistant. Mon planning de lunchs est plutôt rempli ces temps-ci. Je pourrais peut-être te faire une petite place mercredi.»

«Alors, allons-y pour la petite place mercredi.»

Il quitte la pièce avec un grand sourire satisfait. Je sors avec une expression de victoire. Bravo, Catherine!

CHAPITRE 19

« J'ai entendu dire que tu avais fait un malheur à la réunion chez Browser hier. Bravo ! » me lance Rikash à mon arrivée le lendemain matin.

« J'ai accompli mon travail, c'est tout. »

« C'est ce que j'aime chez toi, Catherine : ton ego est minuscule. D'ailleurs, c'est le plus petit de toute l'histoire du cabinet. On devrait apposer une plaque de bronze à côté de ta porte de bureau, pour le souligner. »

« Il fallait que je dise quelque chose. C'était dans l'intérêt véritable du client. »

« Je suis sûr que Jeffrey a apprécié ton intervention. »

Il me fait un clin d'œil.

« Une Française sûre d'elle-même, c'est du bonbon pour Monsieur Chiffres. J'imagine qu'il ne te lâchait plus. »

« Chut ! Tais-toi. »

« Allons donc ! Cesse d'être aussi prude, tu es française, pour l'amour du ciel. Tu es censée flirter même durant ton sommeil. »

« Eh bien, ce n'est pas le cas, d'accord ? »

« Comme le disait Mae West : Ne laisse pas un homme s'interroger trop longtemps, il va sûrement trouver la réponse ailleurs. »

« Merci, je m'en souviendrai. »

Je ferme la porte pour avancer le travail. J'essaie de me concentrer sur mes nombreux dossiers et mes dates de remise à venir, mais j'ai de la difficulté à m'enlever Jeffrey de l'esprit. Rikash a probablement raison. Qu'est-ce que j'essaie de me faire croire ? Je suis vraiment en train de tomber amoureuse de cet homme. Je joue un jeu idiot et j'essaie d'imaginer Jeffrey marié, avec six enfants, un gros ventre, une haleine horrible et les pires manières à table pour me convaincre que ce n'est pas un homme pour moi. Bref, je colle mentalement son visage sur le corps de Mel Johnson. Cela fonctionne pendant trente bonnes minutes.

Cette demi-heure me donne suffisamment de temps pour préparer des documents de la SEC pour le compte de Scott. Il m'avait demandé d'aider un client à remplir ses déclarations fiscales 10K et F-1. À mesure que je remplis les cases, je me demande comment la SEC a bien pu trouver des titres semblables pour ses formulaires. Même si je fais cela depuis des années, pour moi, 10K ne fait référence qu'à des bijoux en or, et F-1 à des voitures de course. Au moins, je peux les remplir à la vitesse d'une F1, à présent. Lorsque j'ai fini, j'envoie les documents par courriel à

Rikash, en lui demandant de créer un nouveau dossier puis de les transmettre à Roxanne.

J'entends la voix de cette dernière jaillir du téléphone de Rikash. «Pour qui elle se prend, merde? Ne peut-elle pas me les envoyer elle-même?»

Furieuse, je sors en vitesse de mon bureau et me dirige tout droit dans sa direction.

«Eh-oh, fais attention, *dah-ling*, elle mord et elle a la rage», s'écrie Rikash derrière moi.

J'arrive hors d'haleine devant son bureau, et elle me regarde innocemment, comme si de rien n'était.

«Je peux t'aider?»

«Oui, tu peux. Tu pourrais commencer par te laver la bouche au savon et par traiter tes collègues avec respect.»

Elle me rit au visage.

«Me laver la bouche au savon? Ha! Tu es qui, toi? Ma mère?»

«Dieu merci, non. C'est déjà assez difficile de travailler avec toi, je ne voudrais pas en plus faire partie de ta famille.»

En guise de réponse, elle me tire la langue. C'est peine perdue.

J'ai envie de courir au bureau de Scott et de l'informer de ce comportement puéril, mais je décide de ne pas l'enquiquiner à propos de sa chère petite assistante. Ma chance viendra, je le sais.

∞

« J'ai été impressionné par la façon dont tu as défendu ton argument, l'autre jour. Je ne peux pas croire que tu as eu le courage de t'opposer à l'un des plus grands avocats new-yorkais », me dit Jeffrey.

J'ai cédé, et accepté l'invitation de Jeffrey à déjeuner, car Scott m'a demandé de le tenir au courant de ma conversation avec la SEC. Qui est-ce que j'essaie de duper ? J'allais inévitablement trouver une bonne raison de dire oui. J'ai à peine pensé à autre chose qu'à Jeffrey depuis deux jours, et n'ai dormi que quelques heures, me tournant et me retournant dans mon lit jusqu'à l'aube, me demandant si j'allais maintenir notre relation à un niveau professionnel.

Il a réservé à la Fleur de Sel, un restaurant tranquille aux murs de brique, avec de jolies nappes blanches fraîchement repassées, et un menu fabuleux.

« J'ai pensé que l'endroit te plairait. Les plats sont exquis, et c'est intime. »

« Je trouve ça charmant. Le nom me rappelle mes vacances d'été à l'île de Ré, où l'on récolte le sel. »

« Ouf ! dit-il à la blague. Je suis soulagé que tu apprécies mon choix. À présent, commandons, je meurs de faim ! »

Il choisit le confit de veau et je commande les pâtes au fromage de chèvre.

« Tu as donné toute une leçon à cet ancien avocat de la SEC. As-tu vu l'expression sur le visage de ce pauvre type ? »

« Il faut croire que je ne sais pas me contenir. J'espère qu'il n'était pas trop offensé. Mon père m'a enseigné à exprimer mes convictions. »

« C'est un homme sage. »

« C'*était* un homme sage. Il est mort il y a plusieurs années. »

Je baisse les yeux vers mon assiette de pâtes. L'évocation de mon père demeure pour moi un sujet pénible.

« Je suis désolé d'entendre cela. Je sais ce que c'est que de perdre quelqu'un. Ma sœur est morte du cancer il y a deux ans », répond-il avec un regard plein de tendresse et de sincère compassion.

« Je suis désolée. Elle était malade depuis longtemps ? »

« Non, pas du tout. Elle est morte du cancer du poumon… alors qu'elle n'avait jamais fumé de sa vie. »

« Quel âge avait-elle ? Est-ce qu'elle avait des enfants ? »

« Elle était jeune, trente-neuf ans. Elle avait un fils de dix ans, Adam. C'est un bon garçon. Il vient régulièrement passer du temps chez moi à New York. »

À mesure que je l'écoute et que je vois l'émotion apparaître sur son visage, mon cœur s'attendrit. Mes réserves quant au fait de dîner avec un client commencent à disparaître aussi rapidement que les raviolis de mon assiette.

« Écoute, Catherine, je sais que tu préférerais que notre relation demeure professionnelle, et je respecte cela. Mais je veux que tu saches que tu me plais beaucoup, et pas seulement physiquement. Je crois que tu es une avocate brillante et une femme adorable et, parfois, dans la vie, il faut prendre le risque. Après tout, ce n'est qu'un boulot. »

J'ai le cœur qui flanche. Je rougis. Je cherche mes mots. Je ne voulais pas me l'avouer, mais j'espérais secrètement qu'il brise la glace et soulève la question. Encore indécise quant à un engagement avec lui, je considère soigneusement ma réponse pendant que le serveur apporte nos desserts.

« Ce n'est qu'un boulot ? Ça ressemble davantage à une condamnation à perpétuité ! »

Il rit, puis me prend la main avec hésitation. Je laisse ma crème brûlée.

« Existe-t-il un moyen de te faire changer d'avis ? »

Je fixe mon plat et détourne le regard avant de répondre. Mon esprit dit non, mais mon cœur dit oui. Voici un cas classique d'aventure amoureuse, comme on en voit dans les livres ; mais pourrait-elle être trop belle pour être vraie ? J'ai rejoué mille fois des dizaines de scénarios différents dans ma tête au cours des derniers jours, à la recherche de la bonne solution qui ne compromettrait pas ma carrière. La meilleure façon de traiter la chose est peut-être de demander à Nathan de prendre ma place dans la transaction de Browser et d'expliquer ma situation à Scott. Ce ne serait pas bon pour mes heures facturables, mais ce serait avantageux pour *moi*.

« J'ai une idée », dis-je avec hésitation.

« Vas-y. Je suis tout ouïe. »

« Je pourrais demander à un autre avocat du bureau de me remplacer dans le dossier de l'introduction en Bourse. De cette façon, le problème ne se poserait plus, non ? Un de mes collègues meurt d'envie de… »

« Absolument pas. »

Son ton change radicalement.

J'en reste bouche bée. Pourquoi réagit-il si violemment à ma suggestion ? Je retire ma main et il lit mon visage.

Son ton se radoucit.

« Surtout pas après cette prestation renversante à la réunion de lundi. Tu es la meilleure personne de ton cabinet pour gérer cette transaction. C'est ta chance de faire tes preuves. »

Je m'arrête pour réfléchir à ses paroles. C'est vrai, voilà ma grande chance. Qu'est-ce qui m'a pris ? Je dois vraiment être en train de tomber solidement amoureuse de lui.

« Tu as probablement raison. Tant pis pour mon idée. »

« Je sais que ça peut donner l'impression que je veux tout avoir, et en réalité, c'est le cas. Je veux que tu représentes ma société et je veux que tu sortes avec moi samedi soir. J'ai deux billets pour un concert de Wynton Marsalis », ajoute-t-il avec un large sourire.

« Tu n'acceptes vraiment pas qu'on te dise non, n'est-ce pas ? »

Il hoche la tête.

« Je ne suis pas certaine, Jeffrey. J'ai besoin de temps. »

« Que dirais-tu de marcher jusqu'à Union Square ? »

« Je voulais dire que j'ai besoin de quelques semaines, pas de quelques minutes ! »

Nous marchons le long de Broadway. L'après-midi est magnifique. Complètement détendue en sa compagnie, je sens que je peux lui parler de n'importe quoi. Pourquoi la vie doit-elle être si compliquée ?

« Ça fait du bien de voir un peu du ciel bleu ; je n'ai pas souvent vu le soleil dernièrement. »

« Le temps file vite quand on ne fait que travailler. »

« Oui, c'est vrai. »

Nous arrivons à Union Square et il me guide vers le banc le plus proche. Le décor est romantique et ce serait l'endroit parfait pour un premier baiser. *Arrête !* Catherine, à quoi penses-tu ?

« Est-ce que la France te manque ? »

« Oui et non. Ce qui me manque, c'est de voir ma mère et de sortir avec mes amis à Paris. Mais j'aime vraiment New York. C'est l'endroit idéal pour ma carrière. »

« La France me manquerait, si j'étais toi. C'est un si beau pays. »

Il parle du prochain séjour de son neveu à New York. Je perds la notion du temps en sa présence. La conversation s'écoule si facilement que je pourrais discuter ainsi pendant des heures.

À quatorze heures trente, il consulte sa montre.

«Avant que j'oublie, comment va le plan de partage des actions?»

Surprise qu'il revienne abruptement aux affaires, j'hésite un moment avant de répondre.

«Euh… très bien. Nous arrivons aux résultats visés auprès de la Commission.»

«Parfait. Ça fait du bien d'entendre ça.»

Ses épaules semblent retomber de soulagement.

«Alors, on va au concert-bénéfice de Wynton, samedi?»

«C'est un concert au profit d'une œuvre?»

«Oui madame, en plus, c'est un hommage aux grandes dames du jazz. Il y aura plusieurs chanteuses connues comme invitées. Allons, ce sera une soirée magnifique!»

«D'accord, je cède», dis-je en prenant un air de défaite.

Comme les grands musiciens de jazz de notre époque, il va falloir que j'improvise la suite.

CHAPITRE 20

Dès mon retour au bureau, la voix grave de Harry Traum explose dans mon interphone : « Catherine ! Je dois vous parler. Immédiatement ! »

Terrifiée et ne sachant pas pourquoi il veut me voir, je me dirige sur la pointe des pieds vers son bureau d'angle. Une grande plaque dorée, portant l'inscription GEN. HAROLD J. TRAUM, ESQ. est apposée au chambranle. C'est ma première visite à son bureau. Depuis sa terrifiante leçon de géographie américaine, à mon arrivée chez Edwards & White, je l'ai évité comme la peste.

Je suis accueillie par une porte fermée.

Je frappe doucement, mais il n'y a aucune réponse. Serait-il avec Bonnie ? J'espère bien que non ! Je frappe de nouveau, cette fois un peu plus fort et, lorsque sa voix éclate, elle provoque presque un typhon dans le couloir.

« ENTREZ ! »

Il est assis dans son grand fauteuil de cuir, au centre de la pièce, tandis qu'une femme aux cheveux noirs, en jupe moulante, lui coupe les cheveux.

« Catherine, c'est Juanita. »

Son bureau est jonché de trophées, de souvenirs militaires et de photos d'innombrables enfants et petits-enfants prises lors de nombreuses vacances à la mer. Au-dessus de son bureau sont accrochés trois grands panneaux de bois où on lit : *Nous nous défendrons*, *La victoire commence ici*, et *Égalité et justice*. D'après ce que je vois, on dirait que Harry est l'associé le mieux préparé pour la guerre au cabinet.

« J'aimerais discuter de quelque chose d'important avec vous, Miss Lambert », dit-il d'un ton sec, les bras croisés, pendant que Juanita voltige au-dessus de sa grosse tête.

« Oh ? »

« Connaissez-vous le devoir de confidentialité d'un avocat ? » demande-t-il sur un ton grave.

« Évidemment. »

« Vraiment ? Alors, que feriez-vous si je disais qu'Antoine avait un sérieux problème d'alcool ? Le diriez-vous à quelqu'un ? »

Prise de court par sa question, je bafouille une réponse.

« Euh, non, bien sûr que non. »

«Alors, si je vous disais que Scott est un homo – il respire profondément – sexuel? En parleriez-vous à quelqu'un?»

Mon Dieu, où mène cette série de questions? La sueur perle dans mon dos.

«Bien sûr que non.»

«Et si vous travailliez à la fusion de haut calibre d'une société inscrite en Bourse? En parleriez-vous à l'un de vos petits amis?» demande-t-il, sa voix devenant de plus en plus forte et intimidante.

«Non, je ne le ferais pas. M. Traum, est-ce que je peux, euh, vous demander de quoi il s'agit?»

«Si vous respectez votre devoir de confidentialité, jeune femme, et que vous ne parleriez jamais d'aucun de ces sujets, expliquez-moi, Catherine, POURQUOI VOUS AVEZ DIT À UNE SECRÉTAIRE, UNE FOUTUE SECRÉ-TAIRE, QUE J'ALLAIS DIVORCER? MAINTENANT, TOUT LE MONDE EST AU COURANT DANS CE SATANÉ CABINET!»

En criant, il postillonne dans le visage et sur les seins de Juanita. Elle recule un moment, tandis que le visage d'Harry passe de l'écarlate au rouge pâle. Mon esprit s'agite… Je ne l'ai pas dit à une secrétaire, c'est *un* secrétaire qui *me* l'a dit. Je suis complètement sous le choc. Je ne peux pas croire que Rikash m'a fait cela; il doit y avoir une autre explication.

« Je ne voulais pas… je ne voulais pas, c'est tout simplement sorti par mégarde. C'était un accident. Je suis désolée. »

« Les associés d'Edwards & White n'ont pas d'accidents, compris ? Je vous le redis. Mes attentes étaient beaucoup plus élevées à votre égard, Catherine, et je suis vraiment déçu. Nous avons des normes très élevées ici, et si vous ne pouvez les satisfaire, nous devrons reconsidérer votre avenir dans ces murs, compris ? »

Je sens mes genoux flageoler et je revois d'un coup mes six longues années au cabinet. Encore. Je me sentais abattue après ma dispute avec Antoine et je marchais sur une corde raide avec Scott, à cause de mon expédition shopping chez Dior, mais ça, c'est peut-être le bouquet. Toutes ces heures pénibles que j'ai accumulées au fil des ans pourraient-elles n'avoir servi à rien à cause d'une rumeur de divorce dans laquelle je n'ai eu aucun rôle ?

« Oui, monsieur, je comprends. »

« Alors, comment avez-vous découvert que j'allais divorcer ? » Son visage est maintenant revenu à sa teinte rose normale.

J'ai soudain une boule dans la gorge. « Je ne me rappelle pas. »

« Vous ne vous en rappelez pas ? »

« Non. »

Il secoue la tête, soupire bruyamment, et lance un regard à Juanita.

« Eh bien, quand votre petite cervelle s'en rappellera, mieux vaut que vous me le disiez. J'aimerais donner l'exemple à cette grande gueule et congédier quelqu'un. »

« Mmm-hmm, très bien. »

En sortant du bureau d'Harry, je me sens comme une fillette de dix ans qui vient de se faire réprimander par le directeur de l'école. Rikash m'aurait-il trahie ? Aurais-je eu tort de lui faire confiance si rapidement ? Dès que je sors du bureau d'Harry, Scott y entre à la course et claque la porte. Qu'est-ce qui se passe, ici ?

« Rikash, dans mon bureau, tout de suite ! »

« Qu'est-ce qu'il y a ? Tu as l'air troublée. »

« Troublée n'est pas le mot, je suis furieuse. Harry Traum vient de me passer un savon parce qu'il croit que j'ai annoncé son divorce, à toi et à tout le personnel du cabinet. Comment est-ce arrivé ? »

« Aucune idée, mais ce n'était pas moi, je le jure ! »

« Alors, qui le lui a dit ? Mon emploi est en cause. Je ne laisserai pas un potin ridicule gâcher ma carrière. »

« *Dah-ling*, fais-moi confiance là-dessus. Je te protège sans arrêt au bureau, je te le jure. Tout comme je sais que tu me protèges. »

Après que la colère et l'humiliation se sont graduellement dissipées, il me vient à l'esprit des visions halluci-natoires de traîtresses secrétaires du cabinet. Elles se prélassent langoureusement sur la table de conférence principale, habillées de toges romaines, elles tiennent des fourches diaboliques et dégustent le caviar et le champagne les plus raffinés, tout en riant d'une façon démoniaque de la tête qui repose sur un plateau d'argent placé au centre de la table : *la mienne.*

« Bien sûr. Désolée, Rikash. »

CHAPITRE 21

On dit que les jeunes passent trop de temps à soigner leur apparence. C'est peut-être vrai, mais vu celui que j'ai passé au bureau dernièrement, j'ai pensé qu'un peu de bichonnage ne me ferait pas de tort. Il m'a fallu mener tout un travail de détective pour amener Lisa à me divulguer les noms des experts en soins de toutes sortes qu'elle consulte, mais ça en valait amplement la peine. Samedi après-midi, je suis donc entrée au salon de coiffure du Bergdorf pour une mise en plis, ainsi qu'une manucure et une pédicure.

Bien que les Parisiennes soient reconnues pour aimer se livrer à de fastueux rituels et traitements esthétiques (Michael Perry, l'une de mes boutiques de chaussures préférées à Paris, propose des vernis à ongles assortis aux tons de ses créations), les New-Yorkaises en font tout autant ; Lisa gère son régime de beauté comme une entreprise, calculant soigneusement, à chaque rendez-vous, le rendement de son investissement. Elle doit dépenser des centaines de dollars par semaine pour entretenir son image. La mani-pédi est un *must* (ses couleurs d'ongles préférées sont celles de *Your place or mine?* par Essie), elle n'envisagerait jamais de sortir sans d'abord se faire coiffer, et elle recourt à d'innombrables séances de massage, d'exfoliation et autres cures pour l'aider à supporter son boulot. J'ignore quand elle trouve le temps de faire tout ça, car son agenda est aussi chargé que le mien. Si j'adore dépenser pour un soin du visage, une épilation à la cire et des traitements au spa après le travail, ces temps-ci j'ai à peine assez d'énergie pour m'occuper de l'entretien de base.

De retour à la maison, je me prélasse en lisant le *New York Times*, que j'ouvre à la page des annonces de mariage. J'en raffole : ils me rappellent les pages fusions et acquisitions du site deal.com, où les sociétés vantent leurs plus récentes acquisitions. En lisant sur M. et Mme Machin-Truc, je trouve tout cela délicieusement prétentieux. Le mariage n'est-il pas censé être fondé sur une histoire d'amour, plutôt que sur la montée en flèche de vos actions à la Bourse sociale ?

Dans le cahier des affaires, je repère une brève mention de l'offre de Browser. La presse en parle comme de l'introduction en Bourse la plus attendue de l'année. D'un côté, je ne peux pas croire que je dîne avec l'homme qui est en train d'orchestrer toute cette transaction. D'autre part, je ne peux pas croire que c'est moi, l'avocate qui s'en occupe. En fait, c'est exactement pourquoi je suis venue à New York. Je mets ma nouvelle robe Dior et une paire de sandales en peau de serpent avec une bride de cheville en cuir verni, et m'asperge de J'adore avant de m'élancer vers la rue. À dix-neuf heures pile, le taxi de Jeffrey s'arrête devant mon immeuble.

« *Ready, mademoiselle?* »

« Certainement ! »

« Tu es magnifique. » Il m'embrasse sur la joue.

« Merci. »

« En France, je crois que vous vous embrassez sur les deux joues, n'est-ce pas ? » Il passe à l'autre côté de mon visage en frôlant mes lèvres. Nos regards restent croisés un long moment, et je ressens un vertige.

Le concert commence, et Dee Dee Bridgewater, la première invitée, chante *Misty*, l'une de mes pièces de jazz préférées. Je me dis que ces paroles résument mes sentiments à propos de Jeffrey, surtout le désir d'être séduite par lui. Mais est-ce vraiment ce que je veux ?

Pendant l'entracte, nous nous dirigeons vers le bar pour prendre un verre de champagne. Jeffrey semble encore ébloui par ce qu'on vient de voir et d'entendre.

« Wow ! » s'exclame-t-il.

« Je sais, c'était renversant ! Est-ce que Diana Ross a vraiment fait une apparition surprise ? Je n'en croyais pas mes yeux lorsqu'elle est montée sur scène dans cette robe blanche étincelante. » On fait tinter nos verres, et mon cœur palpite. « Merci de m'avoir invitée. »

« Je sais que ça peut paraître un peu idiot, mais je me sens complètement détendu avec toi, Catherine. Tu as un effet très calmant sur moi. »

« Je vais prendre cela pour un compliment. »

« Tu as tout à fait raison. Je ne me suis pas senti aussi bien depuis très longtemps. »

J'essaie de faire appel à mon professionnalisme qui me dit que je suis sur le point de plonger dans les eaux tumultueuses d'une relation amoureuse avec un client. Cela pourrait être une terrible erreur que je pourrais regretter pendant longtemps. Mais Jeffrey n'a rien en commun avec Mel. Qu'à cela ne tienne, je sors nonchalamment le BlackBerry de mon sac pour signaler que cette soirée est une stricte rencontre d'affaires. Il hoche la tête en riant, confisque l'appareil électronique et le met dans sa veste de complet. Il prend mon bras, m'attire vers lui, et nous nous embrassons.

Je laisse aller la bouée et me sens partir à la dérive.

CHAPITRE 22

« Salut, beauté », dis je à Rikash en passant devant son poste de travail. « J'adore ta chemise. Que dirais-tu d'un cappuccino ? Je paie la tournée, ce matin. »

« *Dah-ling*, tu es resplendissante. Qu'est-ce qui t'est arrivé pendant le week-end ? »

Je réponds à sa question par un sourire espiègle.

« Oh ! » lâche-t-il, les yeux écarquillés. « Non ? Pas… Jeffrey ? »

J'acquiesce en souriant.

« Vilaine fille. »

« Chut, reste discret. »

« Je veux connaître tous les détails ! » s'exclame-t-il après avoir refermé la porte de mon bureau derrière lui alors que je tangue vers ma chaise.

« Promets-moi de n'en parler à personne. Je marche déjà sur des œufs ici, après ce qui s'est produit avec Mel Johnson et Harry Traum. »

« Promis, promis. »

« Eh bien, il m'a emmenée à un formidable concert de jazz. Nous avons passé des moments magnifiques. Il m'a embrassée. C'était magique. »

« Bon sang ! Je savais que c'était une bonne prise. »

« Et tu sais quoi ? Laissons tomber Starbucks aujourd'hui, et commandons du café chez Barneys. Je suis d'humeur à fêter ça. » Je sors un peu d'argent de mon portefeuille. « Ça devrait suffire. Commande quelque chose pour toi, et offrons un truc à Mimi. »

Il sort de mon bureau en sifflant *La Vie en Rose*, et revient dix minutes plus tard en se pavanant avec un plateau débordant de cafés et de pâtisseries danoises.

« Des études montrent que l'odeur des brioches à la cannelle augmente la circulation sanguine du pénis : j'espère que tu ne m'en voudras pas d'en avoir commandé quelques-unes. »

Il dépose mon café au lait avec un grand sourire.

« Tu devrais baiser plus souvent, ma chérie. Ça rend les matinées beaucoup plus agréables pour nous tous. »

« Rikash, nous n'avons *pas*… »

« Vraiment ? Si *ça*, c'est ton comportement pré-baise, je suis impatient de voir ce qu'on va commander pour le petit-déjeuner lorsque tu auras consommé. »

Pendant que Rikash, Mimi et moi plongeons dans notre fabuleux petit-déjeuner, Maria et Roxanne nous observent de leurs bureaux.

« Mimi, n'as-tu pas remarqué quelque chose de différent à propos de Catherine, aujourd'hui ? » demande Rikash, la bouche couverte de cannelle moulue.

« Elle est radieuse. »

« Je sais, c'est causé par le désir », dit Rikash en roulant les hanches.

Je lui envoie un regard torve pour m'assurer qu'il ne franchira pas la limite.

« Mon Dieeeuuu ! J'aimerais bien avoir encore ton âge, dit Mimi avec un soupir. Le désir, il n'y a rien de mieux pour le teint. »

« Certaines personnes aiment vraiment étaler leur vie », fait remarquer Roxanne, assez fort pour que nous l'entendions.

« Qu'est-ce qu'elle a ? Je n'ai jamais rencontré personne d'aussi frustrée de toute ma vie », dis-je après avoir pris une petite gorgée de mon café au lait.

« Ce n'est rien, ma belle », répond Mimi en agitant ses bracelets dorés en l'air, tout en sirotant son cappuccino, « t'aurais dû voir certaines des autres assistantes qu'on a eues dans ce bureau, on aurait juré des personnages de Hitchcock. Cau-che-mar-des-ques. »

« Vraiment ? »

« Ah oui. Un jour, on a trouvé un couteau de boucher dans l'un des tiroirs du bureau d'une fille. On a dû appeler la police pour qu'on vienne la menotter et l'emmener. »

« Pas vrai ? » nous exclamons-nous Rikash et moi à l'unisson.

On passe un moment assis dans mon bureau à nous goinfrer de pâtisseries et à bavarder, jusqu'à ce que Scott arrive à ma porte et mette fin à la fête.

« Mimi, j'aimerais que tu t'occupes des sommes à recevoir, au lieu de bavarder autour d'un café. » Elle le suit jusqu'à la réception, en boudant.

« C'est Roxanne qui a dû lui dire qu'on était là. Une vraie commère. Elle ne peut pas tolérer que quelqu'un d'autre ait un peu de plaisir au bureau », murmure Rikash, visiblement irrité du fait que Mimi doive subir l'odieux de notre plaisir.

« Tout ce qu'elle fait avec Maria, toute la journée, c'est de parler de tous les autres à leur insu. Tu devrais entendre ce qu'elles disent de Scott et de Bonnie à l'heure du lunch dans la salle de conférence principale : c'est tellement méchant. Elles pourraient carrément se faire congédier pour ça. »

« C'est vrai ? »

« *Dah-ling*, crois-moi. Je les entends quand je m'occupe des appels à la réception. »

Une fois Rikash retourné à son bureau, je sors de mon tiroir le meilleur ami de l'avocat : le bon vieux Dictaphone. S'il sert à enregistrer des documents juridiques à des fins de transcription, pourquoi ne servirait-il pas également à enregistrer des secrétaires chipies qui aiment créer des problèmes à tout le monde?

Vers midi, avant le retour de Maria et de Roxanne à la salle de conférence principale avec leurs pizzas de chez Famiglia, je place discrètement ma machine à dicter à l'autre extrémité de la table, sous un dossier quelconque, et je la mets en marche. Satisfaite de mon plan, je cours prendre un sandwich; je suis impatiente d'entendre les commérages cinglants qu'il y aura sur cette bande. Une petite heure plus tard, je retourne d'un pas décontracté à la salle de conférence, retrouve mon cher ami sous le bout de papier et retourne m'installer dans mon bureau. Que la fête commence!

«Mon Dieu, cette pizza est tellement bonne, j'en mangerais tous les jours», dit d'abord Maria.

«Vraiment», répond Roxanne.

«Ah ouais, tu as raison, répond Maria, la bouche pleine. Mais elle ne vient pas de chez *Barneys*, dit-elle avec un accent prétentieux. Je ne peux pas croire qu'elle ait commandé du café de chez Barneys et qu'elle ne nous en ait même pas offert. Elle nous déteste comme la peste.» Elle continue de mastiquer.

«C'est réciproque, répond Roxanne. Je ne peux pas la supporter. Elle se prend pour une diva, merde.»

Je ricane en moi-même. *Ça devient très intéressant.*

«Et Rikash qui lui lèche les bottes à longueur de journée. Il essaie d'être gentil avec elle pour qu'elle ne se rende pas compte qu'il ne fait que dormir toute la journée après avoir passé la nuit à faire la noce dans les boîtes, répond Maria. Et je suis tellement contente qu'Antoine soit enfin parti pour Paris», poursuit-elle entre deux bouchées. «J'étais sur le point de l'égorger. Il était imbu de lui-même. Dieu merci, je n'aurai plus jamais à voir son affreux visage.»

Les deux poussent un rire hystérique.

«Tu veux entendre la dernière?» demande Maria. «Je suis entrée dans le bureau d'Harry Traum, la semaine dernière, et j'ai trouvé des formulaires de demande de divorce sur son bureau. J'imagine que sa femme a fini par découvrir ses longs déjeuners avec Bonnie», dit-elle en mettant Roxanne au fait des derniers développements. «Ça pourrait expliquer pourquoi il pense à quitter le cabinet; il aime bien la baiser, mais il ne peut pas supporter de travailler avec elle.»

C'est donc Harry qui pourrait quitter le cabinet! Ça s'avère plus utile que je ne le croyais.

«Je ne le blâme pas. Elle est tellement garce! De toute façon, tu ne croiras pas ce que j'ai fait. Je lui ai dit que Catherine répandait des rumeurs au bureau à propos de son divorce! Mon Dieu, tu l'aurais vu, il était tellement furieux.»

«Tu n'as pas fait ça!» glapit Roxanne.

«Mais si, ma chère, vrai de vrai. Mais promets-moi de ne le dire à personne.»

« Ne t'en fais pas. Ce sera notre petit secret à nous, car je ne voudrais surtout pas qu'il m'en veuille. Il ne faudrait pas qu'on me bloque l'accès au service de limousine ; je l'ai utilisé l'autre soir pour me rendre chez mon coiffeur, dans Queens. C'est bien plus confortable que le métro », avoue-t-elle en ricanant.

« Et pour aller faire des courses au centre commercial, en banlieue. Tu crois qu'on pourrait utiliser la limousine du bureau ? » réplique Maria.

Bingo. J'ai ce qu'il me faut. Fière de mes talents d'espionne, j'éteins mon Dictaphone. La prochaine fois que l'une ou l'autre me jouera un vilain tour, ce sera *échec et mat, mesdames.*

CHAPITRE 23

« Il y a une certaine Amy qui appelle de la Met Bank.
Elle paraît très tendue. »

« Merci, Rikash, passe-la-moi. »

« Bonjour, Amy, désolée de ne pas avoir envoyé cette
note de service que Bonnie a rédigée, je te la fais parvenir
tout de suite. »

« Ce n'est pas la raison de mon appel. » Je remarque
soudainement le ton de panique dans sa voix. « Nous
venons de recevoir un avis : nous sommes soumis à une
enquête réglementaire, et Bonnie m'a suggéré de vous
appeler. Je sais que vous vous êtes déjà occupée de ce genre
de problème pour une banque française à Paris. »

« Euh, oui, c'est vrai. »

« Magnifique. Nous espérons que vous serez la plus
qualifiée pour traiter cette affaire. »

« Sur quoi porte l'enquête ? »

« L'un de nos courtiers a caché à son supérieur des pertes de millions de dollars sur des transactions en Bourse, et commis une fraude dans des comptes de clients. »

Oh, c'est grave. Mon esprit fait rapidement le tour de questions similaires auxquelles j'ai travaillé dans le passé, et passe en mode réglementation.

« Comment l'avez-vous découvert ? »

« Il est passé aux aveux après qu'un de ses clients s'est plaint. J'espère que nous ne sommes pas en difficulté majeure » – sa voix tremble – « car j'imagine que nous pourrions recevoir des amendes considérables. »

« Pas si vous avez mis en place des procédures de super-vision adéquates pour détecter ce genre de compor-tement. »

Elle demeure silencieuse. Oh-oh.

« Vous avez mis en place des procédures et des contrôles de supervision, non ? » Il le faut. Tout le monde le fait à notre époque.

« Oui… mais je ne suis pas sûre qu'ils soient adéquats. L'an dernier, les organismes de réglementation fédéraux nous ont signalé que nos procédures étaient insuffisantes. » J'entends sa respiration accélérer. Et je commence à comprendre pourquoi.

« Les avez-vous actualisées ? » Alors que je pose la question, j'ai le sentiment angoissant de connaître déjà la réponse.

« Non, pas encore. Nous manquons de personnel et de temps. »

« Oh. » Merde ! J'essaie de garder une voix calme malgré ce qu'elle vient de me dire. Je ne veux pas créer de drame inutile, mais je réalise à présent qu'Amy et sa banque sont dans le pétrin.

« Quelle est l'amende la plus élevée que nous risquons ? Quelques milliers de dollars ? »

« En fait, elle peut atteindre des millions, mais nous n'en sommes pas encore là. »

« Oh mon Dieu, je vais perdre mon emploi ! » s'exclame-t-elle, à présent, totalement paniquée. « Je dirige le contentieux et le département de conformité ; est-ce que je pourrais me retrouver en prison ? »

Je respire profondément.

« Bien que ce soit *extrêmement* peu probable, à moins que vous n'ayez eu l'intention de commettre une fraude, j'ai bien peur que oui ; c'est une possibilité. Les scandales récents et le climat des dernières années ont changé le paysage de la réglementation ; les organismes et les procureurs mettent beaucoup d'ardeur à poursuivre les irrégularités. »

Elle se met à sangloter. C'est l'une des rares occasions où je déteste mon travail, lorsque je suis porteuse de mauvaises nouvelles. Fais ce que tu fais de mieux, Catherine, reste calme et optimiste.

« Écoutez, Amy, vous devez garder votre sang-froid à présent. Tout ira bien. Contentez-vous de faire exactement ce que je vais vous dire et personne n'ira en prison. »

« D'accord. » Ses sanglots cessent.

Bon travail, Catherine, reste forte et guide-la avec confiance vers la sortie. Tu l'as déjà fait.

« Pouvez-vous commencer par m'envoyer une copie de la lettre que vous avez reçue de la SEC ? »

« Bien sûr. »

« Ensuite, vous devriez écrire une lettre à vos clients pour dire que vous êtes en train de vous occuper de cette affaire. Puis, vous devez mettre la main sur toute l'information pertinente, y compris les courriels et les factures de téléphone. Après, il faudra décider de l'éventualité du licenciement du courtier, mais je vous recommande fortement de le faire. N'oubliez pas de documenter tous vos gestes. Je crois aussi que vous devriez adopter une approche de collaboration avec la Commission. J'appellerais l'enquêteur pour lui dire que c'est votre intention ; la coopération aura sûrement un effet salutaire. »

« Nous allons nous y mettre tout de suite. »

« Bien. On en reparle plus tard aujourd'hui. »

« Merci, Catherine, je savais que vous étiez la bonne personne à appeler. »

Dès que je raccroche, la voix de Bonnie jaillit dans l'interphone.

« Est-ce qu'Amy t'a appelée ? »

« Oui, elle vient de le faire. »

« Qu'est-ce que tu lui as dit ? »

« Qu'elle doit collaborer avec la Commission des valeurs mobilières, et commencer à se préparer tout de suite. »

« Non, pas à ce sujet, mais sur ses probabilités d'aller en prison. J'espère que tu lui as dit que c'était tout à fait improbable. »

Je suis troublée par le fait qu'elle me suggère de mentir à un client. « C'est difficile à dire, il y a toujours une possibilité, même si elle est minime ».

« De quoi parles tu, merde ? En ce moment, le client a besoin d'être *rassuré*, crie-t-elle dans l'interphone. Il doit se défendre. Bon Dieu, je n'aurais jamais dû te le confier. Quelle sorte d'avocate es-tu ? »

« Une avocate honnête. Je n'aime pas mentir ni donner de faux espoirs aux gens. »

« Dire à un client qu'il n'ira pas en prison ne constitue pas un *mensonge* quand c'est conforme à la jurisprudence, compris ? » Sa voix a monté jusqu'au registre du soprano. « C'est pour ça qu'on te paie, Catherine, pour donner des conseils juridiques aux clients, pas pour évoquer des scénarios peu probables et jouer la Grande Faucheuse. »

Ah zut ! Elle a peut-être raison. Selon la jurisprudence la plus récente, les risques de prison sont minimes. Jusqu'ici, dans ma carrière, j'ai fonctionné selon le principe que, lorsqu'un client me le demandait, il valait mieux être honnête et exposer le meilleur et le pire des scénarios. Mais je me demande maintenant si c'est une façon réaliste de pratiquer le droit – surtout ici, à New York.

« Amy serait peut-être mieux servie par le groupe du contentieux ? »

« C'est hors de question. On s'en occupera, Amy est *ma* cliente. »

Je suis en plein milieu d'une autre bataille des seigneurs de guerre. *Fantastique.*

« Et corrige cette attitude négative, sinon, dans dix ans, tu en seras encore à rédiger des notes de service sur le nettoyage à sec. » Elle raccroche abruptement.

Ébahie devant l'interphone, je murmure : « Je préférerais de loin repasser des chemises chez Madame Paulette que d'avoir affaire à toi ».

∽

« On va au Waverley Inn prendre un verre, tu veux venir ? » Quand le téléphone a sonné tout de suite après mon altercation avec Bonnie, j'ai eu un mouvement de recul, mais je suis enchantée d'entendre la voix de Lisa.

« C'est qui, *on* ? »

Je sais qu'elle fait référence au trio infernal, mais je veux quand même m'en assurer avant d'accepter l'invitation. *J'ai besoin d'un verre.*

« Super. Je vous retrouve là-bas. »

« Parfait, on te voit à vingt heures. Ne sois pas en retard, on ne veut pas perdre notre table, c'est vraiment difficile d'avoir une réservation. »

J'arrive à dix-neuf heures quarante-cinq et le bar est bondé. La salle minuscule, à l'éclairage tamisé et aux plafonds bas, est remplie de gens du milieu de la mode, de journalistes portant l'éternelle veste de tweed, et de professionnels en complet, en plus de l'habituelle foule de fêtards. Je respire profondément et je sens vraiment que mes épaules commencent à se détendre et à reprendre leur position normale.

À l'autre extrémité du bar, Amanda me fait des signes de la main et l'un de ses sourires à la Julia Roberts.

« Catherine, comment vas-tuuuu ? Tu veux un verre de Veuve ? » Oups, voilà mes épaules qui remontent.

« Non, merci. »

Nullement d'humeur à m'adonner à un bavardage ridicule, je la contourne pour m'asseoir près de Lisa, qui comprend à mon expression que j'ai besoin de parler et me commande un verre de rouge.

« Qu'est-ce qui se passe ? Tu as l'air pitoyable. »

« C'est Bonnie. »

« Encore ? Qu'est-ce qui se passe, maintenant ? »

« Elle m'a traitée de mauvaise avocate. »

« Quoi ? Pourquoi ? »

« Parce que j'ai dit la vérité à une cliente. Elle croit que c'est donner un mauvais conseil. »

« Qu'est-ce que tu veux dire ? Qu'est-ce qui s'est passé ? »

« C'est une longue histoire, mais une cliente m'a demandé s'il y avait une possibilité qu'elle reçoive une amende ou qu'elle aille en prison, et bien que ce soit peu probable, je lui ai dit qu'il y avait une possibilité minime. Bonnie est devenue furieuse contre moi. »

En relatant cette conversation musclée, je me sens encore plus déconfite. J'ai consacré de longues heures à mériter le respect des associés du cabinet, et qu'est-ce que je récolte en retour ? Je me fais dire sur un ton d'opéra que je ne sais pas comment pratiquer.

« Je ne comprends pas pourquoi tout le monde supporte son comportement abusif. »

« Ne t'en fais pas, c'est une garce. Pourquoi ne viens-tu pas passer un long week-end en Irlande avec nous, pour oublier tout ça ? » demande Lisa en me tendant un verre de beaujolais.

En Irlande ? Avec ces trois divas ? Je préférerais de loin passer le week-end dans un camp pour ados perturbés.

« Nous allons rester à l'Hôtel G de Philip Treacy, c'est complètement *fab* ! » rajoute Beverley.

« Mais pas aussi magnifique que l'Hôtel du Petit Moulin, que Christian Lacroix vient de relooker à Paris ; un vrai joyau ! » s'exclame Amanda.

Alors que je reste plantée là, à écouter d'une oreille une autre conversation superficielle, mon BlackBerry vibre pour signaler l'arrivée d'un courriel. Inquiète de trouver un message de Bonnie, ma première réaction est de l'éteindre et de me bourrer au point de plonger les trois hédonistes dans l'embarras. Mais la professionnelle en moi prend le dessus et j'y jette un coup d'œil.

Expéditeur : Amy Lee

Destinataire : Catherine Lambert

cc : Bonnie Clark ; Scott Robertson

Objet : Merci

Chère Catherine,

Comme suite à notre conversation, je tiens à vous dire
que j'ai écouté votre conseil et communiqué avec la
SEC pour démontrer ma volonté de coopérer. Ils ont
été plutôt réceptifs à notre approche et ont confirmé
qu'ils en tiendraient compte si des pénalités devaient
être imposées à la société. De plus, je crois raisonnable
de dire que je n'irai pas en prison pour cela – quoique
je ne puisse pas en dire autant de notre courtier.

Un grand merci d'avoir été directe avec moi aujourd'hui,
au lieu de me dire uniquement ce que je voulais
entendre. J'apprécie votre honnêteté. Vous êtes une
très bonne avocate, Catherine, et je suis enchantée de
collaborer avec vous sur cette affaire.

Je vous appellerai demain pour en discuter davantage.

Mes meilleures salutations,

Amy

Je suis aux anges. Le fait qu'elle ait envoyé une copie
conforme de sa note à Bonnie et à Scott me ravit au plus
haut point. Juste au moment où je suis sur le point de
hurler de bonheur, je reçois un texto de Jeffrey qui fait
palpiter mon cœur et me rend encore plus folle de joie.

Tu me manques. G hâte 2 te revoir. T libre pr déj
2main ?

« Mesdames, j'offre la prochaine tournée. »

CHAPITRE 24

« Tu as besoin de faire une pause après tout ce dur travail », dit Jeffrey, assis devant moi au Café des Artistes.

Je jette un coup d'œil dans la salle pour admirer les murs couverts de tableaux, et j'ai l'impression de me retrouver dans un film de Woody Allen.

« Je sais, mais je dois me consacrer à ce projet emmerdant d'introduction en Bourse avec un client hyper exigeant », dis-je pour le taquiner.

« D'accord, d'accord, tout ça est ma faute. »

Il me fixe avec hésitation avant de continuer.

« Si je suis celui qui te retient au bureau, je dois alors être celui qui t'en sort. » Il me décoche un sourire espiègle.

Je sens mes paumes devenir moites car je le soupçonne d'être sur le point de me faire une proposition à laquelle je ne suis pas prête.

« J'ai quelque chose à te demander », dit-il en fixant son verre de chardonnay.

« Quoi donc ? »

« J'espère que ce n'est pas trop tôt pour te faire ce genre d'invitation, mais que dirais-tu de passer le week-end à Bridgehampton ? J'ai un ami qui possède une maison là-bas, et il m'a invité pour le week-end. »

Le week-end ? Oh là là… Suis-je prête ? Bien que ma forte attirance physique pour Jeffrey m'incite à accepter sur-le-champ, mon côté professionnel est criblé d'inquiétude. Passer le week-end veut dire inévitablement coucher avec lui, et cela pourrait me donner du fil à retordre sur le plan de ma carrière. Si j'accepte, je ne pourrai plus revenir en arrière.

Il lit l'expression de mon visage. « Tu n'es pas obligée de répondre tout de suite. »

« Ce n'est pas l'envie qui m'en manque. Seulement, je suis un peu inquiète de la façon dont ça pourrait affecter ma réputation au cabinet. Je sais que pour toi, ce n'est qu'un travail comme un autre, mais je me fais suer depuis plus de six ans dans cette boîte. Je veux devenir associée. »

« Je comprends. » Sa main m'effleure doucement la joue. « Cela ne fait aucun doute dans mon esprit : tu vas y arriver. » Ma détermination se met à fondre… Ressaisis-toi, Catherine !

« Laisse-moi y réfléchir. »

« D'accord, tu as jusqu'au dessert. » Il me prend la main. « Je suis sûr que tu aimerais mes amis. Ils ont hâte de te rencontrer. »

« Je suis sûre que oui – seulement, j'ai beaucoup à faire au bureau. » Je mets un peu de travail dans la marmite au cas où ma décision serait négative.

« Eh, c'est moi le client, tu te rappelles ? Est-ce que le client n'a pas toujours priorité ? »

« Oui, mais tu n'es pas mon seul client. Voilà le problème. »

« Ne sais-tu pas que tous les problèmes sont des occasions déguisées ? » Il me fait un clin d'œil tout en demandant au serveur d'apporter l'addition.

∞

Pendant les jours suivant notre déjeuner, Jeffrey m'envoie des courriels comme celui-ci : Allez, Catherine ! Dis oui ! Comme une bonne avocate, je reste dans mon bureau à peser le pour et le contre d'un week-end avec lui :

Pour

- L'air salin de l'Atlantique est bien plus attrayant que celui provenant du système de ventilation du bureau ;

- Le homard frais est bien meilleur que la nourriture froide de la salle de conférence ;

- Se baigner dans l'eau salée aide à réduire l'apparition de la cellulite ;

- Partager des intérêts communs avec Jeffrey rendra sûrement le week-end mémorable (mon CD des plus grands succès de Nina Simone est déjà dans mon sac!);

- Je passerai la nuit avec un homme très séduisant… *Ouf, Catherine, impossible de trouver mieux!*

Contre

- La réception du BlackBerry est peut-être irrégulière sur la plage;

- Il est difficile de garder cette escapade confidentielle;

- Je m'expose à des commérages au bureau si un collègue me repère là-bas;

- Je pourrais prendre un (léger) retard dans le dossier Dior, entre autres.

Comme par magie, le pour l'emporte sur le contre: je peux donc céder et accepter son invitation. Alors, maintenant, j'ai besoin d'aide pour les choses importantes. Je demande à Rikash de venir à mon bureau.

« Jeffrey m'a invitée à aller dans les Hamptons pour le week-end. »

« Quelle chance! Au moins l'un de nous deux pourra s'envoyer en l'air. »

« Arrête! Je suis déjà assez tendue. »

« Ne t'en fais pas. Je suis sûr qu'il trouvera moyen de faire disparaître ton anxiété. »

« Ça suffit! Je ne t'ai pas appelé pour que tu viennes me torturer, j'ai besoin de conseils vestimentaires. »

« Mais non, voyons ! Tu as plus de style que tout le monde. »

« La flatterie te mènera toujours à tout. J'aimerais vraiment recevoir les conseils d'un expert. »

« Dans ce cas, tu es dans de bonnes mains. »

« Parfait – je veux que ça se passe bien – j'aimerais passer un week-end tranquille, loin d'ici. »

Il me lance un regard perplexe.

« Tranquille ? Tu as *vraiment* besoin d'aide. »

« Pourquoi ? »

Il soulève ses sourcils parfaitement dessinés. « La vie nocturne des Hamptons ferait passer Saint-Tropez pour une ville-dortoir, tu le sais, non ? »

J'ai lu quelque chose à ce propos dans des magazines de voyages, mais je n'ai aucune idée de ce qui m'attend là-bas.

« D'accord, alors qu'est-ce qu'il faut que j'emporte ? »

« Tout ce qui montre de la peau. »

« Eh, en ce moment, je suis pâle comme Marie-Antoinette. Dénudée, ma peau ne sera pas jolie à voir. »

« *Dah-ling*, ne t'en fais pas pour le bronzage, tu peux en acheter en flacon. Mais tu as nettement besoin d'ensembles qui dévoilent tes charmes. » Il fait une pause. « Et de musculation. »

« Pardon ? »

« Avant de te déshabiller, tu dois te raffermir. Le BlackBerry n'est pas tout à fait l'appareil le plus tonifiant pour le corps. »

« À trois jours du départ ? »

« Avec le bon entraînement musculaire, tu peux changer ta silhouette en quarante-huit heures. Fais-moi confiance, je fais ça tout le temps. Il faut que tu rencontres Angel, mon entraîneur personnel. Il fait des merveilles. Laisse-moi l'appeler, pour savoir s'il peut te prendre tout de suite pour une consultation d'urgence. »

Il sort de mon bureau en se pavanant, avec l'air satisfait qu'il a lorsqu'il m'éclaire sur la mode, la beauté ou la ville. Que ferais-je sans lui ?

Il me rappelle à l'interphone.

« Bon, tu as rendez-vous à dix-sept heures pile. Il t'attendra au Reebok Sports Club. »

« Rikash, je n'ai pas de vêtements d'entraînement avec moi, et je suis débordée. J'ai une montagne de papiers à classer pour le dossier de la Met Bank. Et si Bonnie appelle en me cherchant ? »

« Chérie, Bonnie est sortie se faire botoxer et acheter sa Crème de la Mer, alors, ne t'en fais absolument pas, je m'occupe de tout. »

Grande sportive, je me présente au Reebok Sports Club de l'Upper West Side, équipée de talons de dix centimètres, robe ajustée et collier de perles. J'ai l'impression d'atterrir sur une autre planète : le mélange de sueur, de grognements, d'étirement de muscles et de phéromones en suspension dans l'air me donne le vertige. Je prends une chaise, et deux hommes marchent devant moi dans le Spandex le plus moulant que j'aie jamais vu, avec d'énormes pectoraux saillants. L'un d'eux me fixe d'un air lascif.

« Nouvelle ici ? »

« Euh, on dirait, oui. »

« À plus. » Il me fait un clin d'œil.

Qu'est-ce que je fais ici ? Je ne veux qu'une chose : retourner au cabinet en courant et me cacher sous mon bureau. Je devrais peut-être laisser tomber la gym et plutôt opter pour un espresso et un croque-monsieur au Café du club ? Je sors mon BlackBerry pour le consulter mais, au même moment, un grand blond portant un pantalon de yoga très ajusté et un tricot noir à encolure en V se présente à la réception.

« Catherine ? »

« Angel ? »

« Ravi de te rencontrer, ma belle. » Il m'embrasse deux fois. « Les amis de Rikash sont mes amis. »

« Il t'a dit que je n'avais pas de vêtements d'entraînement ? »

« Pas de problème, ma biche, je t'en ai laissé au vestiaire des dames. Voici la clé. On se revoit ici dans cinq minutes. »

Je me change dans du Lycra et des souliers de sport futuristes, et retourne à la salle d'attente.

Il examine ma silhouette durant plusieurs minutes. Je me sens comme une génisse à l'exposition agricole.

«Bon, j'ai identifié les zones problématiques.»

Les zones problématiques? Ouille, d'une certaine façon, je sens déjà la douleur qu'il s'apprête à infliger à mon corps. Le sauna me semble plutôt tentant, à présent.

Avec un regard de pitié, Angel se dandine vers moi, me prend par le bras, tout en m'asphyxiant presque avec l'odeur de son Acqua Di Giò.

«Allons, ma belle, pas de temps à perdre. Tu as besoin d'un entraînement sérieux.»

Nous entrons dans une pièce aquarium garnie d'équipements ultramodernes, et je pense à un film de James Bond. Catherine Deneuve a déjà dit qu'en vieillissant une femme devait choisir d'entretenir ou son visage ou son derrière. D'après ce qui m'attend, j'aimerais mieux sauver la face; les soins du visage sont bien moins redoutables.

«Commençons par une séance de Pilates.»

Il pointe un appareil qui paraît sortir d'une salle de torture chinoise.

«C'est un réformateur. Il va renforcer tes muscles essentiels et traiter tout le corps plutôt que seulement certaines parties.»

Je hoche la tête avec appréhension. En voyant cette machine, je m'attends à sortir du gym en pièces détachées.

Je grimpe, et Angel me fait faire des exercices de résistance jusqu'à ce que je devienne bleue. Au bout de quinze minutes, j'essaie de me défiler en invoquant le travail.

«Angel, il faut que j'aille au vestiaire pour consulter mes courriels. Je travaille à une importante transaction, et…»

Il secoue la tête et n'en croit rien.

«Avec moi, pas question. Allons, ma chouette, donne-moi vingt minutes de plus. Il faut brûler les calories de cette cuisine française.»

Il démarre son chronomètre et se croise les bras comme un sergent instructeur. Dès que j'ai fini de souffrir, il s'approche.

«Avant d'oublier, est-ce que je peux t'appeler pour une question de droit personnel? Ma compagnie d'assurances me cause des ennuis.»

Je ne suis pas le moins du monde étonnée de sa demande; les avocats sont toujours sollicités pour des conseils gratuits. Comme j'ai la tête en bas, complètement à sa merci, j'acquiesce.

Une fois hors de la salle de torture, il me fait sauter à la corde pendant vingt minutes. Je veux lui dire que je sens venir une crise cardiaque, mais je n'ai plus assez d'air dans les poumons.

«D'accord, maintenant, on va faire des exercices avec les ballons de mise en forme.»

Il va chercher un énorme ballon rouge, et me fait marcher accroupie tout en tenant le ballon au-dessus de ma tête.

« C'est bon pour les fesses, continue au moins quinze minutes. »

Je fais le tour de la pièce, j'ai l'air d'un pingouin arriéré, et je me sens complètement ridicule. Pour empirer les choses, M. Muscles m'examine à travers la vitre, alors que la sueur dégouline sur mon visage et que je m'inquiète de tout le travail qui m'attend au bureau. Après une heure et demie d'intense transpiration et de souffrance, je lance la serviette.

« Angel, ce fut un véritable plaisir, mais je dois me sauver. Merci beaucoup pour tout. Je me sens revitalisée. »

« Bonne chance dans les Hamptons. » Il me tapote le dos. « Rikash m'a parlé de ton week-end. »

« Merci. »

« Je t'appellerai la semaine prochaine à propos de ma question d'assurance. »

« Pas de problème. »

« Au revoir, à bientôt ! »

Il a autant de chances de me revoir que moi de boire du vin rouge à même une boîte de carton.

∞

De retour au bureau, Rikash me regarde chanceler devant son poste de travail, l'air traumatisé.

« Je ne veux pas en parler. »

À mon expression douloureuse, il voit que je suis sérieuse comme un pape. Il se retourne vers son ordinateur et continue de taper.

Tout mon corps me fait l'effet d'être mou comme de la gélatine ; je mets du temps à m'asseoir et je peux à peine soulever les bras au niveau du clavier. Pour me sentir mieux, j'essaie de penser à mon prochain week-end avec Jeffrey. Malgré l'élancement qui irradie de l'intérieur de mes cuisses, je m'applique à finaliser la note de service sur le droit américain du droit d'auteur pour Dior.

CHAPITRE 25

« Allons faire du shopping à l'heure du lunch. Il faut te trouver quelque chose de décolleté. »

« Rikash, au cas où tu ne l'aurais pas déjà remarqué, je n'ai pas de poitrine à montrer. Et quand est-ce que je suis censée avoir le temps d'aller faire du shopping, au juste? Regarde mon bureau. »

« Enclenche le renvoi d'appels. Ça fait des années que je vais au Festival du film des Hamptons. Fais-moi confiance, ma chérie, il te faut quelque chose de très sexy. »

À entendre Rikash, j'ai l'impression de m'en aller à un congrès de mannequins de Victoria's Secret, ce qui ne fait qu'accroître mon trac.

« Que dirais-tu de treize heures? »

À treize heures pile, Rikash se tient dans l'embrasure de ma porte, faisant des gestes mélodramatiques alors que par téléphone j'aide Amy à décoder une lettre de demande de la SEC. Je lui envoie un hochement de tête et lui fais signe d'attendre cinq minutes.

À quatorze heures, alors que l'appel n'est pas encore terminé, il pointe sa montre et je hoche la tête, mais je ne peux pas bouger.

À quinze heures, il passe et me fait un signe de la main, mais je suis obligée de l'ignorer : Scott et moi sommes en train de passer en revue l'ébauche du prospectus de Browser.

À seize heures, Rikash tente de nouveau d'attirer mon attention en simulant un appel d'urgence pendant que Nathan occupe l'un de mes fauteuils. Sa tentative ne provoque aucune réaction de la part de Nathan, qui prolonge sa visite en posant d'autres questions sur l'introduction en Bourse de Browser, le moment où je prévois quitter le bureau d'angle, et le statut de mes heures à facturer.

Dix-sept heures sonnent et je suis calée dans mon fauteuil. Rikash s'arrête, en route vers la sortie.

« Qu'est-il arrivé de notre rendez-vous de shopping ? Je rentre chez moi. »

« Je sais, je sais, je suis désolée. J'ai dû éteindre quelques feux. Je serai probablement ici jusqu'à minuit. On peut y aller demain ? » Je le suis jusqu'aux ascenseurs.

« Bien sûr, mais tu ne peux plus remettre ça. Tu pars demain », dit-il en hochant la tête, visiblement inquiet de l'absence de garde-robe sexy. « Ce week-end, tu dois canaliser la Brigitte Bardot qui est en toi. »

∞

Le vendredi matin s'avère encore plus chaotique que je ne m'y attendais. Je suis bombardée de demandes des banquiers et des avocats travaillant à l'introduction en Bourse de Browser, et je suis soumise à une date de livraison serrée pour envoyer la note de service sur le droit américain du droit d'auteur à Pierre Le Furet, chez Dior. À onze heures trente, alors que je suis au beau milieu d'une conférence téléphonique, Rikash vient se planter à côté de moi avec mon sac dans les mains.

« On s'en va *maintenant*. Je ne quitte pas ton bureau avant que tu me suives, marmonne-t-il avec insistance. Je le fais pour ton bien. Viens. »

Je lui fais signe d'attendre un moment. Dès la fin de l'appel, j'envoie la note de service au siège social de Dior à Paris, et nous nous précipitons chez Barney's pour un blitz de shopping. Il rayonne presque au moment où nous poussons la porte à tambour tandis que j'essaie d'ignorer les douleurs aiguës de tous les muscles de mon corps.

« Ce sera bon pour mon moral. Je ne supporte pas l'atmosphère négative qui règne au bureau ces jours-ci. »

« Tu trouves que le moral au bureau est plus bas que d'habitude ? »

« Bas ? Mon joli *cupcake*, c'est le cafard total. La politique et l'augmentation du volume des heures à facturer ont l'air d'affecter l'humeur de tout le monde. »

« Tu as probablement raison. »

« J'ai même entendu dire que l'associé en charge du service de la propriété intellectuelle va peut-être partir.

Il est au cabinet depuis plus longtemps que certaines antiquités de la réception.»

«C'est vrai? Comment l'as-tu appris?»

«Tout le monde en parle. S'il part, je parie qu'il emportera quelques clients importants avec lui. J'espère que cela n'affectera pas nos emplois.»

«J'en doute. As-tu vu la charge de travail qui s'empile sur nos bureaux?»

«Bien sûr: c'est moi qui gère ta boîte de réception, rappelle-toi. J'imagine que nous devons tout simplement essayer de sauver les apparences et nous mettre à l'abri pendant la tempête.»

«Est-ce pour ça que tu portes une cravate un vendredi?»

«Je fais de mon mieux pour jouer le jeu. Et puis tu sais bien que je ne supporte pas la tenue décontractée du vendredi. As-tu vu comment s'habillent la plupart des gens? C'est affreux.» Il fait un signe dédaigneux de la main. «Je pense que je vais plutôt proposer le sexe décontracté le vendredi à notre prochaine réunion du personnel. Ça ferait des merveilles pour le moral du bureau.»

«Très bonne idée. Je suis sûre que Bonnie va applaudir à tout rompre.»

On se rend à l'étage de Barney's Co-Op, où on présente certaines des collections mode les plus avant-gardistes; normalement, ce n'est pas mon premier arrêt. La première chose que choisit Rikash, c'est un haut transparent de couleur fuchsia, avec de minuscules papillons pailletés, stratégiquement placés au niveau des mamelons.

« C'est sexy. »

« Tu veux rire ? Je ne peux pas porter une chose pareille, c'est trop transparent. »

« Allons ! Tu seras très belle. » Il s'arrête pour choisir un jean blanc, serré, aux poches cousues de paillettes. « Les deux ensemble, c'est splendide ! » s'exclame-t-il.

Malgré mon jugement, je me dirige vers les cabines d'essayage avec un ensemble tout droit sorti de *Boogie Nights*, en me plaignant tout le long.

« Je ne peux pas croire que tu me fais essayer ça. Ce n'est tellement pas moi, tu le sais. Je ne pourrais jamais sortir de chez moi en portant ça. » Je fais quelques pas en dehors de ma cabine d'essayage en dissimulant ma poitrine pour regarder de plus près mon accoutrement dans les glaces, en tentant de rester bien droite, malgré la douleur aux jambes que m'a causée cet excès d'exercices dans des postures accroupies.

« Vous ne trouvez pas qu'elle est magnifique ? » demande Rikash à deux femmes qui se tiennent près de l'entrée des cabines d'essayage.

« Splendide ! soupire une femme avec nostalgie. Ah, si je pouvais encore porter des trucs pareils ! Ma meilleure amie avait un haut semblable à l'époque du Studio 54. »

Bon, ça ne me met pas plus à l'aise. Mon assistant est sur le point de m'envoyer à un week-end romantique fringuée disco de la tête aux pieds.

« Je vais prendre le jean blanc, dis-je, cédant à l'un de ses choix pour éviter une crise, mais laisse-moi trouver un autre haut qui sera moins transparent. Gardons le scandale du mamelon pour la semaine de la mode en Inde. »

« Qu'est-ce que tu peux être prude ! Tant qu'à y être, pourquoi ne choisis-tu pas une robe de chambre pour la plage ? Ce serait vraiment séduisant », dit-il avec ironie. Frustré, il replace le couvre mamelons déguisé en chemisier.

« Ça, ça me ressemble davantage. » Je choisis un corsage bain de soleil rose en chiffon de soie, à encolure licou, dos nu, parsemé de délicates fleurs blanches.

« Il te faut des chaussures assorties. »

« J'ai autant besoin d'une nouvelle paire de chaussures que Paris a besoin de plus de circulation. J'ai des sandales que j'ai trouvées sur la Côte d'Azur et qui iront parfaitement avec ça ».

« Ooh, super ! » s'exclame-t-il.

« Je ne peux pas encore croire que je pars avec Jeffrey. Il faut que je me pince ! »

« Tiens, laisse-moi le faire pour toi. » Il serre mon bras droit. « Oh, je sens du muscle, ici ; Angel t'a vraiment fait travailler. »

« Travailler ? Il a failli me faire mourir, oui ! »

Il fronce les sourcils alors que nous nous dirigeons vers les ascenseurs.

«Attends! Et le maillot de bain? demande-t-il. As-tu quelque chose d'indécent à porter?»

«J'ai acheté un nouveau bikini l'an dernier.»

Il me fixe, l'air dérouté.

«Tu dois t'en procurer un hyper sexy pour faire une impression inoubliable sur la plage. Allons, dépêchons-nous!» Il marche si rapidement que j'ai du mal à le suivre. En regardant autour, il est évident que les *glamour girls* de New York, qui ont des tonnes d'argent à dépenser et peu de choses à cacher, viennent ici pour les bikinis du jour. Rikash parcourt à vive allure toutes les griffes les plus à la mode, et me tend cinq maillots différents qui iraient à une reine de plage brésilienne.

À sa grande déception, je choisis un deux-pièces noir, classique, qui camoufle mes zones dites problématiques, et je me dirige vers les cabines d'essayage. En apercevant mon corps nu dans le miroir, je me rappelle que Jeffrey est sur le point de me voir *au naturel*. Peu sûre de moi avec mon manque de bronzage, et encore légèrement partagée quant à ma décision de passer le week-end avec un client, je sors en vitesse des cabines.

Rikash s'approche du comptoir alors que je sors mon portefeuille. «Tu n'aimeras pas ce que je vais dire, ma jolie, mais as-tu fait un peu de recherches sur Jeffrey?»

«Qu'est-ce que tu veux dire?»

«Je parle de son passé. Je veux juste être bien sûr que ce n'est pas l'un de ces tombeurs qui pullulent dans les

Hamptons. Là-bas, ils sont plus nombreux au mètre carré que les haies de troènes. »

Je suis sidérée. Mon dos se redresse. Pourquoi Rikash dirait-il quelque chose de semblable quelques heures avant mon départ ? Sait-il quelque chose que je ne sais pas ?

« Rikash, ce n'est pas le moment de semer le doute dans mon esprit, je suis déjà suffisamment nerveuse à propos du week-end. Sais-tu quelque chose que j'ignore ? »

« Je veux simplement t'éviter tout désagrément. »

Mes épaules se détendent. « Merci de veiller sur moi. » Je lui donne une petite tape sur l'épaule. « Il est temps de retourner au bureau avant que Roxanne me surprenne encore à faire du shopping. »

« Sans blague ! Miss Rabat-Joie adorerait te surprendre avec ces sacs, n'est-ce pas ? »

« Oh oui ! Ne la laissons pas gâcher notre fabuleuse journée, d'accord ? » Je change de sujet. « J'espère que mon choix de bikini ne t'a pas trop déçu ? »

« Diana Vreeland a dit un jour qu'il ne faut jamais craindre d'être vulgaire, juste ennuyeux. » Il me serre tendrement l'épaule.

« Tu me trouves ennuyeuse ? »

« Bien sûr que non, *dah-ling*. Si tu l'étais, je ne sortirais pas en public avec toi. »

CHAPITRE 26

Ceux pour qui un week-end dans les Hamptons est une expérience relaxante doivent avoir complètement perdu la boule. Sur l'autoroute 27, la circulation avance à un rythme d'escargot, et vous vous demandez si vous arriverez un jour quelque part. Je regarde par la fenêtre : nous sommes entourés d'énormes VUS et de décapotables de luxe. Heureusement, le temps passe vite. Pendant le trajet, Jeffrey me tient la main, raconte des anecdotes sur ses années en Californie, et me taquine à propos des Français.

« La circulation est pire qu'à Paris. Mais au moins, on n'a pas affaire aux Parisiens ! »

« Ha ! Si vos bagnoles n'étaient pas si énormes et n'occupaient pas la moitié de l'autoroute, on serait arrivés depuis des heures. »

« J'ai envie d'écraser certains de ces débiles ! Après l'introduction en Bourse, on aura peut-être notre propre avion. »

« Pas si vite, *monsieur*, on n'en est pas encore là. » Cela me rappelle que je dois consulter mon BlackBerry. Je le tire de mon sac et parcours rapidement la cinquantaine de messages qui remplissent déjà ma boîte de réception. Il y en a un de Pierre de chez Dior, qui me félicite pour la note de service que j'ai rédigée sur les lois du droit d'auteur. J'affiche un large sourire. Le suivant est de Bonnie qui me recommande fortement d'arrêter de « perdre mon temps » sur de frivoles questions de propriété intellectuelle pour des clients français : un véritable éteignoir.

Je m'apprête à éteindre mon BlackBerry pour calmer mon humeur, lorsque Jeffrey intervient. « J'ai dit qu'il ne fallait pas parler boulot, bien sûr, mais puisque tu consultes tes messages, où en est notre processus ? »

« J'ai parlé à la SEC hier, et le processus d'approbation est en bonne voie. »

« Merci pour le temps supplémentaire, j'apprécie vraiment. Continue de bien travailler ; quand ce sera terminé, on va célébrer ça en grandes pompes. »

Pendant le reste du trajet, il joue avec mes cheveux et m'embrasse la main, et j'oublie rapidement le bureau. Du pur bonheur.

༄

Vers vingt-deux heures, nous arrivons à Bridgehampton et tournons dans une allée longue et étroite. Apparaît une grande maison couverte de bardeaux comme on en voit partout dans les environs de Cape Cod, avec un garage pouvant accueillir cinq voitures, et un stationnement rempli de Porsche et d'autres décapotables luxueuses que je ne pourrais même pas nommer. Le lourd battement d'une musique pop provient de la cour arrière.

« Eh ! Salut Jeff ! »

Un grand costaud en maillot de bain dégoulinant nous souhaite la bienvenue. Il tape amicalement dans la main de Jeffrey. « Salut, Catherine. Je m'appelle Charlie. Mettez-vous à l'aise. J'ai du champagne sur la glace et un jacuzzi chaud qui vous attend dans le jardin. Vous pouvez prendre la grande chambre à l'étage. Toutes les autres sont prises. »

Nous allons déposer nos bagages. Ce n'est pas une chambre : nous avons une aile pour nous seuls. Je suis renversée par l'opulence et la taille de l'endroit. Inviter cinquante amis intimes ? Ce n'est rien : on peut organiser tout un bal ici.

Dès que nous déposons nos sacs, Jeffrey m'embrasse sur le front et sort son maillot avec enthousiasme.

« Allons, beauté, mets ton maillot et jetons-nous dans le jacuzzi. »

Je sors mon nouveau bikini de mon sac et j'y trouve, caché au fond, un exemplaire du *Kama Sutra*. En l'ouvrant, je vois tomber une note de Rikash :

> C'est pour ajouter un peu d'épices indiennes à ton week-end.
> Fais-en bon usage. Rappelle-toi seulement que le mot sanskrit qui

désigne l'organe mâle, le lingam,
signifie «bâton de lumière».
Dois-je en dire davantage?

Je te fais une grosse bise.

Rikash

Encore en train de ricaner, je sors de la salle de bain quelques minutes plus tard, portant mon nouveau maillot. Devant le regard de Jeffrey, je suis contente (pour la millième fois) d'avoir suivi les conseils de Rikash. Nous marchons main dans la main vers la cour arrière, où des gens s'ébattent dans la piscine et le jacuzzi.

«Venez prendre un verre de champagne», crie un homme bronzé qui rendrait George Hamilton jaloux. «Charlie a acheté du Dom Pérignon.»

«Il faut que vous veniez ici, l'eau est délicieuse», s'écrie une blonde avec de très gros seins couverts de pas grand-chose. «Je m'appelle Rebecca, enchantée de faire ta connaissance.»

«Catherine, moi de même.»

«Catherine, comment as-tu fait la connaissance de Jeffrey?»

«Euh… par l'intermédiaire d'un de mes collègues… je suis avocate». Je patine en m'efforçant de ne pas dire que c'est un client.

«Ah, c'est charmant.»

«Et toi, Rebecca, que fais-tu?»

«Je suis dans l'industrie de la beauté. J'ai un spa en ville.»

«Vous venez avec nous au match de polo demain après-midi? On y va après la plage», demande George Hamilton, un cigarillo à la main.

«Ça semble super. N'est-ce pas, Catherine?»

Je hoche la tête.

«On y sera», répond Jeffrey avec enthousiasme.

Après trente minutes à tremper dans les bulles – et à en boire –, je commence à me détendre, bien que ma peau soit maintenant ridée comme un pruneau. Nous nous rendons à l'étage et, avant d'entrer dans la chambre, Jeffrey me prend le bras et m'embrasse.

«Je suis si heureux que tu aies pu venir. Tu es en train de rendre mon week-end inoubliable. Pourquoi n'ouvres-tu pas la porte?»

Je le regarde avec hésitation.

Je tourne la poignée; des bouquets de lys de callas et de pivoines blanches sont répandus sur la commode et les tables de chevet. Mon cœur s'arrête et je sens mes genoux fléchir.

Jeffrey me fait tourner et commence à m'embrasser tendrement dans le cou. Ses baisers délicats se rendent à mes épaules et à mon dos, et ses mains descendent lentement jusqu'à mes hanches. Il me soulève et me porte à travers la pièce, et nous tombons ensemble sur le lit. L'air salin entre en coup de vent dans la chambre et je perds toute ma retenue. Nous nous embrassons passionnément, peut-être pendant une heure, puis il me caresse les hanches en murmurant : « J'ai tellement envie de toi. » Un message d'alerte se déclenche dans mon esprit, me signalant que je viens de franchir la limite avec un client du cabinet, mais il disparaît aussi rapidement que les bretelles de mon bikini.

∽

Il paraît qu'on sait qu'on est amoureux quand on ne peut pas dormir parce que la réalité est enfin supérieure à ses rêves. Ce doit être le cas, car je n'ai pas fermé l'œil. Épuisée et euphorique, j'ai peine à croire à ma chance devant la vue sur la mer.

Un visage souriant et une abondante crinière échevelée se tourne vers moi le lendemain matin. *Quel bonheur !*

« J'ai choisi un petit quelque chose pour toi. » Il me tend une boîte minuscule portant l'inscription *Chaumet, Paris.*

« Jeffrey, qu'as-tu fait ? »

« Allons, ouvre-la ! » s'exclame-t-il en m'embrassant le front.

J'ouvre d'un coup la petite boîte et sens soudainement un léger vertige. J'y trouve un délicat pendentif en or blanc, en forme de cœur.

« C'est magnifique, mais c'est beaucoup trop. » Malgré ma protestation, il me le retire des mains, le place autour de mon cou, et attache le fermoir.

« Tout comme toi. »

Je tends la main vers son avant-bras bronzé et l'attire de nouveau vers le lit. Il tombe sur moi et je glisse une main dans son dos, tandis que l'autre tire son t-shirt blanc par-dessus sa tête. Il me soulève et je me retrouve à califourchon sur son corps chaud et bronzé. Je le regarde dans les yeux avant une autre ronde passionnée, et la foudre éclate dans mes veines.

∞

Plus tard, je suis étendue sur le ventre alors qu'il m'embrasse tendrement et joue avec mes cheveux. « Allons prendre le petit-déjeuner en ville, puis on pourra aller faire les boutiques, et passer un moment à la plage avant d'aller au match de polo. Qu'en dis-tu ? »

Tout un programme, pour un samedi ! C'est presque autant que ma journée habituelle au bureau. Moi qui croyais que les gens venaient ici pour se détendre. Mais, d'une certaine manière, je suis sincère en disant : « Ça me semble parfait. »

Après une douche rapide, je descends et j'entre dans un décor qui ressemble à un croisement entre *Gatsby le Magnifique* et *Animal House*. Des femmes bronzées s'ébattent en bikini, sirotant des margaritas, tandis que des types en tenue de tennis s'en vont faire une partie. Je jette un rapide coup d'œil à mon BlackBerry pour m'assurer qu'il n'y a pas de feux à éteindre avant le petit-déjeuner : rien ne paraît urgent. Dans un courriel, Lisa me demande si je veux la rencontrer avec Charles, plus tard, au Surf Lodge de Montauk, pour prendre un verre. Je lui réponds que, hélas, mon horaire est plus rempli que si je travaillais à une offre publique d'achat.

« On s'en va manger en ville », annonce Rebecca en ajustant son corsage noué au cou, qui lui laisse le dos nu (ainsi qu'une bonne partie de la poitrine).

Oui, de toute évidence, on voit que tu t'en vas en ville.

« D'accord, on se retrouve là-bas. »

« Je meurs de faim. Allons-y », annonce Jeffrey.

En route vers Southampton dans sa décapotable, la brise d'été fait ondoyer mes cheveux. Je respire l'air frais et me délecte de l'ambiance luxuriante de cette retraite au bord de la mer. Mon foulard de soie délicatement noué au cou, j'ai l'impression d'être l'un de ces heureux mannequins que l'on voit dans les catalogues J. Crew.

« À quoi penses-tu, ma belle ? »

« Hmm ? »

« Tu as l'air pensive. »

« J'apprécie le paysage, tout simplement. Je ne suis pas sortie du bureau depuis un moment. Par ta faute. » Je lui donne une petite tape, pour plaisanter.

« Mea culpa. » Il m'embrasse la main.

Son téléphone portable sonne et son visage devient sérieux dès qu'il consulte l'affichage du numéro.

« Oui ? répond-il abruptement. Comment ça, les chiffres ne font pas le compte ? » Il hurle dans son Bluetooth. « Je t'ai donné le nombre d'actions en circulation. Tu ne sais pas calculer ? » Il fait crisser les pneus en freinant devant l'étal d'un marchand de fruits, claque la porte, et se lance dans une engueulade au bord de la route, devant les hochements de tête des clients agacés.

Surprise de découvrir cet aspect que je ne lui soupçonnais pas, je ne peux que l'observer. Est-ce sa vraie nature ? M'a-t-il menée en bateau ? Jusqu'ici, il a semblé si pondéré et maître de lui-même. Après avoir marché en rond pendant plus de quinze minutes, il revient à la voiture. Cramoisi, il paraît perturbé.

« C'est incroyable : ces foutus banquiers sont tellement incompétents. Et ils nous coûtent une fortune. Il faut que je m'occupe de tout dans cette transaction ! »

« Je peux faire quelque chose ? »

« Non, c'est un problème de comptabilité. »

« D'accord, mais dis-le-moi, si je peux t'aider. »

« On va devoir retourner à New York tôt demain matin, j'en ai bien peur. Je suis désolé, Catherine. »

« Ça va. Je suis également engagée dans cette transaction, tu te souviens ? »

Il passe un moment à regarder par sa fenêtre latérale, et soupire avant de répondre.

« Écoute, je suis vraiment désolé de m'être mis dans une telle colère. Je suis un peu surmené ces temps-ci. »

« Je comprends. Tu as beaucoup de pression sur les épaules. Mais ne t'imagine pas que tu doives en porter tout le fardeau tout seul. »

Il me regarde tendrement. «Merci, tu es fantastique.»

Nous stationnons la voiture devant Sant Ambroeus, dans la rue principale de Southampton.

«On y sert le meilleur espresso en ville, juste pour vous, *madame*.»

«Parfait!»

Pendant que nous attendons qu'on nous désigne une place, Jeffrey échange quelques mots d'italien approximatifs avec le maître d'hôtel, et je reconnais une voix familière derrière moi. En me retournant, je me retrouve face à face avec Leanne, l'une des trois mousquetaires de Lisa.

«Salut, Catherine. Alors, tu as enfin réussi à te rendre dans les Hamptons.»

«Eh oui. Leanne, je te présente Jeffrey.»

Elle fixe nos doigts entrelacés et je reconnais chez elle le même regard d'envie que lorsque notre serveur m'a offert des chocolats chez *Daniel*. Je sens qu'elle voudrait se trouver à ma place et, avec ma fière allure, pleine d'aplomb dans mes sandales tropéziennes, je ne la blâme pas.

«Enchantée de faire ta connaissance.» Elle regarde Jeffrey, intriguée. «J'ai l'impression de t'avoir déjà rencontré.»

«Salut, Leanne, enchanté de faire ta connaissance. J'ai de la chance, non?»

Le maître d'hôtel nous fait signe de le suivre jusqu'à l'arrière de la salle. D'un geste, je dis au revoir à Leanne, et Jeffrey et moi prenons place pour un tête-à-tête. Il joue avec mes doigts tout en me regardant tendrement dans les yeux, et à ce moment précis j'ai le sentiment d'avoir bien fait d'accepter son invitation.

∽

Après un brunch délicieux et quelques visites de boutiques, nous retournons chez Charlie pour nous changer avant le match de polo. Puisque mon shopping express avec Rikash ne m'a pas permis de m'équiper pour une activité champêtre, je passe mon nouvel ensemble et le complète d'un chapeau cloche blanc que j'ai trouvé dans une boutique vintage de Saint-Germain.

Nous arrivons au terrain de polo, où une mer de champagne, de caviar et d'huîtres est à notre disposition sous une immense tente blanche. Un défilé de mode tape-à-l'œil est en cours, alors que des mannequins disputent aux chevaux l'attention des participants. Toute la jeunesse dorée de Manhattan est réunie sous le chapiteau.

Nous nous promenons sur le terrain et je remarque qu'Amanda, l'un des maîtres de l'univers, se tient dans un coin de la tente. Je vais donc la trouver pour la saluer.

« Jeffrey ! Comme c'est bon de te revoir ! » s'exclame-t-elle.

« Salut, Amanda. Je te présente Catherine. »

« On s'est rencontrées. Salut, Catherine. Joli chapeau, c'est tellement… *différent*. »

«Vous vous connaissez toutes les deux?» s'étonne Jeffrey, abasourdi. «Le monde est petit. Amanda a participé à l'une de nos premières tournées de financement.»

«C'est vrai?» Je réponds sans le moindre enthousiasme. Je lui ai moi-même offert une tournée récemment en payant son dîner chez *Daniel*. «C'est super.»

«Vous êtes ensemble, vous deux?»

«Oui», répond-il fièrement, puis il me fait la bise sur la joue.

«Vraiment?» Elle paraît choquée. «J'ai entendu parler de votre introduction en Bourse. Félicitations», dit-elle en lui faisant des yeux doux.

«Oui, on y est presque. Catherine travaille fort pour nous permettre d'en respecter le calendrier.»

D'accord, il est maintenant de notoriété publique que je fréquente un client. Allons, Catherine, remets-toi!

«C'est bien», ajoute-t-elle avec condescendance.

«Nous sommes tous les deux un peu fatigués et on a hâte de conclure la transaction.»

«Mon Dieu, comme je te comprends.» Elle lui pose une main sur l'épaule. «Je travaille tellement, ces temps-ci, tu n'as pas idée. Avant que j'oublie, j'ai rencontré Tina, la semaine dernière, au gym. Elle a l'air vraiment bien.»

«Qui est Tina?»

«Oh, dit Amanda avec une bonne dose de jubilation dans la voix. C'est l'ex-femme de Jeffrey.»

Une ex-femme? Je ressens soudainement une douleur aiguë dans le ventre, mais j'essaie de garder mon calme. Comment se fait-il qu'il ne m'ait pas dit qu'il avait été marié? Que me cache-t-il d'autre?

Jeffrey me fixe avec un regard paniqué et voit, à ma réaction, que la découverte ne me réjouit pas. Après les au revoir, il me tire par la main, et dès que nous montons dans sa voiture, je lance ma tirade.

« Pourquoi ne m'as-tu pas dit que tu avais été marié? »

« Catherine, je suis désolé. Je voulais te le dire plus tard. Je craignais que tu ne veuilles pas de moi. »

« C'est une information plutôt importante. Je me demande seulement si tu me caches autre chose. »

« Je ne te cache rien d'autre, je te le jure. On est divorcés depuis deux ans. On est restés amis, c'est tout. »

« Je n'en suis pas sûre, Jeffrey. » Je détourne le regard vers le terrain de polo. « Je devrais peut-être rester dans un hôtel ce soir. »

Il me prend la main et l'embrasse avec fougue. « Allons, Catherine. S'il te plaît, ne fais pas ça. Je regrette de ne pas te l'avoir dit. »

Je reste silencieuse quelques secondes, puis me tourne vers lui et le regarde dans le blanc des yeux pour voir s'il est sincère.

« Je ne veux pas que tu ailles dans un hôtel, ma belle. Je veux que tu restes avec moi. »

Il me supplie une autre fois et m'embrasse tendrement sur la joue, et je cède.

« D'accord, mais à partir de maintenant, plus de surprises. »

« Je te le promets. »

La décapotable nous emporte tranquillement à travers Water Mill et Sagaponack. Dès que nous passons devant un pittoresque magasin général et d'adorables maisons joliment couvertes de bardeaux, j'ai l'impression de me retrouver dans une publicité de Ralph Lauren. Les pelouses sont si vertes et bien entretenues ; je veux lui dire d'arrêter la voiture, pour que je puisse me rouler par terre.

Il me tapote doucement la tête et murmure : « J'adore ton chapeau, il te va tellement bien. »

Nous traversons des hameaux d'une beauté à couper le souffle, mais je ne peux me défaire de ce malaise : il m'a caché qu'il avait une ex-femme. Pourquoi ne voulait-il pas en parler ? Se voient-ils encore ? J'essaie de me débarrasser de mes pensées négatives. Il se range près des dunes de Gibson Beach. Je suis étonnée qu'il n'y ait presque personne sur cette magnifique étendue de sable blanc.

« Ouah, cette plage est incroyable. Où est tout le monde ? »

« Je ne sais pas, et je m'en fiche. » Il enlève son t-shirt et son pantalon de lin. « C'est dur, cette journée au bureau ! » En caleçon boxeur, il court vers l'océan. « Allez, viens ! »

Je retrousse le bas de mon jean blanc et rejoins Jeffrey dans la houle. Il me prend dans ses bras pour me porter au-dessus des vagues, et fait semblant de me jeter dans l'océan. Nous nous ébattons et je me sens comme Helena Christensen batifolant dans le vidéoclip de *Wicked Game* de Chris Isaak (moins le physique de glamazone et le bronzage foncé, mais, oh, ça va, ce n'est pas le moment de crever ma bulle).

Nous nous séchons, puis il court vers l'auto et en revient avec un panier de pique-nique rempli d'une salade de homard, de fromage et de vin blanc.

«Quand as-tu trouvé le temps d'aller chercher tout ça?»

«Garde tes questions pour le travail juridique, ma chérie. Bon appétit!» Enjoué, il me tapote le nez, et se plonge dans sa salade.

Me voilà de nouveau tendue après qu'il a dit cela, car je voudrais qu'il arrête de faire allusion au travail. Je suis dans le déni complet du fait que j'ai entamé une relation avec un client. Je prends une gorgée de vin et j'écoute le bruit des vagues; nous regardons le soleil se coucher derrière l'horizon, et quand Jeffrey me fait la bise, j'oublie rapidement tous mes doutes sur son ex-femme et mes angoisses liées au fait de mélanger le travail et la vie privée.

De retour chez Charlie, le jardin est la scène d'une fête gigantesque: de la musique hip-hop retentit dans les haut-parleurs, des hommes en t-shirts sans manches dansent sur le court de tennis, un groupe de gens, debout sur les marches de la terrasse arrière, s'envoient des rasades de vodka, et des couples sont vautrés sur les sofas blancs.

Une soudaine clameur de joie surgit des environs de la piscine. Rebecca a enlevé son haut et est sur le point de plonger. Un groupe d'hommes applaudissent et l'encouragent.

«Vas-y, *baby*, saute!»

Rebecca se jette à l'eau et un homme la suit, tout habillé. Par la suite, une dispute éclate sur la pelouse entre deux autres hommes.

«C'est moi le premier qui l'ai invitée à danser.»

«Elle est à moi. J'ai couché avec elle hier soir.»

«Moi aussi. Salaud!»

L'un fait trébucher l'autre, et ils commencent une lente descente en roulant vers la piscine, vêtus de blazers marine et de pantalons de coton bleu et blanc. Mais où suis-je?

«Le croirais-tu si je te disais que ces deux types sont des banquiers diplômés de grandes universités de la Nouvelle-Angleterre?» demande Jeffrey.

«Et ils ont probablement une formation en comptabilité.»

«Les comptables ne sont pas tous comme ça, d'accord? Sortons d'ici.»

Jeffrey rit, me chatouille, et nous nous embrassons. Nous retournons à la maison et un homme s'approche de moi avec un gros appareil photo.

«*Cheese!*»

J'adopte la politique de Victoria Beckham – ne pas montrer les dents –, et lui envoie plutôt un petit sourire ironique.

« J'imagine que ça veut dire que tu seras sur Internet. »

« Quoi ? »

« C'est Sal. Il a un blogue où il affiche des photos de fêtes après chaque week-end. »

Merveilleux, c'est tout ce qu'il me manquait : être exposée en ligne dans une fête extravagante en compagnie de Jeffrey. Ça va admirablement servir ma carrière. J'espère que personne au bureau ne connaît le blogue.

« Allons-nous-en. »

« Enfin seuls ! » dis-je avec un soupir alors que nous retournons à notre chambre.

« C'est un peu fou, non ? »

« Mon Dieu, c'est la jungle, ici. »

« Tu n'as encore rien vu. Ça peut devenir bien pire. Je ne suis plus tellement amateur de ce genre de folie. C'est dépassé. Vraiment dépassé. »

Il éteint la lumière et, en ce qui me concerne, à ce moment précis, les choses ne peuvent que s'améliorer.

∞

Le lendemain matin, nous nous levons à six heures trente précises pour reprendre la route. Nous sortons de la maison à pas de loup, déposons nos sacs sur la banquette arrière de sa voiture, et tentons de sortir en silence par la longue allée. C'est alors qu'une Maserati décapotable nous frôle en sens inverse à toute vitesse. Rebecca est assise sur la banquette du passager, et un homme bronzé, aux cheveux sel et poivre a une main sur le volant et une autre dans son décolleté. Fière de parcourir l'« allée de la honte », elle rentre tout juste.

« Alors, salut, à bientôt ! » crie-t-elle à pleins poumons, réveillant probablement tout le monde chez Charlie et, du même souffle, faisant savoir à la cantonade qu'elle vient de se faire baiser.

Grisée, je profite une dernière fois du paysage des Hamptons avant le retour à l'autoroute. Mon BlackBerry sonne dès que nous entrons sur la bretelle d'accès ; plusieurs courriels d'Antoine me ramènent rapidement à la réalité. Je commence par le dernier :

Chère Catherine,

J'avais besoin de ton aide pour une conférence téléphonique avec Dior ce matin, mais j'imagine que tu n'étais pas disponible, car tu étais occupée avec la transaction Browser. J'ai demandé à quelqu'un d'ici, à Paris, de prendre le relais dans ce dossier à partir de maintenant. Ce sera plus facile pour toi et pour le client. Laurence prendra contact avec toi cette semaine pour le transfert du dossier. Merci.

A.

P.-S. S'il te plaît, rappelle-toi la vieille maxime : Fais confiance, mais vérifie tout.

Quoi ? Je n'en crois pas mes yeux. Consternée du fait qu'il veuille m'enlever le dossier Dior, et encore ébranlée par notre vive conversation avant son départ, je veux effacer son message et jeter mon BlackBerry au bord de la route. Et puis, *fais confiance, mais vérifie tout* – c'est censé vouloir dire quoi ? N'est-ce pas ce que Ronald Reagan disait des Soviétiques durant la guerre froide ? Serait-ce une autre de ses métaphores pour désigner les seigneurs de guerre et les luttes territoriales ?

« Que se passe-t-il, Catherine ? Tu as l'air préoccupée. »

« Je ne suis pas préoccupée, je suis sérieusement écœurée. »

Je me retiens d'avouer à Jeffrey que le dossier Dior m'est retiré ; il pourrait penser que j'ai moins d'intérêt à travailler à sa transaction qu'à mettre un frein au commerce des sacs contrefaits, même si je dois avouer que, d'un point de vue professionnel, je préfère travailler pour la maison française de produits de luxe. On peut sortir une Française de Paris, mais on ne peut pas sortir Paris de la Française.

« Pourquoi ? »

« Encore du travail. C'est tout. »

Il sourit tendrement. « Alors, je ne suis pas le seul à fortement goûter ta compétence juridique. »

« Hmm. »

Je dis rapidement au revoir à la détente et à la tranquillité, et bonjour à un mal de tête carabiné.

CHAPITRE 27

« Comment s'est passé le week-end ? » demande Rikash dès mon retour au bureau le lundi matin.

« C'était génial. L'ensemble que nous avons choisi tous les deux a eu un immense succès. J'ai reçu des tas de compliments ! »

« Vraiment ? » demande-t-il en souriant fièrement. « Et Jeffrey ? Ça lui a plu ? » Il va à la pêche aux informations.

« Il a beaucoup apprécié. Et merci pour ton petit mot d'encouragement. »

« Ça a fonctionné ? »

« Bien sûr. » Je lui fais un sourire entendu.

« Fantastique ! Mais j'espère qu'il te traite comme il faut, comme une princesse. »

« Je t'en reparlerai. Je dois d'abord aller éteindre quelques feux. »

«Oh, je vois que la réalité pointe déjà son affreux museau.»

«Tu parles. J'ai reçu un courriel d'Antoine, M. Rabat-Joie.»

«Oh non! Est-ce qu'il t'a obligée à interrompre ton week-end?»

«Non, Jeffrey devait revenir en ville pour une réunion urgente.»

«Qu'est-ce qu'il voulait?»

«Me dire qu'il transférait le dossier Dior à Paris. Il croit que j'ai trop de pain sur la planche. Ça me met vraiment en colère, Rikash.»

«Je suis désolé, ma puce, mais tu es plutôt *occupée* avec M. Browser.»

«Je sais, mais Dior, c'est mon dossier préféré. Les aspects juridiques sont fascinants, et tu connais déjà mon point de vue sur leurs produits. Moi qui ai toujours rêvé de participer aux défilés de la semaine de la mode à Paris.»

«Ne t'en fais pas, ma pu-puce, tu n'as pas besoin de Dior pour ça. En un clin d'oeil, je peux te donner accès aux défilés de Bryant Park.»

«Merci, Rikash, tu as toujours su comment me remonter le moral.»

J'arrive à mon bureau avec un enthousiasme renouvelé. Une grande pile de livres verts portant l'inscription *Barbri* trône sur ma table. De l'entrée, je déchiffre le mot *Multistate*[8] sur la jaquette de celui du dessus.

Prise de panique, je demande : « Est-ce bien ce que je crois ? »

Barbri offre des cours préparatoires aux âmes infortunées qui bravent l'une des véritables tortures de la vie : l'examen du Barreau de New York. Comme je suis membre du Barreau de Paris, je croyais pouvoir éviter de me taper le cours de New York pour au moins une autre année, mais on dirait que mon sort en a clairement été décidé.

« On dirait que ton été est en train de raccourcir », commente Maria en passant.

Rikash me regarde avec un air de pitié. « Ce n'est pas moi qui les ai posés là, *dah-ling*, je te jure. Ce doit être Roxanne. »

Quelques minutes plus tard, Bonnie arrive. « Catherine, je peux te parler ? »

« Bien sûr. »

« Tous les avocats qui travaillent au bureau de New York doivent passer l'examen du Barreau de New York. Il faut que tu le fasses le plus tôt possible. C'est obligatoire pour ta carrière. »

Prise de panique, je demande : « C'est quand ? »

« Fin juillet. »

« Quoi ? »

---

8. Document qui concerne plusieurs États américains. (Ndt)

« Il y a des années, je l'ai passé en n'étudiant qu'une semaine. Tu as tout le temps voulu. »

Je suis tentée de lui dire : *J'aimerais être comme toi, un jour*, mais je me ravise ; elle pourrait penser que je veux prendre sa place, et devenir encore plus acerbe.

« J'imagine que je n'ai pas le choix. »

« Non. »

En examinant le nombre de livres empilés devant moi, j'estime quasi nulles mes chances de maintenir ma charge de travail tout en entretenant une relation avec quoi que ce soit d'autre que mon bureau.

∞

« Lisa, as-tu le temps de me rencontrer pour un café ? »

« Bonjour, toi aussi ! Comment s'est passé le week-end ? »

« Oublie le week-end. Je nage en pleine crise. »

« C'est sérieux, on dirait. J'ai une meilleure idée. On va se voir chez Kirna Zabête, dans Soho, à midi. »

Après avoir répondu à tous mes courriels et rendu les appels urgents, je prends un taxi pour le centre-ville ; je me sens prise de vertige à la pensée qu'il me faudra étudier en plus d'abattre une telle charge de travail. Je respire profondément à quelques reprises pour me sortir temporairement cette idée de la tête. À l'entrée de la boutique est accroché un grand panneau de plexiglas orné de lettres rouges : *Tant de griffes, si peu de temps*. Ça résume bien ma vie.

J'ai lu plusieurs articles à propos de cette boutique dans des magazines de mode et, depuis, j'avais très envie de m'y arrêter. En attendant Lisa, je parcours les présentoirs bien garnis de vêtements de créateurs en pleine ascension. Je gravite vers une divine pochette turquoise Pierre Hardy lorsqu'elle arrive.

« Alors, c'est quoi, cette grande crise ? » demande Lisa, dont les talons claquent sur les marches. Elle me donne une chaleureuse accolade.

« J'ai un grave problème. On veut que je passe l'examen du barreau cet été, en plus de maintenir mes heures facturables. Comment vais-je y arriver ? »

« Pourquoi ne t'en ont-ils pas parlé plus tôt ? », me demande-t-elle en tripotant une blouse en soie de Balmain.

« Je ne sais pas trop. Ils viennent de se réveiller, j'imagine. »

« Bon, c'est vrai qu'il *faut* le passer pour pratiquer le droit à New York. Mieux vaut te débarrasser de ça maintenant. »

Je m'imagine étudier jour et nuit dans mon minuscule appartement, par une chaleur étouffante, suffoquant pendant que Jeffrey s'ébat sur la plage avec Amanda et Leanne.

« Jeffrey va m'oublier ». Je soupire en fixant une paire de bottes diablement élégantes.

« Jeffrey est au beau milieu d'une transaction majeure. » Elle choisit une magnifique robe de soie bleu électrique.

« Il est coincé dans son bureau, tout comme toi. Parle-moi de ton week-end. Je suppose qu'il s'est bien déroulé, puisque tu t'en fais tellement à son sujet ? »

« C'était vraiment renversant. Je crois que je suis en train de tomber amoureuse. »

« C'est très bien, tu mérites quelqu'un d'extraordinaire, Cat. »

« Ça me tracasse encore de fréquenter un client. Je ne veux pas que ça affecte ma carrière. »

« Pourquoi est-ce que ça l'affecterait ? »

« Je ne peux m'empêcher de me demander ce qui arriverait si quelque chose tournait mal dans notre relation. C'est toujours une possibilité, n'est-ce pas ? Cela me mettrait dans une situation précaire au cabinet. »

« Cesse d'être si pessimiste. »

« Ce n'est pas aussi simple. J'ai encore besoin de faire mes preuves. »

« Pas pour longtemps. Allons, Cat, pourquoi penses-tu qu'ils t'ont mutée ici ? Pour faire de toi une associée. Quoi d'autre ? »

« J'espère que tu as raison. »

« Affaire classée. Je vais essayer cette robe. » Elle se dirige vers les cabines d'essayage.

« Attends, tu ne m'as pas parlé de ton week-end avec Charles. »

« C'était super. Vous devriez aller passer un week-end au Surf Lodge. C'est vraiment très cool. »

« Alors, vous deux, ça va bien ? »

« Oui, tout va pour le mieux. Il m'a demandé d'emménager avec lui. »

« Et qu'as-tu dit ? »

« Non, bien sûr. »

« Quoi ? »

« Je lui ai dit que j'avais besoin d'y réfléchir, parce que j'envisageais de déménager en Europe. »

« Tu as dit quoi ? »

« J'ai suivi ton conseil et j'ai créé un certain mystère. »

Je reste plantée devant les cabines d'essayage, sans voix. C'est la première fois depuis que je la connais qu'elle suit l'un de mes conseils.

« Eh bien, je suis sous le choc. »

« Et tu sais quoi ? Ça a marché. Il m'a texté sans arrêt en disant qu'il ne voulait pas me perdre et qu'il veut absolument que j'emménage chez lui. J'ai le sentiment qu'il est prêt à s'engager. »

Elle sort de la cabine, belle comme dans un rêve. « Lisa, tu es superbe ! »

« Je suis invitée au mariage d'un associé principal. C'est l'ensemble parfait. » Elle retourne à la cabine d'essayage, et moi, à l'examen.

« Bonnie croit que la préparation à l'examen du Barreau de New York est un jeu d'enfant. J'ai entendu tellement d'histoires épouvantables : apparemment, quelqu'un a eu une crise d'hyperventilation au Javits Center et on a dû l'emporter sur une civière. Et l'un des stagiaires a même dans son bureau un petit écriteau qui dit : « Quand Sartre a dit que l'enfer c'était les autres, il n'avait sûrement pas subi l'examen du Barreau de New York. »

« Assez gémi. Si je l'ai réussi, tu le peux, toi aussi, dit-elle en me grondant. Comme c'est toi qui avais les meilleures notes à la faculté de droit, cesse de t'inquiéter, hein ? »

« Bon, d'accord. Puisque tu as suivi quelques-uns de mes conseils, je dois suivre les tiens. Après tout, c'est toi qui es sur le point de devenir associée. »

Je prends un sac de bonbons au comptoir de la boutique ; à défaut de satisfaire ma soif de mode, je vais m'accorder une dose de sucre. Cela me remonte le moral immédiatement et m'aide à dédramatiser toute cette histoire d'examen. À l'instar de tous ceux qui ont affronté ce redoutable défi, il faut que j'étudie. C'est la vie.

∞

Au retour m'attend un message vocal de Jeffrey :

« Salut, ma belle, c'est moi. Rappelle-moi dès que possible, s'il te plaît. » Supposant que l'appel est lié au travail, je le rends tout de suite.

« C'était un week-end magnifique, non ? »

« Incroyable. Merci encore une fois pour tout. »

« Tout le plaisir a été pour moi, Miss Lambert. Et devine quoi ? Tu es officiellement sur le Net. »

« Sur le quoi ? »

«Sur le blogue de fêtards dont je t'ai parlé, tu te rappelles?»

«Comment s'appelle-t-il, déjà? J'espère que la photo est potable.»

«Ça s'appelle Partyworld. Tu es la première personne qu'on voit sur le site, à côté du titre: *Une fête à la piscine chez Charlie Benson.* Tu es radieuse.»

Ah merde! Il ne manquait plus que ça. Je me rends sur le blogue avec fébrilité pour vérifier moi-même.

«Charlie t'a bien aimée. On peut y retourner quand on voudra.»

«C'est chouette, mais je ne pense pas pouvoir y aller avant longtemps. Je viens d'apprendre que je dois passer l'examen du barreau dans deux semaines.»

«Quoi? Et l'introduction en Bourse?» Sa voix passe de la tendresse à la dureté.

«J'imagine que j'aurai besoin d'aide pour y arriver. Certains de mes collègues peuvent donner un coup de main.»

«C'est complètement inacceptable, Catherine. Je veux que ce soit toi la personne responsable de la transaction. Je te fais confiance. Je ne veux pas avoir à surveiller d'autres avocats de ton cabinet, dit-il. Je vais appeler Scott et lui dire que j'ai besoin de toi pour l'introduction en Bourse, et non pour préparer un quelconque examen. Ce n'est pas négociable.»

Je sais que Jeffrey tient à ce que je mène la transaction à son terme, mais pourquoi est-il si irritable? D'autres avocats de mon cabinet sont tout à fait en mesure de s'occuper du dossier.

« L'examen est exigé par la déontologie de la pratique ; je ne pense pas que tu puisses les faire changer d'avis. »

« Ah ouais ? Laisse-moi faire. »

Après avoir raccroché, je jette un long regard par ma fenêtre et m'inquiète un peu du fait que Jeffrey appelle Scott. J'espère que cela ne me compliquera pas davantage la vie. Je tente de passer en revue une convention d'actionnaires de quarante pages pour Bonnie, mais vu mon état nerveux, j'ai de la difficulté à me concentrer.

Je prends mon surligneur jaune et commence à feuilleter le document, lorsque Nathan entre dans mon bureau. Pour une fois, la diversion fait mon affaire.

« Eh, qu'est-ce que tu regardes ? »

Merde. J'ai distraitement laissé ouverte la page du blogue, et un gros plan de Rebecca nageant sans haut de maillot dans la piscine de Charlie apparaît à l'écran de mon ordinateur.

« Rien. J'étais, euh, en pleine recherche sur LexisNexis et je suis tombée sur ce site. » Je roule ma chaise jusqu'à mon ordinateur, tentant de déguiser ma navigation non professionnelle.

« Ouah, c'est qui ? » demande-t-il, hypnotisé.

« Euh, eh bien, je ne la connais pas. »

« C'est quel site ? »

«Je ne sais pas vraiment. C'est un blogue sur les fêtes. Il est tenu par ce type qui prend des photos au cours de soirées. Les gens sont si vaniteux», dis-je, essayant de feindre un air de dégoût.

Un air concupiscent s'affiche sur le visage de Nathan alors qu'il fixe l'écran. Puis, il s'empare de ma souris et clique furieusement en reluquant les photos.

«Eh, c'est toi ça, non?»

«Hmm, j'imagine, oui. J'étais à une fête ce week-end.»

«Ça m'impressionne. Tu parles, j'aimerais bien mener la vie de ce type», pense-t-il à haute voix. Je lui arrache la souris de la main, et il sort de mon bureau. Quelques minutes plus tard, il ferme la porte du sien.

«Nathan, tu as un appel de la SEC», dit Maria à Nathan dans l'interphone.

«Prends le message. Je suis plongé dans un dossier important.»

Je ris en moi-même. Il ne travaille sur rien du tout, il est en train de naviguer sur le blogue.

Je reprends ma révision de l'entente entre actionnaires lorsque Scott entre.

«Jeffrey Richardson vient d'appeler. Tu lui as parlé de l'examen du barreau?»

Je murmure maladroitement: «Euh… J'y ai peut-être fait allusion, en effet.»

« Il m'a demandé de reconsidérer la décision du cabinet de te faire subir l'examen cet été, à cause de l'introduction en Bourse. »

Prends un air innocent. Prends un air innocent.

« Vraiment ? »

« Il m'a dit que si tu arrêtais de travailler sur le dossier, il allait faire faire le travail ailleurs après la conclusion de l'entente, dit Scott en me fixant sévèrement, les bras croisés. J'en ai parlé avec Bonnie. C'est une transaction majeure, et nous ne voulons pas perdre ce client, alors je lui ai dit que tu n'aurais aucun problème à faire les deux. L'examen n'est vraiment pas si difficile. »

Je tente de sourire tout en retenant mes larmes.

CHAPITRE 28

« C'était toute une fête, ma chérie », dit Rikash en déposant du courrier dans ma corbeille. « Je suis seulement déçu du fait qu'il n'y ait pas de photos du portier nu. Il a une jolie cour arrière. »

« Pardon ? »

« Ne te fais pas d'illusions, tout le monde au bureau a vu ces photos des Hamptons. »

« Quoi ? »

« Nathan les a montrées à toute l'équipe, et je suis étonné qu'il ne les ait pas ajoutées à notre site intranet. Il semble fasciné par le mode de vie de ce blogueur. Il doit avoir le sentiment de passer à côté de la vraie vie, ou quelque chose comme ça. »

Je m'effondre sur ma chaise, mortifiée. Cela veut dire que tout le monde ici sait que je fréquente Jeffrey. C'est bien la dernière chose qui devait m'arriver. Pourquoi est-ce que je me mets toujours les pieds dans les plats, ces temps-ci ? Quelqu'un essaie-t-il de m'envoyer un message ?

« Ne t'en fais pas, Jeffrey n'est sur aucune des photos… On ne voit que toi, et tu es ravissante dans ce somptueux ensemble que j'ai choisi. » Il me fait un clin d'œil.

Scott est le suivant à passer en disant : « Belle photo, Catherine. Tu devrais figurer dans un magazine de pin-up. »

Je veux ramper sous mon bureau. Dieu merci, je n'ai pas acheté ce haut transparent chez Barneys – je n'y survivrais jamais.

« Merci. C'était une invitation de dernière minute impossible à refuser. »

« Sans blague ? »

Quelques minutes plus tard, Bonnie entre en trombe dans mon bureau et claque la porte. Mon bureau me fait l'impression d'être situé au pied de l'Arc de Triomphe en pleine heure de pointe matinale. Si cette circulation continue, ou bien je vais inscrire sur ma porte *EN GRÈVE*, ou bien j'utiliserai la manœuvre de conduite française, qui consiste à pointer le majeur tout en hurlant « *Va te faire…* »

« Les femmes comme toi donnent mauvaise réputation aux autres femmes. Catherine, tu es une professionnelle, et nous nous attendons à ce que tu te comportes ainsi. »

« Pardon ? »

« Toutes ces photos sur le Net, dit-elle d'une voix rageuse. Je ne peux pas croire que tu t'abaisses à ce point.

Ne sais-tu pas qu'il faut toute une vie pour se bâtir une réputation et seulement quelques minutes pour la réduire à néant ? »

« Je sais. Mais à la différence de certaines personnes qui travaillent ici, je ne crois pas avoir fait quoi que ce soit qui puisse ternir ma réputation. »

« De quoi tu parles, Catherine ? » s'écrie-t-elle. Son visage est maintenant aussi rouge que la veste de son tailleur Valentino.

« De ce que je viens de dire, c'est tout. »

« Comment oses-tu ? siffle-t-elle. Tu crois tout savoir, hein ? Tu n'as aucune idée de ce que certains d'entre nous ont dû faire. Je ne vais pas laisser une débutante me faire la morale, alors fais attention à ce que tu dis, jeune fille. Je ne suis certainement pas arrivée là où je suis aujourd'hui en passant mes week-ends dans des fêtes de dégénérés dans les Hamptons. »

« Quand je suis entrée dans ce cabinet, je ne savais pas qu'il m'était interdit d'avoir une vie sociale. »

« Tu devrais t'efforcer d'avoir une vie sociale *appropriée*. Tu es une ambassadrice d'Edwards & White. Tu portes la réputation du cabinet partout où tu vas, y compris dans les bordels. »

Les bordels ? Les bras m'en tombent. Pourquoi est-elle si furieuse à cause de mon apparition sur un site Web de fêtes ? Est-ce réellement par souci de protéger ma réputation, ou juste par pure jalousie ?

« Il n'est pas facile de se rendre au sommet, Catherine. Rappelle-toi. Et pendant qu'on y est, si tu veux être considérée en vue de devenir associée, tu dois amener des clients. Ce n'est pas en passant tes week-ends dans de vulgaires maisons à temps partagé que tu vas amener des clients lucratifs à notre cabinet. »

J'omets de lui dire que j'étais l'invitée de l'un des plus importants clients du cabinet, et je choisis plutôt de défendre mes bons coups.

« Pour ton information, j'ai déjà attiré un client. »

« C'est vrai ? Qui ? »

« Le Reebok Sports Club. »

Elle paraît étonnée de ma réponse.

« Je ne l'ai pas vu dans notre base de données clients. »

« C'est parce que je ne l'ai pas encore ajouté. Je travaille à quelque chose pour un de leurs directeurs de l'entraînement. » Pour que ça semble important, j'exagère la vérité.

« Pfff. Des trucs d'amateurs. Tu ne fais pas le poids, ma chère », dit-elle en ricanant.

Même si ce n'est pas ce que je veux entendre, je sais que Bonnie me donne un conseil précieux ; recruter de nouveaux clients est une étape incontournable vers le partenariat. Je me demande si le nettoyeur Madame Paulette compterait comme tel. Il m'a demandé de le représenter au tribunal des petites créances, car j'ai contribué à l'augmentation de leur clientèle.

«Autre chose, lance-t-elle. Si tu veux avancer, tu dois te procurer un tailleur rouge.»

«Un tailleur rouge?»

«Oui, toutes les femmes de pouvoir sur Capitol Hill portent du rouge. Ça symbolise le pouvoir, la passion et le prestige.»

C'est la première fois qu'on me dit comment m'habiller, et j'en suis sérieusement offensée. Je meurs de lui dire qu'elle devrait aller consulter corporette.com pour trouver des conseils sur la façon de s'habiller d'une façon moins provocante, mais je mords ma langue et je continue ainsi:

«Oui, il paraît que le rouge peut allumer le feu chez certaines personnes. Je vais y penser. Merci.»

Agacée du fait que Nathan a montré mes photos à tous les gens du service, je me rends jusqu'à son bureau pour une conversation musclée. J'y fais irruption sans frapper et j'ai un mouvement de recul. Il est penché au-dessus d'un petit miroir au centre duquel est tracée une fine ligne de poudre blanche. Alors qu'il se tourne vers moi, je vois que le bout de son nez est poudré.

«Oh, euh, désolée.»

«Attends, Catherine, je peux t'expliquer.»

«Non, merci.» Je ferme la porte aussi rapidement que je l'ai ouverte.

CHAPITRE 29

« Bonjour, ma chérie. »

Ah, la voix familière du bercail. Je n'avais pas pris le temps de la joindre récemment, mais je suis heureuse qu'elle prenne l'initiative d'appeler.

« Bonjour, maman. »

« Comment vas-tu ? J'espère qu'on ne te fait pas travailler trop fort, ces temps-ci. »

« Non, bien sûr que non. » *Menteuse.*

« J'espère que tu prends soin de toi. Tu manges bien ? »

Je n'ose pas lui avouer que je m'alimente de Gatorade, de dosas et de café infect.

« Mais oui. Et toi ? Comment ça va, à la maison ? » Ça ne paraît peut-être pas, mais je déteste vraiment mentir à ma mère.

« Ça va très bien. Christophe et moi faisons du jardinage et de la voile tous les jours. C'est merveilleux. »

De la voile tous les jours ? Pas vraiment ce que je veux entendre. Le seul air « frais » que je vais respirer pour un moment sera le vaporisateur au citron des toilettes des femmes.

« En fait, j'appelle parce que nous avons pensé te faire une surprise et aller à New York pour une petite visite. Christophe veut voir son fils – tu te rappelles, il suit des cours d'été à l'Université de New York. »

Mon Dieu, ça ne pourrait pas tomber plus mal. Mais comment arriver à le lui dire ?

« Es-tu certaine de vouloir venir maintenant ? Ce n'est pas la meilleure période de l'année pour venir à New York. La chaleur commence à devenir accablante. Et je sais à quel point tu détestes la chaleur et l'humidité. »

« Ça va, ça ne me dérange pas. »

« J'adorerais te voir, mais les choses sont très mouvementées en ce moment dans le cadre d'un dossier important, et je ne pourrais peut-être pas passer beaucoup de temps avec toi. »

« Ne t'en fais pas. À New York, il y a plein de choses à voir. Je brûle d'envie de faire du shopping. »

Crise de panique aiguë. Si ma mère vient en ville, cela veut dire que je n'aurai pas de temps pour étudier, que mes heures facturables accuseront un recul important, et surtout, que je ne pourrai carrément pas voir Jeffrey. Vu les hauts et les bas de mes fréquentations, je n'ai pas parlé de lui à ma mère. Pourquoi l'enthousiasmer trop tôt dans le processus? La plupart du temps, elle finit par être plus déçue que moi quand les choses tournent au vinaigre avec un de mes copains. J'ai toujours cru qu'il valait mieux attendre que ce soit plus sérieux. Mais vu le temps que Jeffrey et moi avons passé ensemble, et le fait que Jeffrey paraisse véritablement amoureux, je décide d'annoncer la nouvelle.

« Maman? »

« Oui, ma chérie? »

« Je voulais te dire que je viens de rencontrer quelqu'un. Il est vraiment épatant. »

Elle pousse un cri strident que les chiens de Central Park entendent sûrement. « Je suis si heureuse de savoir qu'un homme s'occupe de mon ange! Tu sais à quel point je m'inquiète que tu habites seule à New York. Comment s'appelle-t-il? »

« Jeffrey. »

« *Jeff-ré*, c'est charmant. » Je la vois presque en train de faire une petite valse romantique en prononçant les syllabes de son nom. « J'ai très hâte de le rencontrer. »

Zut! Je n'avais pas pensé à ça; bien sûr, elle veut le voir. Mais je ne suis pas certaine qu'il en aura envie, lui; les belles-mères sont parfois terrifiantes. Mon adorable mère est comme certains tableaux impressionnistes qui s'apprécient mieux à une certaine distance.

« Je ne sais pas. Il est aussi occupé que moi au travail ces jours-ci. »

« Dis-lui que ta mère arrive, je suis sûre qu'il fera un effort pour se libérer. Nous arriverons vendredi prochain. »

« Tu as déjà réservé ton vol ? »

« Mais oui, bien sûr. »

Les dés sont jetés ; ni travail, ni plaisir pendant tout un week-end. Sans compter les heures supplémentaires pour rattraper le retard occasionné.

« D'accord, mais je t'avertis, mon appartement est très petit. »

« Pas de problème. Nous ne prenons pas beaucoup de place. À vendredi. »

J'ai composé les cinq premiers chiffres de son numéro au travail et raccroché trois fois avant d'avoir le courage de lui parler. Rien de tel qu'une visite de sa mère pour redevenir une adolescente maladroite.

« Jeffrey ? Euh, je regrette de t'embêter avec ça, mais pouvons-nous dîner avec ma mère et son copain cette semaine ? Ils arrivent pour quelques jours. »

« Ma belle, tu sais, je suis très occupé. Je vais faire de mon mieux pour trouver du temps, mais je ne te promets rien. »

Merde, c'est vraiment gênant. Et je devrai expliquer ça à ma mère. Double merde.

« Je comprends, alors on verra comment la semaine se déroule. »

Il sent ma déception et revient rapidement sur ce qu'il vient de dire.

« Si je sors du bureau tôt vendredi, je pourrai vous recevoir chez moi pour dîner. Je ferai même la cuisine. »

« Vraiment ? »

« Ouais. Tu ne savais pas que je suis un vrai cordon bleu, hein ? »

Il est charmant *et* il sait cuisiner. Qu'est-ce que je pourrais rêver de mieux ? Ma mère va en mourir. Puisque mon père n'a jamais cuisiné de sa vie, elle s'est trouvé un petit ami propriétaire de restaurant, qui prépare des repas de trois services comme Alain Ducasse. Elle insistait également pour que je me trouve un homme capable de préparer au moins un coq au vin acceptable. Un repas concocté à la maison par mon nouveau copain l'enverra aux nues.

« Ma mère serait ravie. »

∞

Ce vendredi après-midi s'avère complètement fou, comme d'habitude.

« Rikash, où en sommes-nous avec cette note de service ? J'en ai besoin dès que possible. »

« Du calme ! *dah-ling*. Pour qui me prends-tu, un vrai secrétaire ? Tu m'as bien compris ? *Dé… tends… toi…* »

« Il faut que je l'envoie cet après-midi. »

« Pourquoi tu ne vas pas faire une petite promenade ? Je ne peux pas me concentrer quand j'ai quelqu'un sur le dos. »

« Non. Je vais attendre ici. » Je reste près de son bureau, les mains sur les hanches.

« Qu'est-ce que tu as ? Excuse-moi, mais je te trouve un tout petit peu agitée. »

Je soupire. « Ma mère et son copain débarquent aujourd'hui. »

« Ah ! Tout s'explique. Les parents, rien que ça ? Où est-ce que Jeffrey va dormir ? Entre maman et son petit ami ? »

« Très drôle. Continue de taper, tu veux ? »

Une dizaine de minutes plus tard, mon téléphone sonne.

« Bonjour, Catherine, nous sommes arrivés. Nous sommes en route, dans un taxi. »

Mon cou se raidit et mes paumes deviennent moites.

« Je suis encore au bureau. »

« Pas de problème. On va aller te rencontrer là-bas. Nous savons où c'est ; j'ai cette carte professionnelle que tu m'as envoyée. À tout à l'heure. » Elle raccroche avant que je puisse protester.

« Rikash, ma mère arrive. »

« Quoi ? Ooooh ! Je meurs d'impatience de la rencontrer. »

«Peu importe. Contente-toi de terminer le foutu document.»

Aussitôt, ma mère entre d'un pas nonchalant dans le couloir. Elle ouvre grand les bras, s'avance vers moi et me donne l'accolade devant tout le personnel de soutien.

«Alors, c'est ici que tu travailles comme une esclave pendant toutes ces longues heures? déclare-t-elle en envoyant un clin d'œil à Rikash. Oh là là, ton bureau est fantastique. J'adore la vue. Et c'est tellement spacieux!»

«Merci.»

Je décide de ne pas mentionner que c'est un espace temporaire et que je serai bientôt reléguée dans un réduit sans fenêtres. Ou que mon bureau est environ deux fois plus grand que mon appartement.

«Maman, Christophe, voici Rikash, mon précieux assistant.»

«Nous nous sommes parlé à quelques reprises. Bonjour, *maman*!» Il se dirige vers ma mère et lui donne une accolade. Christophe recule d'un pas pour éviter son tour.

«J'adore ce que vous portez, ajoute Rikash en regardant fixement ma mère. Mon Dieu, Catherine et vous pourriez être sœurs.»

Elle ricane comme une enfant. Je me rappelle pour la millième fois à quel point Rikash est formidable.

«Catherine, où allons-nous dîner? demande ma mère à tout le bureau. Je brûle d'envie d'essayer ce restaurant dont on parlait dans *Vogue*.»

Je l'interromps – cela pourrait se poursuivre pendant des heures. «Nous sommes invités chez quelqu'un pour dîner.»

«Vraiment, qui?»

Je la fixe en faisant de gros yeux tout en secouant la tête, espérant qu'une sorte de lien mystique mère-fille lui fasse comprendre qu'elle ne doit pas dire son nom.

«Est-ce que c'est Jeff…?»

Je l'interromps encore. Je sais, c'est très impoli, mais il y a des fois où on n'a pas le choix…

«Maman, pourquoi Christophe et toi ne déposez-vous pas vos sacs chez moi pour vous rafraîchir? J'irai vous rejoindre dans une heure. Il me reste encore un peu de travail à faire avant de partir.» Je lui tends mes clés.

«Assurez-vous de finir tôt. C'est vendredi soir», lance-t-elle, comme si cela pouvait changer quoi que ce soit dans cette boîte de cinglés.

«*Dah-ling*, elle est tellement charmante», dit Rikash après le départ miséricordieux de ma mère.

«Ne te laisse pas duper. Elle peut aussi être un peu mordante.»

«Oh, allons, ne sois pas trop dure envers elle, c'est ta mère.»

«Ce qui veut dire qu'elle peut me stresser comme personne d'autre? Finissons la note de service, que je puisse rentrer.»

«Vous dînez chez Jeffrey, ce soir?»

Je hoche la tête, en posant mon index sur ma bouche.

« Grand Dieu ! C'est l'homme idéal. »

∽

« Jeffrey, votre soufflé est absolument *parfait* », exulte ma mère.

« Merci, Mme Lambert. C'est une recette de famille. »

« Et en plus, le pain vient de chez Poilâne, juste pour moi ; dites donc, je me sens honorée ! Catherine, tu fais encore la cuisine le week-end ? »

« Ça n'a pas vraiment été ma priorité… Je m'y remettrai peut-être bientôt. »

À Paris, les week-ends – à l'époque où j'avais des loisirs –, j'avais l'habitude d'aller faire des courses au marché du quartier et de préparer de véritables petits festins. Entendre ma mère évoquer cette époque me rend nostalgique ; ma vie était alors plus simple et moins stressante – les clichés français du *slow food*, de la bonne compagnie et du bon vin. À l'occasion, je rêve que tout cela est encore ma réalité – cuisiner comme Julia Child et mélanger de délicieux gâteaux, la poitrine appuyée contre le bol. Ma mère me tire rapidement de ma rêverie.

« Mais tu n'as pas de cuisine ; c'est un étrange mode de vie, ma chérie. »

Un bourdonnement interrompt notre conversation.

« Catherine, c'est ton BlackBerry », fait remarquer Jeffrey.

« Excusez-moi, je vais éteindre ce machin. »

Dans le couloir qui mène à la chambre à coucher, mon téléphone sonne encore. Je parie que je sais qui c'est.

« Catherine ? C'est Bonnie. J'ai besoin de toi pour une conférence téléphonique dans dix minutes. »

« Je suis en plein dîner. Pouvons-nous le faire plus tard ? »

« Non. La Met Bank est la cible d'une OPA hostile, et j'ai besoin de toi pour l'appel. »

Je suis assise dans la chambre à coucher de Jeffrey, assommée. Il est vingt heures, un vendredi soir, et je vais participer à une conférence téléphonique. Qu'est-ce qui cloche dans cette image ? Si ma mère apprend cela, elle me tuera. Mine de rien, je me rends à la cuisine et fais signe à Jeffrey de me suivre dans la chambre.

« Je dois participer à une conférence téléphonique dans dix minutes. Peux-tu me couvrir ? Je ne voudrais pas que ma mère le sache. Elle m'égorgerait. »

« Pas de problème. Fais-moi confiance. »

Je termine mon soufflé et, avant que le plat principal ne soit servi, je m'échappe discrètement pour composer le numéro de la conférence.

« Qui vient de se joindre à nous ? » demande une voix dès que j'entre en contact.

Je réponds à voix basse : « Catherine Lambert, d'Edwards & White. »

Après une dizaine de minutes à écouter la thèse de l'état-major de l'entreprise sur le rachat proposé, je reviens sur la pointe des pieds à la salle à manger pour prendre quelques bouchées de mon plat principal.

« Ça va, Catherine ? » demande Christophe au moment où je m'assois.

« Oui, bien sûr. »

Jeffrey bombarde ma mère d'un million de questions pour la distraire. Cinq minutes plus tard, je me lève de nouveau et retourne à la chambre à coucher. Cette fois, ma mère me jette un regard soupçonneux.

« Nous croyons que le fait de proposer nos actions lors de cette offre serait à l'avantage des actionnaires. »

Je voudrais pouvoir hurler dans le téléphone : « N'avez-vous pas autre chose à faire un vendredi soir, bordel ? », mais je mords ma langue, étant donné que je suis censée être l'ambassadrice du cabinet, et que les ambassadeurs ne sont pas censés proférer des obscénités au milieu de réunions téléphoniques.

« Qui est en ligne de la part d'Edwards & White ? demande une voix. Nous avons besoin d'aide avec le processus de diligence raisonnable. »

« Nous serions enchantés de prendre ce mandat. » Je reconnais le ton lèche-bottes de Bonnie. « Ici Bonnie Clark et j'ai également Catherine Lambert sur la ligne. Comme elle a travaillé à une récente enquête réglementaire avec votre service juridique, elle va nous prêter main-forte. Elle a une connaissance extrêmement développée de votre industrie et de votre entreprise. »

Un compliment de la part de Bonnie, alors ça, c'est une première ; je me sens toute chaude et moelleuse à l'intérieur – et un peu sur mes gardes. Elle doit vraiment avoir envie de décrocher ce contrat. Je réalise ensuite ce qu'elle vient de dire : je vais prêter main-forte. Je n'ai pas assez de pain sur la planche, en ce moment ?

« Excellente nouvelle, nous sommes enchantés de vous avoir parmi nous, Catherine. »

« Antoine Dutoit, de notre cabinet, est également en ligne », ajoute froidement Bonnie.

« Bonjour tout le monde. »

Je fige en entendant sa voix. Je jette un regard rapide à ma montre, et il est environ deux heures du matin à Paris. Mais pourquoi diable Antoine participe-t-il à cet appel ?

« Catherine a la majorité de la documentation à New York, mais je vais coordonner en partie l'examen de la documentation à partir de Paris, poursuit-il. Vous avez encore les dossiers de la Met Bank à votre bureau, n'est-ce pas, Catherine ? »

Alors que je m'apprête à répondre, je sens le regard furieux avec lequel ma mère m'éviscère du seuil de la chambre.

« Mais qu'est-ce que tu fous là ? » hurle-t-elle. Je suis morte de honte à la pensée que toute l'équipe de la transaction entende la voix de ma mère. Je lui fais signe de retourner à la salle à manger.

« Oui, euh, je crois qu'ils sont encore à mon bureau. »

Ma mère ne bouge pas. Elle demeure plantée devant moi, les mains sur les hanches.

«Vraiment!» crie-t-elle.

«J'entends des bruits de fond, dit l'un des interlocuteurs. On dirait que quelqu'un regarde un film étranger ou quelque chose comme ça. Est-ce que cette personne peut baisser le volume? C'est un peu agaçant.»

Je me tourne pour fixer le mur et, après quelques longues minutes pendant lesquelles je sens son regard me trouer la colonne, elle finit par quitter la chambre.

«Comme je le disais…»

La conférence téléphonique se termine et mon téléphone sonne de nouveau.

«Oui?»

«Catherine, c'est Bonnie. Peux-tu appeler Antoine et nous mettre tous les trois en conférence? Je suis au Bernardin et je ne peux pas le faire d'ici. C'est important.»

«Je suis en plein dîner et je n'ai pas son numéro à domicile à Paris. Pouvons-nous remettre ça à demain?»

«Non. Appelle le service des renseignements là-bas, c'est tout.»

Après avoir passé vingt minutes avec la téléphoniste internationale à tenter de trouver le numéro d'Antoine chez lui, je finis par avoir mes deux très chers collègues en ligne.

«Antoine, à titre d'information, la cible du rachat est mon client, et non le tien. C'est toi qui nous l'as amené, mais tu l'as laissé derrière quand tu as quitté New York. *Point. Final.*» dit-elle avant de raccrocher, nous laissant tous les deux muets. J'imagine que la Met Bank était l'idée d'Antoine.

«Je m'en fous», dit-il avant de couper la communication.

Ça valait la peine de gâcher mon dîner ainsi que ma relation avec ma mère, n'est-ce pas?

Je reviens en douce à la salle à manger, où ma mère et Christophe m'ignorent. Jeffrey me fixe, les sourcils soulevés. Bon, maintenant, je suis dans le pétrin. Après un long silence embarrassant, ma mère décide de se lancer dans une tirade.

«Catherine, tu es vraiment très impolie. C'est incroyable! Je ne t'ai pas élevée ainsi. Jeffrey prépare un merveilleux repas, nous venons jusqu'à New York pour te voir, et tu te caches dans la chambre pour parler au téléphone. Qu'est-ce que tu as donc?»

«Maman, c'était un appel urgent du bureau. Il fallait que je le prenne.»

Dès que je termine ma phrase, le téléphone portable de Jeffrey sonne et il sort de la pièce pour prendre l'appel.

«Encore? souffle-t-elle. Vos dîners sont toujours interrompus ainsi?»

En vérité, nous n'avons pas vraiment de dîners comme celui-ci. Nous commandons habituellement du fast-food que nous prenons assis dans nos bureaux, mais je me retiens de le lui dire.

« C'est vendredi soir, Catherine. Tu pourrais tout simplement ignorer ces appels, non ? »

« Non, je ne peux pas. » Jeffrey revient à la salle à manger et prend place à la table. « Maman, nous sommes tous les deux très occupés. C'est ainsi que les gens vivent à New York. »

« Hélas, Catherine a raison là-dessus. » Jeffrey tente de venir à ma rescousse.

« Jeffrey, je suis sûre que vous avez les meilleures intentions, mais s'il vous plaît, ne vous mêlez pas de ça. Ma fille travaille beaucoup trop, et je n'aime pas ça du tout. Elle va se rendre malade, tout comme son père. Regardez où il se trouve maintenant : six pieds sous terre ! » s'exclame-t-elle en montrant le sol d'un air dramatique de sa main bronzée, nous aveuglant au passage lorsque sa bague à diamant Panthère de Cartier reflète la lumière du lustre.

« On peut changer de sujet ? » J'essaie d'aiguiller la conversation, étant donné que Jeffrey et Christophe ont le regard fixe de bêtes tétanisées devant les phares d'une auto.

« Je crois que tu devrais changer d'emploi. Cette vie n'est pas faite pour toi, déclare-t-elle d'un ton désinvolte. Ta cousine Françoise adore son nouvel emploi chez Chanel. Elle travaille beaucoup, mais elle est chez elle tous les soirs à dix-huit heures pour s'occuper de ses enfants. Ça, c'est un horaire convenable. »

Nous voilà de retour au bon vieux discours ta-cousine-parfaite-a-trouvé-un-boulot-de-rêve. Ça m'arrache le cœur de l'avouer, mais je suis jalouse de son nouveau contrat chez Chanel. J'essaie encore de changer de sujet, mais ma mère me devance.

« Françoise aurait rendu visite à une voyante célèbre à Paris, qui lui a dit qu'elle allait quitter son emploi stressant et trouverait quelque chose d'incroyable. Quelques semaines plus tard, elle a accepté une offre de Chanel. Je pense que tu devrais l'essayer. »

« Essayer quoi ? De consulter une voyante ? Je ne crois pas à ces sornettes. »

« Tout ce qu'elle a prédit est arrivé. *Tout.* »

« Allons, maman, s'il te plaît. »

« Catherine, je crois que tu devrais y aller. J'ai remarqué qu'il y en a partout ici. On ne sait jamais, ma chérie, elle pourrait te révéler quelque chose que tu serais contente d'apprendre sur ta carrière. »

Je ne suis pas sûre de vouloir en savoir plus que ce que je sais déjà : je me suis mesurée au droit, et devinez qui a gagné.

« Aujourd'hui, dans le taxi, j'ai remarqué cette annonce d'une certaine Mᵐᵉ Simona. Pourquoi ne l'appelles-tu pas ? » Elle me tend un bout de papier sur lequel est griffonné un numéro de téléphone.

Cela me rappelle soudainement une blague que j'ai entendue à la radio à propos de Télé-Voyance : si ce sont des voyants, pourquoi ont-ils besoin d'un téléphone ? Mais étant donné l'expression du visage de ma mère, il n'est vraiment pas question de blaguer. Je ne lis pas dans les pensées, mais je vois que ce n'est pas négociable.

CHAPITRE 30

« Mme Simona ? »
« Elle-même. »

« Bonjour, je m'appelle Catherine. Une amie m'a parlé de vous. Elle dit que vous avez des pouvoirs de voyance extraordinaires et que je devrais vous rencontrer. »

Super, je viens de mentir à une voyante.

« Oui, mon enfant. Quand voudriez-vous venir ? »

« Quand seriez-vous disponible ? »

« Disons demain, à dix-neuf heures ? »

« Dix-neuf heures trente, ça irait ? Ce sera très difficile pour moi de quitter le bureau avant dix-neuf heures. »

« C'est très bien. Ah, et apportez une photo de votre mari ou de votre petit ami, si vous voulez qu'on en parle. »

« Je ne suis pas certaine d'avoir sa photo. »

« Bon, alors apportez tout simplement un objet qui lui appartient, n'importe quoi, ses chaussettes. À demain, mon enfant. »

J'arrive le lundi soir à son immeuble sans ascenseur du Lower East Side. Il est dix-neuf heures trente. À la fois excitée et remplie d'appréhension, j'appuie sur le bouton de sonnette de Simona et j'attends quelques minutes avant qu'elle me réponde.

« Oui ? »

« Mme Simona, c'est Catherine. » Ai-je vraiment besoin de le lui dire ?

« Ah oui, montez, ma petite. »

Dans la chaleur écrasante, je monte quatre volées de marches, puis j'attends un moment devant son appartement avant de frapper. J'entends des coups de l'autre côté de la porte. Je frappe et j'attends patiemment qu'elle déverrouille.

« Désolée de vous avoir fait attendre. *Entrrrez.* »

Simona frôle la soixantaine. Elle porte une longue jupe et un pull de laine, en plein été, à New York, d'encombrants bijoux en bois et de larges lunettes qui exagèrent ses yeux déjà grands. Elle a le teint pâle, une frange épaisse, et des cheveux gris frisottés ; on dirait un croisement entre Sonia Rykiel et Robin Williams dans *Mrs. Doubtfire*. Pendant deux ou trois secondes, elle me fixe d'un air inquisiteur, puis m'ordonne de la suivre. Après seulement quelques pas dans le long corridor, elle me fait signe de m'asseoir dans l'un des deux fauteuils placés de part et d'autre d'une table pliante en métal. Une lampe suspendue au-dessus de nos têtes est couverte d'un morceau de tissu pourpre, sans doute pour donner à la pièce un air de mystère. Les objets occultes habituels sont soigneusement étalés sur la petite table : une boule de cristal, de nombreux jeux de tarot et des flacons non identifiés de poudre et de cristaux.

Aussitôt assise, elle me prend le bras.

« Montrez-moi votre main. »

Surprise, je décide de faire fi de ma méfiance et lui tends ma paume.

« Ah oui, je vois que vous aimez le shopping. »

Je hoche la tête. Ce n'est pas terriblement révélateur ; dans cette ville, la plupart des femmes s'adonnent à ce sport.

« Vous travaillez dans un bureau, n'est-ce pas ? Vous êtes une femme d'affaires. »

« Hmm-hmm. »

Bon, je ne suis pas trop impressionnée, jusqu'ici : mon ensemble deux pièces de chez Dior me trahit.

« Oh, je vois du travail, beaucoup de travail. » Je le lui ai dit au téléphone.

« Oui, c'est certain. »

« Je vois des gens difficiles, avec des tas de papiers et des ordinateurs. Et je vois des livres, des tonnes de livres. »

Étonnée, elle ouvre les yeux. « Oh mon Dieu, êtes-vous avocate ? »

« Oui. »

« Sacrebleu, j'ai oublié de vous faire signer mon formulaire de décharge ! s'exclame-t-elle. Je ne veux pas de problèmes. »

Elle bondit de sa chaise, marche jusqu'au fond de l'appartement, et revient avec un bout de papier froissé. « Bon, signez ici », ordonne-t-elle.

Je jette un coup d'œil à son document taché de café ; c'est l'un de ces formulaires de décharge standard qu'on trouve sur l'Internet. Dès que je la dégage de toute responsabilité, elle me reprend la main.

« Je vois des gens qui se moquent de vous en cachette, mon enfant, des femmes méchantes. »

Hmm, alors, c'est un peu plus intéressant. « Oui, je les connais déjà. »

Nous sommes soudainement interrompues par la sonnerie de mon téléphone cellulaire. Visiblement vexée, elle ouvre les yeux et semble être sur le point de me jeter un sort terrible.

« Je suis désolée. Pouvez-vous m'excuser une seconde, s'il vous plaît ? C'est mon bureau qui appelle. »

Elle croise les bras et hoche la tête.

« Catherine Lambert. »

« Tu n'es pas à ton bureau. Où es-tu ? »

« Salut, Bonnie, je suis à un meeting chez l'imprimeur »,
dis-je en mentant.

« J'aimerais que tu passes chez Cravath pour prendre
des documents en revenant. »

« Bien sûr, aucun problème. »

« Quand reviens-tu au bureau ? »

« Dans une heure environ. »

« Peux-tu aussi t'arrêter chez Nobu pour prendre des
sushis ? »

« Je n'aurai pas le temps d'aller chez Nobu *et* chez
Cravath. Je suis dans l'East Side. »

Agacée, je coupe la communication.

« Je suis terriblement désolée pour l'interruption.
C'était l'une des méchantes femmes auxquelles vous avez
fait allusion tout à l'heure », dis-je pour alléger l'ambiance,
mais cela ne l'amuse pas. Simona me prend de nouveau la
main et ferme les yeux.

« Je vois beaucoup de conflits, de portes qui claquent
et de commérages à votre bureau. »

Alors là, elle commence à m'impressionner. Les
rumeurs d'associés transfuges et les trahisons ont atteint
des niveaux inégalés ces derniers temps.

« Oui, ce que vous voyez est vrai. Il y a beaucoup de
manigances et de jeux de pouvoir au bureau. »

« On dirait que vous pourriez être prise au milieu de
tout ça. Soyez prudente. »

Merveilleux, un autre sujet d'inquiétude ; je savais que j'aurais dû ignorer le conseil de ma mère et oublier l'idée d'aller consulter une voyante.

« Je vois aussi de l'insatisfaction au travail. » Elle secoue la tête tout en me serrant fermement la main.

Sa déclaration m'étonne. J'ai eu ma part de moments décourageants et j'ai rencontré des gens difficiles dans le cabinet, mais suis-je réellement insatisfaite ?

« Vous ne semblez pas très heureuse. »

« Hmm. Vraiment ? »

« Ce n'est pas ce que vous vouliez faire quand vous étiez enfant, n'est-ce pas ? »

« Si, c'est ce que je voulais faire. J'ai toujours voulu être avocate. »

« Mais avant cela, vous vouliez être une actrice, une vedette du cinéma, peut-être une chanteuse. Je le vois dans les lignes de votre main. C'est très clair. »

« Peut-être quand j'avais dix ans, mais depuis, mes aspirations ont changé. »

« Vraiment ? Mais pourquoi ? C'est votre destin, ma chère ; vous ne pouvez pas le changer. Cela ne vous apporterait que du malheur. »

« Vous voyez cela ? » Je suis abasourdie. Puis je me ravise ; son affirmation est un peu ridicule – toute les petites filles rêvent de devenir vedette de cinéma.

« Je vois davantage, je vois aussi… Ah oui, vous avez beaucoup de flair pour la mode, n'est-ce pas ? Pourquoi ne travaillez-vous pas dans ce domaine? demande-t-elle d'une voix forte et intimidante. Et vous avez des contacts qui pourraient vous aider!»

«Là, je crois que vous vous trompez, dis-je poliment pour éviter de l'offenser. J'adore la mode, mais pas au point d'en faire une carrière. Vous faites probablement référence à ma cousine Françoise. Elle a étudié le dessin de mode à Londres et travaille chez Chanel.»

«*Faites-le! Faites-le!* Vous devez le faire avant qu'il ne soit trop tard!» s'écrie-t-elle.

«Écoutez, Simona, j'ai un bon emploi et j'ai travaillé extrêmement dur pour arriver là où je suis, je ne vais pas tout abandonner. Je veux devenir associée chez Edwards & White. Et je ne sais même pas tracer une ligne droite: une carrière dans la mode, ça ne marchera jamais.»

«Cessez de vous soucier de ces détails, mon enfant. Votre passion attend que votre courage la rattrape! Lorsque vous ferez ce que vous aimez vraiment, l'argent vous tombera dessus en abondance, je vous le garantis!» s'exclame-t-elle, me tenant encore fermement la main. «Quand êtes-vous le plus heureuse au travail?»

Ces temps-ci, c'est lorsque la porte de mon bureau est fermée à clé et que personne ne peut y entrer: c'est ce que je veux répondre, mais je tente de trouver mieux.

«Quand j'aide quelqu'un à résoudre un problème ou que j'explique des questions juridiques complexes en termes simplifiés. C'est magique.»

Elle m'envoie un regard vide, comme si je ne l'avais pas convaincue.

« C'est faux. Vous êtes heureuse au plus haut point quand vous vous occupez de questions liées aux arts ou à la mode ! »

Je repense aux différents dossiers sur lesquels j'ai travaillé chez Edwards & White. Il est vrai que j'étais aux anges quand Antoine m'a confié le dossier Dior, mais maintenant, on me l'a retiré. Tant pis pour la mode.

« C'est vrai, mais ces questions sont fortuites dans mon travail. Je me spécialise dans les affaires bancaires et les valeurs mobilières. »

Elle soupire bruyamment et secoue la tête. « Qu'est-ce qui vous en empêche ? La peur ? »

J'ouvre la bouche pour protester, mais elle m'interrompt avant que je puisse émettre un son.

« La peur de quoi ? Vous êtes si jeune, je ne comprends pas. Peut-être vous a-t-on envoyé une terrible malédiction. »

Une malédiction ? J'imagine Bonnie assise à son bureau avec une poupée vaudou à mon effigie, prenant un immense plaisir à planter des aiguilles dans mes bras et mes jambes avant de me jeter par la fenêtre de son bureau.

« Je vois des problèmes familiaux au cours de votre jeunesse, votre mère pleure avant de s'endormir le soir. »

« Hmm. » Je demeure silencieuse alors qu'elle éveille de vifs souvenirs de ma mère, recroquevillée dans sa chambre à coucher, en train de sangloter.

« Une jeune veuve laissée en plan, seule. »

Comment le sait-elle donc ? Un frisson me parcourt l'échine.

« Je sens de la dépression, une grave dépression. Y a-t-il quelqu'un de dépressif dans votre famille ? »

« Oui, ma mère l'a été, après la mort de mon père. »

« Elle est très belle, votre mère. »

« Oui, en effet. »

« Cet événement a semblé laisser des cicatrices en vous, mon enfant. Vous cherchez la sécurité. Mais vous devez lâcher prise ! Cela vous décourage ! Si vous ne lâchez pas prise, vous souffrirez vous-même d'une grave dépression. »

« Vous croyez ? »

Des souvenirs de la dépression de ma mère me hantent encore. Je ne veux même pas songer à la possibilité de suivre son parcours.

« Que voulez-vous dire ? Je ne crois pas, je vois ! Je vois ! s'écrie-t-elle. Il faut se débarrasser de toute cette néga-tivité. »

Un peu méfiante, j'essaie de changer de sujet pour parler de ma vie amoureuse. Au moins, ça, c'est agréable.

Je demande nerveusement : « Voyez-vous quelque chose à propos d'un homme ? »

« Avez-vous apporté un objet qui lui appartient ? »

« Oui, une cravate. » Je fouille mon sac et en tire l'une des cravates de Jeffrey.

« Parfait. »

Elle saisit la cravate, la tient à deux mains et ferme les yeux.

« Oh, il est très beau, un peu entêté, et il est habitué à ce qu'on fasse ses quatre volontés. »

« Oui. Autre chose ? »

« Je vois de l'argent, des tonnes et des tonnes d'argent qui lui arriveront sous peu. »

« Hmm. Autre chose ? »

« Je vois un mariage. »

« Un mariage ? »

« Oui, à l'étranger. »

Ouah, ça, c'est inattendu. Les choses se passent bien avec Jeffrey, mais le mariage n'est pas une chose que je suis prête à envisager.

« Et il y a un autre homme qui sort beaucoup, fréquente les boîtes de nuit, et se fait beaucoup de soucis pour vous. »

« C'est mon assistant. Je ne vais pas l'épouser. Il est gai. »

« Je vois… Oooh !!! Des problèmes pour cet homme ! » s'écrie-t-elle.

« Des problèmes ? Pour Rikash ? »

« Oui. »

« En êtes-vous certaine ? Vous devez vous tromper, il n'a pas de problèmes. Il est tout à fait insouciant. »

« Hmm, ajoute-t-elle pensivement. Ohhh, je vois de nouveau le mariage. Ce sera au bord de l'eau. »

« Sur la plage ? »

« Peut-être. Et ce sera magnifique. »

« Une dernière question : est-ce que je passerai l'examen du barreau ? »

« Ah, l'examen du barreau, je ne sais pas. »

« Que voulez-vous dire, vous ne savez pas ? »

« Je peux vous aider dans une certaine mesure, mon enfant, mais je ne peux pas faire de miracles. Pour cela, vous devrez travailler. »

« C'est vrai. »

« Bon, ce sera deux cent cinquante dollars », dit-elle soudain en terminant.

« C'est fini ? »

« Oui, je vous ai dit tout ce que je pouvais voir, répond-elle abruptement. J'ai d'autres clients qui m'attendent, vous savez. Je suis fort occupée. Je n'ai pas toute la soirée ! » Elle se lève de sa chaise.

Cela me ramène à la réalité et me rappelle que je dois passer prendre les documents de Bonnie en retournant au bureau.

« Maintenant, avant que j'oublie, je veux que vous preniez des bains chauds avec des pétales de rose et du vinaigre. »

« Pourquoi ? »

« Les roses attirent le bonheur et le vinaigre éloigne les mauvais esprits. S'il vous plaît, faites ce que je dis, c'est très important. »

∽

Le lendemain, un peu secouée par les visions de Mme Simona, j'arrive au bureau avec quelques douzaines de roses et une bouteille de vinaigre balsamique que j'ai trouvée à l'épicerie fine du coin, à l'heure du lunch. Je ne peux pas croire que je vais suivre ses instructions, mais je me sens juste assez déphasée pour me dire qu'il vaut mieux prévenir que guérir.

« Ooh. D'autres roses de ton amant ? » soupire Rikash.

« Non, c'est de moi à moi, pour mon appartement. Rikash, as-tu déjà consulté, euh, une voyante ? »

« Une voyante ? Je ne crois pas à ces sornettes. »

« Vraiment ? Je croyais que tu étais amateur d'ésotérisme. Il y a des gens, tu sais, qui ont des pouvoirs incroyables. N'es-tu pas un peu curieux ? »

« Pas du tout. Tu vois, *dah-ling*, je ne me soucie pas beaucoup de mon avenir. J'essaie de vivre l'instant. Et puis, je ne crois pas au fait de payer quelqu'un pour me faire dire ce que je sais déjà : que ma vie est une catastrophe. »

« Je suis allée consulter une voyante hier soir, Mme Simona. C'était un peu troublant. »

« Ah bon ? Qu'est-ce qu'elle t'a dit ? » demande-t-il, soudainement très intéressé.

« C'était plutôt stimulant, ça me fait beaucoup réfléchir. » J'hésite, je ne veux pas qu'il me trouve idiote – mais j'ai besoin d'être rassurée. « Elle m'a dit que toute l'insatisfaction liée à ma carrière vient probablement d'événements traumatisants de mon enfance. Elle a dit aussi que j'étais prédestinée à travailler dans le domaine de la mode. »

« Chérie, toutes les jeunes femmes à Manhattan sont insatisfaites de leur emploi et aspirent à travailler dans la mode. Ça ne m'impressionne pas. Bon, quoi d'autre ? »

« Elle a vu des choses assez personnelles à propos de ma famille, dis-je, essayant de contrer son scepticisme. Et elle a vu que je me mariais au bord de l'eau, à l'étranger. N'est-ce pas romantique ? »

« J'attends une invitation. Je serai peut-être l'une de tes *demoiselles* d'honneur. »

« Je ne t'imagine pas en robe rose. »

« N'en sois pas si sûre. J'ai fière allure en taffetas fuchsia. A-t-elle vu quelque chose sur moi ? »

« Non, hum, elle n'a rien mentionné », dis-je en mentant, car je ne veux pas lui parler du problème dont elle a parlé.

« Tant pis. J'espère que tu n'as pas payé plus de cinquante dollars. »

« Hmm. »

« Combien ? Cent ? »

« Plus. »

« Cent cinquante ? »

Je ne réponds pas.

«Plus?»

«Non, c'est ça.»

«Tu es folle? Elle t'a vraiment fait marcher, espèce d'idiote.»

«Je sais, mais ça en valait la peine. Ma mère me fiche enfin la paix.»

«N'importe quoi», répond-il en secouant la tête.

Il n'a pas à savoir que j'ai payé deux cent cinquante dollars pour une consultation. L'important, c'est d'avoir fait le bonheur de ma mère. Et prendre un bain aux pétales de roses pourrait redonner un peu d'éclat à ma peau fatiguée, tandis que le vinaigre aidera peut-être à écarter les mauvais esprits du bureau.

CHAPITRE 31

« Oh mon Dieu, Rikash, si je perds ce texte, je me fais hara-kiri », que je crie de mon bureau.

« Non, je vais te tuer avant. On a passé trois jours sur ce document. Une seule journée de plus, et je vais vomir. »

La date de l'examen du barreau approche, et j'ai passé les dix derniers jours à travailler jusqu'à des heures indécentes pour garder l'introduction en Bourse de Browser sur une bonne trajectoire, tout en assistant à des séminaires de préparation à l'examen du barreau. L'humeur de Jeffrey a connu des montagnes russes, variant d'une heure à l'autre entre l'anxiété et l'euphorie, et il nous a été difficile de trouver du temps à passer ensemble. Nous avons surtout communiqué par courriel et par téléphone portable, souvent tard le soir, à partir de nos bureaux, en mangeant des plats commandés.

À une heure et demie du matin, Rikash et moi sommes encore au bureau, à essayer de finaliser une note de service importante qu'il faut envoyer à la SEC dans à peine quelques heures. La brique de soixante-cinq pages doit être transmise aux avocats qui représentent les banquiers pour qu'ils la passent en revue. Après trois jours de travail incessant, c'est presque terminé. Je corrige une dernière fois, tandis que Rikash écoute de la musique techno sur son baladeur en attendant mes révisions finales. Soudain, mon ordinateur plante.

« Je ne comprends pas ce qui se passe ! J'étais en train d'utiliser le correcteur et il a figé. »

« Bon, laisse-moi jeter un coup d'œil. »

Rikash prend les commandes de mon ordinateur et je regarde ses longs doigts délicats se déplacer avec grâce au-dessus du clavier. Habile sur le plan technique, il comprend les ordinateurs mieux que quiconque. Chaque fois que quelque chose va de travers au bureau, Rikash est appelé à la rescousse.

Tout de même, j'ai le cœur qui cogne.

« Rikash, je suis vraiment inquiète. Est-ce que je vais perdre la version la plus récente ? »

« Allons, calme-toi, *dah-ling*, calme-toi. Je te le déplante en un rien de temps. Crois-tu vraiment que je vais passer la nuit ici à retaper cette monstruosité ? J'ai des choses plus importantes à faire. J'ai rendez-vous plus tard avec des amis. »

« Plus tard ? Il est une heure et demie du matin. Comment y arrives-tu ? »

« Tu ne veux pas le savoir. »

« Tu as raison, je préfère ne pas le savoir. »

Il continue de jouer avec mon ordinateur.

« Où as-tu appris tout ça ? Je croyais que tu étais cinéaste. »

« Je suis originaire de l'Inde, l'aurais-tu oublié ? »

« Quel est le rapport ? »

« Ne sais-tu pas que les plus habiles génies en matière de technologie sur cette planète viennent de l'Inde ? » Il passe en mode « je-vais-éclairer-Catherine ». « Dans les années 1960, pour faire de l'Inde une société compétitive et économiquement indépendante, le gouvernement a créé des écoles d'ingénierie de haut niveau, les *Indian Institutes of Technology*, qui sont rapidement devenues très prestigieuses. Il est très difficile d'y être admis – il faut des résultats extrêmement élevés lors des examens de présélection. Mon frère cadet vient de passer ses examens d'entrée, et il va commencer l'année prochaine. »

« Vraiment ? Mais tu ne m'en as jamais parlé. »

« Je suis très fier de lui. J'espère faire de l'argent en vendant mon documentaire pour l'aider à payer ses études. »

Alors qu'il parle, je le fixe avec admiration. Il a un grand cœur et beaucoup plus de profondeur qu'il ne veut le montrer.

« Est-ce ainsi que tu as appris tes compétences en informatique, par ton frère ? »

« J'ai quelques cousins qui ont fréquenté ces écoles, et ils ne parlent que d'ordinateurs. J'ai également fait des intérims dans un autre cabinet avant de venir ici, et je n'avais pas le choix, je devais parfaire mes compétences. »

« Tu m'impressionnes. Je suis sûre que tes connaissances tombent à point ici. La plupart des avocats sont nuls sur le plan technique. »

« Pas tous. Certains sont assez habiles, en fait. Antoine était très doué pour l'informatique. »

« Vraiment ? »

« Mmm-hmm. Je sais qu'on se plaignait de lui, mais je l'aimais bien. Il est extrêmement brillant. Savais-tu qu'il a reçu son diplôme en droit de Yale avec une mention d'honneur ? »

« Non, je l'ignorais. Il était trop occupé à m'enfouir sous des montagnes de dossiers à régler pour qu'on discute de nos antécédents. »

« Il a toujours été bon envers moi. Il m'a même aidé à réviser le scénario de mon plus récent documentaire. »

Surprise, j'en perds le souffle. Quand a-t-il trouvé le temps d'aider Rikash ? Il semblait si occupé par le travail. L'ai-je mal jugé en croyant qu'il ne pensait qu'à lui ?

« C'était sympa de sa part. »

« Il est complètement branché sur les arts. »

Cela me rappelle notre première conversation à propos de son travail bénévole pour l'école de Harlem, et je sais qu'il a grand cœur. Dommage que nous nous soyons quittés en si mauvais termes.

« De toute façon, comment va le document ? Devrons-nous passer le reste de la nuit ici ? »

« Non, je l'ai. »

« Merci, Rikash, tu me sauves la vie. Comment puis-je te récompenser ? Une bouteille de ton gin préféré ? »

« Non, une grosse bise fera l'affaire. » Il ouvre les bras et se rapproche pour me faire la bise façon bourgeoise, sans me toucher vraiment la joue. « Tu vois Jeffrey ce soir ? »

« Je suis censée l'appeler avant de quitter le bureau. C'est lamentable, mais il travaille tard, lui aussi. »

Je rejoins son cellulaire et il est éteint. J'appelle son bureau et la voix d'une femme répond.

« Allô, est-ce que Jeffrey est là ? »

« Non. Il est parti il y a quelques heures. »

« Quelques heures ? » Hmm. C'est bizarre. Nous parlons habituellement avant qu'il quitte son bureau. « Est-ce qu'il a dit où il allait ? »

« Non », répond la femme d'un ton sec.

J'appelle son appartement et il n'y a pas de réponse. Un peu inquiète, je laisse un message.

« Jeffrey a quitté son bureau et ne m'a même pas appelée. Nous étions censés nous rencontrer avant son départ pour San Francisco demain.» Je reste à bouder sur ma chaise.

«Ne t'en fais pas. Il a dû avoir un imprévu. Je m'en vais prendre un verre au Tenjune. Pourquoi ne viens-tu pas avec nous?»

«Il est trop tard et je dois étudier. Et de toute façon on ne me laisserait probablement pas entrer habillée ainsi.»

«Tu plaisantes? Tu es avec moi, ma puce. Et tu adoreras Chloe et Amber. Elles travaillent toutes les deux dans l'industrie de la mode et elles sont géniales.»

«Non, je ne peux pas. Demain est une journée ultra chargée et je dois préparer l'examen. Vas-y et amuse-toi, et ne bois pas trop. On doit envoyer la note de service à la première heure.»

Rikash part, et je reste assise à mon bureau, fixant la boîte de réception de mon courriel. Plusieurs notes de Jeffrey disent que je lui manque et qu'il a hâte de me voir. J'essaie de me distraire pendant quelques minutes, espérant qu'il me rappelle.

Le téléphone sonne et je réponds, soulagée.

«*Dah-ling*, c'est ta dernière chance. Cesse de te morfondre au bureau comme une pauvre ratée. Tu dois te changer les idées et t'éloigner de tous ces livres de préparation à l'examen. Saute dans un taxi et rejoins-moi dans le Meatpacking District. Je t'attendrai à la porte.»

Le mot «ratée» a suffi pour me convaincre d'y aller. Si Jeffrey sort ce soir, je sors moi aussi.

Je descends de mon taxi devant le Tenjune, et le portier soulève immédiatement le cordon de velours en voyant Rikash me faire la bise. Nous nous faufilons sur la piste de danse, et Rikash envoie un signe de la main à deux jolies femmes assises sur un chic sofa de cuir où elles sirotent des martinis.

« C'est ma patronne, alors soyez polies, hein ? » Les deux l'accueillent en riant, avec des accolades.

« Catherine, je te présente mes amies Chloe et Amber. »

« Heureuse de vous rencontrer. »

Chloe est une grande gazelle à la chevelure couleur miel, avec un sourire étincelant, et Amber, plus petite, a les cheveux d'un blond pâle et de grands yeux bleus. Elles portent toutes les deux des jeans serrés, de très jolis hauts de mousseline aux couleurs pastel, et d'imposants talons aiguilles. Vont-elles travailler dans cette tenue ? Quelle chance !

« Catherine, essaie le martini à la pastèque. Il est incroyable », s'exclame Amber.

Rikash fait signe au serveur, qui le reconnaît immédiatement et prend notre commande. « Chérie, je t'offre celui-ci. »

« Alors, qu'est-ce que vous faites, exactement, mesdames ? Rikash m'a dit que vous travailliez toutes deux dans le domaine de la mode. »

« Je suis styliste chez Armani », répond Chloe avec un doux accent du Sud.

« Et je suis acheteuse chez Bloomingdale's », dit Amber, sa tête dansant au son de la musique assourdissante.

« Ça semble tellement prestigieux. Je viens de passer les trois derniers jours à rédiger un document de soixante-cinq pages et à étudier comme une folle pour un examen d'enfer : je n'ai pas dormi depuis des semaines. »

Les deux me fixent comme si j'avais quatre têtes.

« Mon Dieu, je ne pourrais pas supporter toutes ces heures, dit Amber. Ça détruirait complètement ma vie sociale. »

Rikash tend les martinis à la pastèque.

« Pour oublier le travail et ton examen ! » dit Chloe en portant un toast.

Je bois à cela. Je prends une petite gorgée de mon martini, puis je bois le reste d'un trait. « C'est délicieux. »

Je fais signe au barman de nous apporter une autre tournée. J'avale mon deuxième à une vitesse record, et Rikash hoche la tête.

« Ralentis, tu n'as pas très bien dormi depuis plus d'une semaine, et tu as une très longue journée devant toi, tu te rappelles ? »

« Demain ? On s'en fiche, de demain ! En ce qui me concerne, Jeffrey peut aller se rhabiller avec sa grande transaction. » Mon Dieu, je n'articule plus très bien.

Rikash passe son bras autour de mon épaule. « S'il te plaît, du calme, chérie. Tu t'emballes un peu. »

Alors que Rikash met Chloe et Amber au fait de ma relation, je me sens soudainement perdue dans cette boîte de nuit assourdissante. Je consulte mon téléphone portable pour voir si Jeffrey a appelé. Comment a-t-il pu quitter le bureau sans me passer un coup de fil ?

« Je comprends parfaitement, s'écrie Chloe. Crois-moi, mon amie, si j'étais toi, je prendrais le prochain avion pour l'Europe. Je n'ai pas eu de vraie relation depuis trois ans et, certaines de mes amies naviguent dans le célibat depuis quatre ans. Tous les hommes de cette ville ont la queue sale. Ils ont couché avec tellement de femmes que, soit ils ont été chassés de la ville sous les huées, soit leur queue est tombée. Va te trouver un joli Français. »

« Arrête, crie Amber. C'est faux. »

« Ah ouais ? C'était quand, la dernière fois que t'as eu une relation fonctionnelle ? »

Amber fixe Chloe en silence. « Il y a très longtemps », murmure-t-elle, les yeux humides.

« Amber, est-ce que ce n'est pas le gars que tu t'es envoyé la semaine dernière ? » Rikash pointe un mec dans la vingtaine, très sexy, qui se trouve à l'autre bout de la salle. « Et regarde le corps de ce gars à la chemise rouge, il est sexy. Mon Dieu, j'aimerais le voir en dhoti. »

« En quoi ? » demande Amber, perplexe.

« Tu sais, l'espèce d'étoffe drapée que les Indiens du Sud portent pour se couvrir l'entrejambe. C'est l'équivalent masculin du décolleté. »

Les trois reluquent le type et rigolent. Le barman revient avec un autre plateau de martinis, tandis qu'Amber se pavane en direction de son partenaire de pelotage. Après trois martinis, je commence à me sentir drôlement bien. La musique devient de plus en plus forte et, selon moi, bien meilleure.

J'enlève ma veste de tailleur, me dirige vers l'adonis à la chemise rouge, et fais tournoyer mes hanches devant lui. Une minute plus tard, nous sommes tous les deux au beau milieu de la piste de danse en forme de fer à cheval. En suivant littéralement les paroles de la chanson, il déboutonne ma blouse. D'une banquette où ils sont grimpés à présent, Rikash et Chloe lèvent le pouce pour me signifier que tout va bien.

Chemise Rouge s'y met à fond et commence à me sucer l'oreille. Il joue aussi avec mes cheveux et me tient par les hanches de telle façon que nous ondulons ensemble en suivant le rythme. Ouah, pourquoi je ne fais pas ça tous les soirs? C'est bien plus amusant que de la recherche à la bibliothèque du bureau.

«Catherine, VIENS NOUS REJOINDRE! crie Chloe. C'est bien mieux ici!»

Je m'écarte de Chemise Rouge, qui reste là, frustré, et je grimpe à mon tour sur la banquette pour retrouver mon groupe.

«Attention, madame!» s'écrie un jeune branchouillard alors que je m'agrippe à son épaule en essayant de monter jusqu'en haut. Chloe effectue un périlleux numéro d'équilibriste, remuant le derrière tout en tenant son verre de martini. De là où je me trouve, je vois toute la boîte. L'énergie de la foule est enivrante. Je danse avec Chloe et nous crions les paroles des chansons à pleins poumons.

Rikash me fixe d'un regard amusé. C'est la première fois qu'il me voit m'abandonner, et il en apprécie chaque instant. Je décide d'appeler Jeffrey ; je lui montrerai qui sort, ce soir. Je fais signe à Rikash de me lancer mon sac à main de l'autre côté de la banquette.

« QUOI ? » Il lève les bras. « AS-TU BESOIN D'ARGENT ? »

Je secoue la tête et mime un téléphone avec mes doigts. Après qu'il me l'ait lancé, je compose le numéro. Je soulève le téléphone au-dessus de ma tête pour que Jeffrey puisse entendre à quel point je m'amuse, mais l'appareil me glisse des doigts et disparaît sous le sofa en cuir.

Catastrophe !

Je commence à pointer le dos de la banquette, et Amber et Rikash restent immobiles, l'air perplexe.

« Mon téléphone ! »

« Hein ? »

« J'AI LAISSÉ TOMBER MON TÉLÉPHONE SOUS LE SOFA ! » Juste au moment où je hurle à pleins poumons, la musique s'arrête.

Rikash mobilise tout le personnel de la boîte de nuit pour chercher mon téléphone, et deux immenses videurs arrivent sur place, équipés de lampes de poche.

« C'est une personne très importante. C'est une avocate qui travaille à une introduction majeure en Bourse, et elle a besoin de son téléphone », dit-il en tentant de justifier tout le brouhaha. Les deux videurs l'écartent du chemin et se mettent à quatre pattes en tentant de trouver mon portable. Voilà pourquoi il est utile d'emmener son assistant prendre un verre avec soi.

Un homme chauve me tend mon précieux objet. « Le voici, madame. Faites plus attention, la prochaine fois. »

J'allume mon BlackBerry pour m'assurer qu'il fonctionne, et l'heure apparaît. Il est quatre heures du matin.

Oh mon Dieu, cette fête est vraiment terminée.

« C'était un plaisir de faire votre connaissance, mais je dois rentrer. »

« Catherine, tu ne peux pas rentrer maintenant, nous allons chez Florent pour un casse-croûte de nuit », dit Chloe d'un ton plaintif.

« Désolée, les amis, mais je dois être au bureau dans trois heures environ. »

Je dis au revoir à mes nouvelles copines, j'embrasse Rikash sur la joue, et je me rends dans la rue en trébuchant pour chercher un taxi. Dans quelques heures, je vais payer pour tout cela et je raterai probablement l'examen du barreau. À ce moment-ci, j'ai l'impression que ça en vaut la peine. Alors que j'attends le prochain taxi, Chemise Rouge s'approche.

« Eh, c'était cool de danser avec toi. »

Je réponds maladroitement : « Merci. C'était "cool" de danser avec toi aussi ».

« On devrait se faire une soirée, une bonne fois. Tu sais, *connecter*, quelque chose comme ça. »

« Ouais, ce serait bien. » Je saute dans le taxi et disparais dans les premières lueurs du matin.

Chez moi, je plonge dans mon lit et la chambre se met à tanguer. Alors que je fixe le plafond, le téléphone sonne. Lentement, je le prends à même ma table de chevet.

« Allô » dis-je en articulant encore péniblement.

« Eh, ma belle, où étais-tu ? Je crois que tu as enfoncé le bouton d'appel par mégarde sur ton portable, et que tu m'as appelé par erreur. Il y avait beaucoup de bruit, mais je ne t'entendais pas. »

« Je suis sortie avec Rikash, nous sommes allés prendre un verre après le travail. »

« Ou plutôt *quelques* verres ? »

« Où étais-tu ? J'ai essayé de t'appeler plus tôt. »

« J'avais une rencontre aux bureaux de nos banquiers, puis je suis revenu chez moi et je me suis effondré. Toi, ça va ? Tu as l'air épuisée. Où croyais-tu que j'étais ? »

« Euh… nulle part en particulier. »

« Écoute, je suis désolé à propos de ce soir, je suis resté coincé dans des réunions. Je me rattraperai avec toi vendredi en revenant de San Fran. Tu me manques vraiment, ma chérie. »

Soudainement, tous les doutes se dissipent de mon esprit et je m'endors sur mon lit, tout habillée, pelotonnée avec le téléphone.

CHAPITRE 32

Celui qui a rédigé la règle d'interdiction de perpétuités était soit : a) sadique, b) fou, c) sous l'effet d'une substance vraiment forte, ou d) tout ce qui précède réuni. Comme si le fait d'apprendre le jargon archaïque du droit de la propriété foncière ne suffisait pas, on nous oblige à comprendre cette règle. Même après l'avoir lue cent fois, je ne la comprends toujours pas.

Je passe le week-end enfermée dans mon minuscule appartement, dans la chaleur épaisse, à étudier en slip et soutien-gorge. Ma prison volontaire n'est aérée que par un vieux ventilateur plafonnier qui fonctionne à la moitié de sa capacité. Une fois l'heure, je me rends au Starbucks, à l'angle de la 3e et de la 66e, et je commande un double espresso pour empêcher mon système nerveux de lâcher complètement. Jeffrey et moi avons conclu une entente : il vaut mieux ne pas se voir avant le week-end prochain, car j'ai besoin du peu d'énergie qu'il me reste pour l'examen. Puisqu'il ne voulait pas que je délègue le travail sur la transaction Browser, je dois, en plus de me taper l'enfer de l'étude, passer en revue des courriels et des documents, tôt le matin ou tard le soir, avant d'aller voler quelques heures de sommeil.

Le premier jour de l'examen, je me lève complètement épuisée. Pour survivre à la folle journée qui s'annonce, je prends deux cannettes de Red Bull et deux bananes en guise de petit-déjeuner. Lorsque j'arrive au Javits Center, des milliers de gens qui semblent aussi fatigués que moi sont alignés comme des moutons devant un abattoir. Je me joins à la queue et je sens mon pouls qui résonne comme le métro parisien. Les portes s'ouvrent, révélant des rangées de tables et de chaises qui pourraient remplir quelques terrains de football. Je prends un siège, pose mes crayons et ma bouteille d'eau, et attends le signal du départ. Je suis sur le point d'entamer un intense marathon de six heures à répondre à des questions à choix multiple sur plusieurs États. À la fin, je retourne chez moi en flageolant et je passe la nuit à faire des rêves anxieux qui baignent dans la soupe aux lettres.

Le lendemain n'est guère mieux, avec cinquante questions à choix multiple sur l'État de New York et trois heures de dissertation. Quelle cruauté de leur part d'avoir placé cet exercice à la fin! Je sens de grands coups élancer dans ma tête, mes cheveux sont crasseux, et je dois répondre à ceci:

Jack a approché Peter, un agent de police en civil, et lui a demandé s'il avait une livre de marijuana à vendre. Peter a répondu qu'il pouvait lui en fournir au prix de 1 000 dollars, et ils ont convenu des conditions de la

vente. Au moment et au lieu prévus, Jack a donné
1 000 dollars à Peter, qui a plutôt livré à Jack une livre
d'origan. Peter a alors arrêté Jack et l'a accusé de
sollicitation criminelle et de tentative de possession
de marijuana. Question : Jack peut-il être arrêté pour
avoir acheté de l'origan ?

La question qui me vient à l'esprit, c'est : la police de
New York n'a-t-elle rien de plus important à faire que de
vendre de l'origan ? Et pourquoi Jack ne poursuit-il pas
Peter après s'être fait avoir concernant la vente ?

Toute l'expérience de l'examen du barreau, un cauchemar vomitif portant sur vingt-quatre sujets juridiques
différents, aura été l'une des plus difficiles de ma vie. À
l'issue de ces deux journées, je me sens complètement
zombie et peux à peine me rappeler sur quel continent je
me trouve ou quel est mon nom de famille. Je ne saurai
pas avant des mois si j'ai réussi l'examen. Pour l'instant, je
m'en fiche. Je rentre chez moi, j'éteins BlackBerry et
ordinateur, et je tombe dans un sommeil profond et bien
mérité.

CHAPITRE 33

Que dirais-tu de dîner chez Jean Georges *samedi soir?* La note est griffonnée sur un bout de papier attaché à un bouquet de pivoines offert par Jeffrey.

« Vous vous êtes réconciliés, j'imagine », dit Rikash en contemplant longuement le bouquet.

« C'était un malentendu. Tout ce stress a affecté mon cerveau. Je devrais davantage lui faire confiance et paniquer moins souvent. Il a été si bon pour moi. Il m'emmène chez *Jean Georges* demain soir. »

« Ouah, il va peut-être te faire la grande demande. »

« Allons, on ne se fréquente sérieusement que depuis un mois. »

« C'est New York, *dah-ling*, tout est possible. Rappelle-toi ce que cette voyante t'a dit. »

« On n'en est vraiment pas là. »

Il s'approche de mon bureau et regarde autour de lui pour s'assurer que personne n'écoute. «Catherine, il faut que je te dise ce qui m'est arrivé l'autre nuit, après ton départ de la boîte. J'ai rencontré quelqu'un d'extraordinaire. Je crois bien être tombé amoureux.»

«Quoi? *Toi, amoureux?* Je croyais que tu ne voulais pas t'attacher à une seule personne?»

«C'était avant Dimitri. C'est le gars le plus gentil que j'ai rencontré depuis longtemps. On s'est regardé un moment alors que je quittais le Tenjune, et il m'a demandé si je voulais prendre un café avec lui. Nous avons passé toute la nuit à discuter.»

«C'est merveilleux, Rikash! Je suis si heureuse pour toi. Tu mérites de rencontrer quelqu'un d'extraordinaire.»

«C'est un sentiment tellement incroyable. Nous avons des tonnes de choses en commun. C'est un cinéaste pigiste, et nous songeons à travailler ensemble à un documentaire. Et… oh… mon téléphone sonne.» Il bondit presque jusqu'à son bureau.

Je regarde dans ma boîte de réception, et un courriel intitulé *Séminaire en Californie pour les employés du cabinet* m'attend.

À tous les avocats d'Edwards & White,

Afin de couronner une année exceptionnelle, Edwards & White tiendra cet automne un séminaire pour les membres du cabinet à l'échelle mondiale, à San Diego. Le programme et la liste des activités seront présentés à une date ultérieure.

Nous espérons vous y rencontrer.

La direction

Une année exceptionnelle ? Pour qui ? L'idée de voyager avec mes collègues et de gâcher un week-end magnifique à nous livrer à des exercices de consolidation d'équipe complètement ridicules, comme le *paintball* (ce jeu de guerre au cours duquel on se tire dessus avec des balles de peinture) ne m'enchante pas du tout. Je vais remplacer la peinture par du ciment, laisser durcir les balles, et prendre certains de mes collègues pour cibles ! Ce n'est pas l'image que je me fais du plaisir, mais j'essaie d'en voir le bon côté : cela me permettra de sortir du bureau et de retrouver mes collègues parisiens.

∽

« Commandons du champagne ! Je suis d'humeur à faire la fête. » Jeffrey pose son menu. « Ton examen est passé et la tournée d'introduction en Bourse s'est vraiment bien déroulée ; on a réussi à attirer beaucoup d'intérêt de la part d'investisseurs institutionnels », ajoute-t-il avec soulagement.

« C'est une excellente nouvelle. Je suis très heureuse que les choses se passent bien, mais je dois avouer que j'ai hâte que ce soit terminé. »

« On devrait faire un voyage à l'automne. Que dirais-tu de St. Barth ? Un de mes amis y dirige un complexe hôtelier. »

« Ça me semble parfait. »

Jeffrey prend ma main et caresse lentement mes doigts.

« Tu m'as beaucoup manqué. Tu ne sais pas à quel point. »

« Toi aussi, tu m'as manqué. » À mesure que je le regarde au fond des yeux, son regard devient de plus en plus intense.

« J'ai tellement hâte de t'emmener chez moi. Tu as les yeux les plus beaux et les plus brillants. Tu es vraiment belle, *babe.* »

Je souris en sirotant mon vin. Où s'arrête la perfection chez cet homme ?

« Chaque soir, ces derniers temps, après ces longues journées de réunions, je m'allongeais sur lit, je pensais à toi et je me disais "wow, quelle chance". Je t'ai acheté un petit quelque chose à San Francisco. »

« Encore ? Non ! »

Il sort une minuscule pochette de soie grise. À l'intérieur se trouve un anneau de la collection Gourmette de Dior, avec des fleurs et des papillons délicats. J'essaie de me comporter en adulte, mais mes yeux doivent s'écarquiller comme ceux d'un enfant entrant pour la première fois chez FAO Schwartz, le légendaire magasin de jouets. Cette collection me fait baver depuis que j'ai quitté Paris.

« Mon Dieu, Jeffrey, c'est superbe ! »

« Je sais que toi et M. Dior vous vous entendez bien. »

« C'est beaucoup trop. »

« Non. Tu le mérites totalement. »

J'enfile la bague sur mon médius et je suis aux anges. Cet homme est tellement généreux et gentil. Comment ai-je pu hésiter un instant à le fréquenter ?

« Pouvons-nous avoir l'addition, s'il vous plaît ? » Il fait signe au serveur.

« Certainement, monsieur. »

« Avant de partir, j'ai une petite faveur à te demander. J'espère que tu ne m'en voudras pas. »

« Tu peux me demander n'importe quoi. »

« Ça a quelque chose à voir avec le programme d'actions réservées, auquel tu as travaillé. »

« D'accord. » Je tiens pour acquis qu'il veut ajouter un participant de dernière minute à la liste des actionnaires potentiels.

« Tu sais que j'allais allouer une portion des actions partagées à deux associés commerciaux suisses. » Il me fixe encore dans les yeux, avec cette intensité de plus en plus forte, mais cette fois, cela ne semble pas romantique.

« Oui. »

« J'ai changé d'idée. »

« Bon. » Le soudain changement de ton me met de plus en plus mal à l'aise.

« Je veux transférer ces actions sur un compte que je détiens avec une société en fiducie dans les îles Caïmans. Tu voudras bien me donner un coup de main, n'est-ce pas, ma belle ? »

Un bref instant, je le regarde fixement, complètement commotionnée. Tout mon corps se met à trembler à mesure que j'essaie de me convaincre que je suis en plein rêve. Il ne peut pas me demander de transférer des actions de sa propre compagnie sur un compte extraterritorial ; il doit y avoir une autre explication. Mon esprit formé au droit se cabre à une vitesse folle. Est-il en train d'essayer de contourner ces obligations contractuelles de convention de dépôt ? En tant que cadre supérieur de la compagnie, il est tenu de garder ses actions provenant de la transaction pendant quelques mois après l'entrée en Bourse avant de pouvoir les vendre. Quelles que soient ses intentions, ce qu'il me demande est complètement illégal. Il devine mon appréhension à partir de mon silence prolongé.

« Ne t'en fais pas, ma chérie, je ne fais rien d'illégal. Je veux seulement éviter de payer de l'impôt sur de l'argent que je ferai en vendant des actions au cours des prochaines semaines. J'ai travaillé tellement fort que je ne veux pas tout donner au fisc. Tu comprends ? »

On n'est pas censé vendre des actions au cours des prochaines semaines ; c'est la raison même de la période de convention de dépôt. Et surtout, ces actions ne vous appartiennent pas. Sa demande m'horrifie et me fait mourir de honte. Dès qu'il règle l'addition, je m'excuse pour aller aux toilettes. Je fixe le miroir, alors que des larmes roulent lentement sur ma joue ; j'essuie la traînée laissée par le mascara, et j'ai l'impression qu'il s'est servi de moi comme si j'étais ce papier-mouchoir que je jette à la corbeille. Prise de nausées, je colle mes mains sur la bouche pour éviter que mon dîner ne se répande sur ma nouvelle robe Dior. *Reste calme, Catherine, tout ira bien. Ce doit être un cauchemar. Ça ne peut pas arriver pour vrai. Tu vas bientôt te réveiller et tout ira bien.*

Déconfite, je reste en silence dans le taxi qui nous ramène à son appartement. Mes mains agrippent mon sac, alors que je repense à certains des événements qui ont mené à cette soirée, et il me revient en tête plusieurs conversations sur l'introduction en Bourse : *le programme d'actions partagées*. Nous en avons parlé depuis notre rencontre, et il a probablement planifié son coup pendant tout ce temps. Comment ai-je pu permettre ça ? Tu es une idiote, Catherine. Une véritable idiote.

«Quand cette transaction sera terminée, ma belle, je pourrai m'offrir un endroit à Bridgehampton et à St. Barth. Je peux avoir les deux. Peux-tu t'imaginer une chose pareille ? » Il devient possédé par un rire fou. «As-tu entendu ce que je viens de dire ? On aura les deux. On peut tout avoir ! », crie-t-il au chauffeur de taxi et à des passants qui marchent le long de Park Avenue. C'est curieux, j'ai l'impression d'avoir tout perdu.

∞

À l'appartement de Jeffrey, je reste étendue sans rien dire sur le rebord de son lit moderne. Ses mains me caressent les épaules, mais je reste de glace.

«Allons. Qu'est-ce qui ne va pas ? »

«Je ne me sens pas bien. Ce doit être le champagne et le vin. Les mélanges ne me réussissent pas. »

Je cours à la salle de bain pour vomir ce qui semble être la moitié de mon poids. Je ne reconnais pas la femme qui me fixe dans sa glace démesurée, mais j'essaie de la réconforter du regard. Mon esprit remonte jusqu'à sa scandaleuse demande, et je veux hurler, mais je frappe plutôt le comptoir de marbre avec mon poing. Comment ai-je pu être aussi naïve et mettre ma carrière en jeu pour cet homme? Je dois partir d'ici au plus vite.

Dès que Jeffrey s'endort, je sors de la chambre sur la pointe des pieds et me rends jusqu'à la cuisine. J'essaie de griffonner quelque chose sur un bout de papier. Je suis tentée d'écrire: *Je t'enverrai en prison pour ça, salaud*, mais je me ressaisis et choisis plutôt ceci:

Cher Jeffrey,
Désolée pour hier soir. Je ne me sentais pas très bien.
Suis partie au bureau et te rappellerai.
Catherine

Il vaut mieux pour moi faire comme si de rien n'était, jusqu'à ce que je décide quoi faire. Je suis peut-être en train de faire toute une montagne d'une histoire qui ne le mérite pas – je suis épuisée. Pendant quelques heures, je marche sans but dans l'Upper East Side, et je tente de me consoler en regardant fixement des vitrines, avant de m'effondrer sur un banc, en larmes. Tout ça, c'était de la frime: les fleurs, les cadeaux, les dîners, et l'accueil sympathique pour ma mère. Comment n'ai-je pas pu décoder les signes? Merde! Ma tristesse se change en colère, puis en culpabilité: ma relation personnelle avec Jeffrey aurait-elle embrouillé mon jugement professionnel? Comment ai-je pu être aussi stupide et me laisser duper par un escroc aussi habile ? Pourquoi ai-je mis ma carrière en jeu pour une telle ordure ? Et comment vais-je traiter ce désastre au bureau ? J'essaie de rejoindre Lisa, mais elle ne répond pas.

Plus tard, je me réfugie dans mon appartement, qui me semble morne et exigu. Je décroche le téléphone, ferme les rideaux, m'écrase sur mon lit et allume le lecteur de DVD pour regarder un film fort approprié attendu les circonstances : *Bonjour tristesse*.

« Lisa, c'est moi. Désolée de te téléphoner si tard un dimanche soir, mais j'ai vraiment besoin de parler. » Après avoir laissé une vingtainc de messages sur sa boîte vocale, je finis par avoir Lisa en direct.

« Je veux mourir, Lisa. Tout ce temps, Jeffrey s'est servi de moi. » J'éclate en sanglots.

« Du calme, chérie, de quoi parles-tu ? »

« Promets-moi de ne le dire à personne. C'est vraiment horrible. Jeffrey m'a demandé de l'aider à voler sa compagnic. »

« Quoi ? Tu plaisantes. C'est une blague ? »

« Non, je t'assure que c'est vrai. Jeffrey a eu le culot de me demander de transférer illégalement des actions de Browser à un compte *offshore*. Il se fiche de moi, Lisa. La seule chose qui le préoccupe, ce sont les millions de dollars qu'il est sur le point d'empocher. J'ai été tellement dupe. Je veux tout simplement m'en aller d'ici. »

« Je ne peux pas le croire. Qu'est-ce que tu lui as dit ? »

« Rien, je me sens tellement écrasée. Il m'a rendue complètement muette. Mon Dieu, dire que j'ai cru à son grand numéro de charme et que je lui ai fait confiance. Quelle poire je fais ! »

« Non, tu n'es pas une poire. Tu as pris le risque d'aimer ; c'est une marque de bravoure. Et lui, c'est un parfait salaud. Qu'est-ce que tu comptes faire ? Vas-tu le dire à Scott ? Tu ne peux pas le laisser s'en tirer comme ça. »

Je me mouche et réponds : « Je n'y ai pas encore réfléchi. Je continue d'espérer que j'ai peut-être mal compris ce qu'il me disait. Qu'il ne me ferait jamais ça… »

« Il n'y a qu'une seule façon de le savoir. Dis-lui que tu ne le feras pas, et vois comment il réagit. »

CHAPITRE 34

En arrivant le lundi matin, je demande à Mimi : « Où est Rikash ? »

« Il s'est déclaré malade aujourd'hui. Il avait l'air en piteux état au téléphone. »

Oh là là, j'aimerais tant pouvoir me confier à lui, surtout en ce moment. Je chausse de grandes lunettes de lecture pour cacher les poches que j'ai sous mes yeux. Assise à mon bureau, je fixe le dossier Browser, et ma première envie est de le déchirer en millions de parcelles pour le jeter par la fenêtre. Plusieurs messages frénétiques de Jeffrey attendent dans ma boîte vocale, et je prends le téléphone pour composer son numéro.

Il me faut affronter le *démon*, et le plus tôt sera le mieux.

☙

« Salut, Jeffrey, désolée pour ma disparition, dimanche matin. J'étais vraiment malade. Ce doit être toute cette nourriture que j'ai mangée samedi soir. »

« Comment te sens-tu, *babe*? Ça va? »

« Oui, beaucoup mieux. As-tu quelques minutes pour bavarder? »

« Bien sûr. »

Les mains tremblantes, j'essaie de rassembler le courage nécessaire pour l'affronter directement : « Écoute, j'ai réfléchis à ce que tu m'as demandé, et je ne crois pas pouvoir le faire. Ça sort des limites de mon mandat. »

« Quoi? De quoi tu parles, merde? » répond-il, maintenant d'un ton agressif.

Je fais une pause avant de poursuivre, et je me prépare au pire.

« Ça veut dire que tu vas devoir demander à quelqu'un d'autre de s'en occuper. »

« Tu n'es pas sérieuse? Je te demande seulement de me rendre un minuscule service ; ce n'est pas grand-chose. » Sa voix est maintenant devenue glaciale.

« J'ai relu les règles de la convention de placement et le transfert *offshore* les enfreindrait. »

« Quoi? Qu'est-ce que tu dis? Je n'en crois pas mes oreilles! Quand es-tu devenue Miss Perfection? hurle-t-il dans le téléphone. Tu te retournes contre moi? Catherine, ne me fais pas ça. Pas maintenant. »

En état de choc et le cœur brisé de l'entendre me parler ainsi, je veux hurler à pleins poumons : « *Ô rage ! Ô désespoir ! Égoïste ! Égoïste !* » comme dans les publicités du parfum de Chanel.

« Jeffrey, calme-toi. Je dis seulement que ça ne me met pas tout à fait à l'aise, c'est tout. »

Il tente d'adopter un ton de voix doucereux. « Écoute, beauté, je t'ai déjà dit que ça n'a rien d'illégal. Je le fais sur les conseils de mon comptable : c'est donc tout à fait légal. Tu n'as qu'à transférer les actions au nom de ma secrétaire dans un compte *offshore*, et c'est tout. Peux-tu venir dîner avec moi ce soir ? Nous pourrions en parler, et je vais t'expliquer. J'ai déjà fait une réservation pour nous deux au Chanterelle, et je leur ai demandé de sortir de leur cave privée une bouteille de ce sauvignon blanc que tu aimes. »

Comment ai-je pu tomber amoureuse de cette ordure ? Je pourrais perdre mon permis de pratiquer le droit. Et comment peut-on être rapace à ce point ? La semaine prochaine, il fera déjà des millions de dollars de façon tout à fait légitime, alors a-t-il vraiment besoin de se donner un supplément au prix de sa réputation, de celle de sa compagnie, et surtout, de notre relation ? Je croyais qu'entre nous, c'était du solide, sans parler de cette passion partagée pour la musique et les arts. Aurait-il tout inventé pour me séduire ? J'ai le cœur qui me tombe au fond de la poitrine quand je réalise que mes intérêts pour le jazz, la lecture et le voyage sont énumérés dans mon profil, sur le site Web du cabinet et sur Facebook. Il s'est joué de moi comme si j'étais une idiote.

« Pas certaine. Je suis débordée. Je te rappellerai. »

« Tu me manques », ajoute-t-il avant que je raccroche.

Je reste sur ma chaise, abattue. Que faire ?

∞

« Je peux manger avec toi ? »

« Oui, bien sûr. »

C'est l'heure du lunch et je suis assise à la bibliothèque du cabinet, à passer au crible des journaux pour prendre une distance par rapport aux exigences sans fin de Bonnie et éviter de lire mes courriels, puisque je ne peux pas parcourir plus de quelques lignes sans penser à Jeffrey. Je me sens complètement inutile et déçue – à tel point que l'interruption est bienvenue lorsque Nathan entre avec son lunch de chez *Fresco on the Go*.

« Tiens, Catherine, je t'ai apporté un espresso. Je sais combien tu adores ça. »

Je lève les yeux de mon journal, étonnée de son geste prévenant. Il tente peut-être d'acheter mon silence depuis que je l'ai surpris à sniffer de la coke. Je soupçonne tout le monde à présent.

« Merci, Nathan, c'est très gentil de ta part. »

« Mon Dieu, c'est insupportable dehors, on peut à peine respirer. Il doit faire soixante degrés Celsius. »

« Je sais. C'est pourquoi je suis ici. »

« Alors, quoi de neuf ? As-tu participé à d'autres fêtes fabuleuses qui me rendraient jaloux ? »

«Plus de fêtes. J'ai travaillé tous les week-ends.»

«J'imagine que la grande introduction en Bourse s'en vient.»

«Hmm.» Mon Dieu, c'est la dernière chose à laquelle je veux penser.

«Désolé, est-ce que j'ai dit quelque chose qu'il ne fallait pas?»

«Non, je suis juste excédée d'en parler, c'est tout. Et de ton côté? Quoi de neuf dans ta vie?»

«En fait, j'ai des nouvelles assez étonnantes. Ma femme attend notre premier enfant.»

Je fixe Nathan, ébahie. Son premier enfant? Facturer trois mille heures par année ne laisse pas beaucoup de temps pour concevoir un bébé… S'il y a environ huit mille huit cents heures dans une année et qu'on en passe environ le tiers à dormir, Nathan a dû passer le plus clair de son temps au bureau pour augmenter ses heures facturables. Mais puisque le temps passé à lire des courriels, à remplir des feuilles de présence, à participer à des réunions de groupe de pratique, à naviguer sur le Web et à sniffer de la poudre blanche ne peut être facturé, il faudrait qu'il soit dans son bureau de l'aube jusque très tard le soir, six jours par semaine, avec à peine quelques minutes pour les repas, les pauses pipi, ou le sexe.

«Félicitations, Nathan. C'est une merveilleuse nouvelle.»

«Je sais. C'est vrai.»

« Je suis sûre que tu seras un père formidable », dis-je avec réticence.

« Catherine, je voulais t'expliquer… »

« Je ne veux pas d'explications, Nathan. Tu es libre de faire ce que tu veux. »

« Juste pour que tu le saches, je ne suis pas accro. Un ami à moi m'a initié récemment, après un dîner de fête, et je ne l'ai fait que quelques fois depuis. Ça me remonte le moral. »

« Tu en parles comme si c'était un nouveau mélange espresso. Tu pourrais te faire prendre ou, pire, devenir dépendant. Et tu pourrais perdre ton emploi à cause de ça. »

« Je sais. J'ai arrêté. J'espère que tu me crois. » Il semble couvert de honte.

Je m'aperçois soudainement que je ne devrais peut-être pas être aussi bigote. Après tout, nous tâtons tous les deux de l'illégalité ; seulement, celle de Nathan arrive dans un minuscule sac de plastique, et la mienne se présente sous la forme d'un petit ami manipulateur.

« As-tu déjà essayé ? »

J'essaie de garder un ton détendu. « Non, ça ne m'intéresse pas. Je n'ai certainement pas besoin du coup d'adrénaline ; j'ai déjà Bonnie à mes trousses. Elle devrait porter l'étiquette de drogue illégale. »

Il ricane après avoir pris une bouchée de son sandwich. C'est la première fois que nous rions ensemble.

« Eh, as-tu entendu la bonne nouvelle à propos d'Antoine ? »

« Non. »

« Il vient d'attirer une transaction majeure au cabinet : la privatisation d'une grande société française. Ce drôle de veinard est bien tombé. Il est admissible au partenariat cet automne. »

« C'est très bien pour lui. » Malgré son comportement bizarre avant son départ pour Paris, je suis contente pour lui. Il mérite chaque once de son succès.

« On dirait qu'il a marqué un bon point. Cette transaction est si immense que tout le bureau de Paris sera mobilisé par elle », dit-il avec un regard d'envie.

« Comment sais-tu tout ça ? »

« Il me l'a dit au téléphone hier. »

Je ne l'avais pas remarqué, mais Antoine ne m'a jamais rappelée pour avoir des nouvelles du bureau de New York. Après notre grande altercation, le soir du concert, il a probablement choisi de rester en contact en appelant Nathan. Étrangement, cela me dérange et m'attriste aussi.

« Tu es sûre que ça va ? Tu sembles un peu troublée. J'espère que tu ne te sens pas concernée par toutes les rumeurs qui circulent. Je ne crois pas que nous devions nous inquiéter, nous sommes bien trop bas dans la hiérarchie pour être affectés. »

« Non, ce n'est pas ça. Je suis juste fatiguée. Cette introduction en Bourse me tue. »

« Vois le bon côté. Au moins, tu n'as pas à te soucier de tes heures facturables, s'empresse-t-il d'ajouter. À tantôt. »

Le bon côté ? Le bon côté de quoi ? Je décide de me promener dans les couloirs pour rester hors de mon bureau le plus longtemps possible. La demande de Jeffrey a profondément ébranlé ma confiance en moi. Je suis sans doute totalement incompétente dans la pratique du droit. À quoi sert de travailler comme une chienne, de toute façon ? Mme Simona avait peut-être raison ; je devrais m'orienter vers une autre carrière. Pendant un moment, j'erre sans but, tentant de trouver un sens à ma vie, puis mes pensées sont interrompues par les cris de Bonnie.

« Je ne peux pas le croire. Catherine travaille pour moi, pas pour toi ! » Sa voix provient du bureau de Scott.

« Non. Comme Catherine travaille pour moi à la transaction de Browser, elle ne peut pas travailler à ta nouvelle acquisition, désolé. »

Bonnie sort précipitamment du bureau de Scott et arpente le couloir, les grandes boucles nouées à la taille de sa jupe Gucci noire, style dominatrice, se balançant de part et d'autre.

Magnifique : par-dessus le marché, me voici le témoin direct de la bataille des seigneurs de guerre. Pour une fois, je veux me jeter à ses talons aiguilles et supplier Bonnie de me donner du travail pour éviter d'avoir affaire à Jeffrey. On voit à quel point ça va mal quand l'idée de se jeter dans la gueule du loup semble salutaire.

J'arrête près de la bibliothèque pour ramasser mes affaires, et le téléphone sonne; le nom de Harry Traum apparaît sur l'afficheur. Comme je suis la seule personne dans la pièce, je me demande si je dois prendre l'appel avant la fin de la sonnerie. Je fais quelques pas vers la sortie lorsque le téléphone sonne de nouveau. Craignant qu'il y ait des caméras de sécurité et qu'il puisse me voir, je prends la ligne.

« Allô. »

« C'est Harry Traum. J'ai besoin d'une recherche, tout de suite. Je vais à la cour dans quelques heures. C'est urgent. »

« Eh bien, euh, je ne suis pas certaine de pouvoir vous aider, M. Traum. Je suis prise avec une transaction importante. »

« Elle attendra. Ce que j'ai est plus important. »

« Malheureusement, je n'ai vraiment pas le temps. Je pourrais peut-être trouver quelqu'un d'autre pour vous aider? » Comme je n'ai pas eu une seule nuit de sommeil convenable depuis environ un mois et que je suis complètement à bout de nerfs, je décide de camper sur ma position, sachant que c'est risqué.

« Savez-vous qui je suis? hurle-t-il dans le téléphone. Le savez-vous? »

« Oui, bien sûr… Et vous, savez-vous qui je suis? » dis-je en tremblant.

« Non. »

Mon esprit s'agite pendant une fraction de seconde. Il n'y a pas de caméras cachées. Il ne sait pas qui je suis.

«Désolée.» Je raccroche et sors de la bibliothèque en courant, secouée par mon tour de force effronté.

∾

Le lendemain matin, Rikash se présente au bureau, mal rasé, puant la cigarette et l'alcool. Il a des cercles foncés sous les yeux et paraît plus décoiffé que moi.

«Rikash, qu'est-ce qui t'est arrivé? Tu as l'air pitoyable.»

Il entre dans mon bureau, ferme la porte, se couche en position fœtale sur le plancher, et commence à sangloter.

«Qu'est-ce qui ne va pas?»

«C'est horrible, Catherine, horrible.» Je m'accroupis à côté de lui, chancelant sur mes talons hauts, et je lui frotte les épaules pour le réconforter.

«Quoi? S'il te plaît, dis-moi ce qu'il y a!»

Après s'être bercé sur le tapis pendant quelques moments, il finit par parler.

«On peut sortir un peu? J'ai besoin de fumer.»

Nous quittons le bureau sans dire à personne où nous allons. Avec son allure et mon état d'esprit, ils n'ont qu'à s'y faire. Il allume une cigarette, m'en offre une, que j'accepte. Il met sa veste sur son épaule et un bras autour de ma taille.

«Dimitri a volé mon documentaire.»

« Oh mon Dieu, pourquoi ? Qu'est-ce qui s'est passé ? »

« Samedi soir, nous sommes sortis en boîte et je crois que Dimitri est devenu jaloux parce que je parlais à quelqu'un d'autre. Tu me connais, je suis un extraverti ; j'aime être l'âme de chaque fête. Je ne crois pas qu'il puisse supporter d'être avec quelqu'un de si expressif. En tout cas, nous sommes retournés chez moi, nous avons eu une grosse dispute, et il a volé mon ordinateur portable pendant que je dormais. Mon portable contenait l'intégralité de mon film. »

« Rikash, je suis désolé. » Mon cœur flanche de le voir dans cet état.

« Et je n'avais pas de copie de sécurité. J'ai perdu un an et demi de ma vie à faire ce film. Je suis tellement bête. »

« Je ne peux pas le croire. As-tu appelé la police ? »

« Non, pas encore. »

« Pourquoi pas ? »

Il lève les épaules. « J'imagine que j'espère encore qu'il revienne. »

« Rikash, il a volé ton portable. Tu crois qu'il va vraiment revenir ? »

« Je ne sais pas. Je suis un peu perturbé en ce moment. » Ses yeux se remplissent de nouveau. « Et mon pauvre frère, il sera dévasté. J'espérais vendre les droits de mon film pour l'aider à payer ses études. Mes parents ne peuvent l'aider, ils n'ont pas un sou. »

« Je peux te prêter de l'argent. »

« *Dah-ling*, c'est très gentil, mais je ne pourrais jamais accepter. »

« Allons, ce serait un prêt. Tu pourras me rembourser plus tard. »

« Merci, mais j'ai ma fierté, tu sais. J'ai des tas d'amis à Mumbai, je vivrai peut-être un moment avec eux pendant que j'essaie de comprendre. Retourner là-bas est peut-être la meilleure option. »

« Rikash, je ne veux pas que tu partes. Je serais perdue sans toi. » Je le regarde et des larmes commencent à rouler sur mes joues. « Tu n'es pas le seul à avoir été dupé, mon ami. »

Ses yeux deviennent grands comme des soucoupes. « Qu'est-ce que tu veux dire ? »

« Jeffrey. Il s'est servi de moi, Rikash. C'est un minable et un voleur. »

« Quoi ? »

« Il m'a demandé de l'aider à voler sa compagnie. »

« Mais pourquoi ? Il ne fait pas déjà assez d'argent ? »

« C'est un rapace. Pour certaines personnes, ce n'est jamais assez. »

Il s'arrête au milieu du trottoir pour me prendre dans ses bras, et je me mets à pleurer.

« Je suis tellement désolé, chérie. Tu devrais le dénoncer. Il le mérite, le salaud. »

« Je ne sais pas quoi faire. »

« On dit que la vengeance est douce au cœur de l'Indien… »

Un million d'images défilent dans mon esprit.

« Tu viens de me donner une idée magnifique. » Je m'incline, comme en vénération. « Maintenant, c'est toi mon maître. »

∞

« Salut, Jeffrey, j'ai réfléchi au cours du week-end et j'ai décidé de jouer le jeu. Mais seulement si tu me rends un petit service. »

Il m'est impossible de feindre des civilités avec Jeffrey, mais je dois m'assurer que tout est documenté. J'actionne le haut-parleur du téléphone et je démarre le Dictaphone.

« Bien sûr, ma belle, tout ce qu'il te faut, tu l'auras. »

« Le frère d'un bon ami étudie pour devenir ingénieur en informatique en Inde, et a désespérément besoin d'un emploi pour payer ses études. Est-ce que Browser peut l'aider ? »

« Absolument. Nous recherchons toujours de nouveaux talents. C'est déjà réglé. »

« Parfait. Alors, j'ai ta permission de transférer des actions à ta secrétaire et je demanderai à Sandy de coordonner tout ça. Tu as pris tous les arrangements nécessaires pour pouvoir verser l'argent sur ton compte personnel ? »

« Bien sûr. J'ai le meilleur comptable – il fait continuellement ce genre de chose. Je vendrai tout de suite les actions, et avant que tu le saches, toi et moi serons en train de nous prélasser sur une plage de St. Barth. Tu vas voir, le jeu en vaut la chandelle.»

Je ferme le Dictaphone. Je t'ai eu. Le seul endroit où tu te prélasseras, connard, c'est sur un lit à étages, en prison.

CHAPITRE 35

Le lendemain, je me présente au travail dans mon nouveau tailleur Dior, un foulard de soie rouge au cou, parfumée de J'adore et me sentant invincible. Ma tasse de café Edwards & White à la main, je marche d'un pas conquérant et m'arrête pile devant la porte du bureau de Bonnie.

« Bonjour, Bonnie, comment vas-tu aujourd'hui ? »

Époustouflée, elle lève la tête et soulève ses verres de lecture. Elle fixe mon ensemble d'un œil approbateur.

« Bonjour, Catherine. Je vais bien. Et toi ? »

« Au top. »

Je ne vais pas laisser un escroc me perturber ou détruire ma confiance en moi et ma carrière. Je retourne à mon bureau, m'installe dans mon fauteuil, et appelle Rikash.

« Ferme la porte. Comment te sens-tu ? »

«Très mal. Je ne dors pas depuis presque une semaine.»

«Nous sommes deux, alors. Pour changer, j'ai une bonne nouvelle. Ton frère vient d'être embauché par Browser en tant que développeur.»

«Quoi? Mais il n'a pas encore commencé l'école.»

«Sans importance. Je veux que tu l'appelles immédiatement pour lui dire que quelqu'un de la Banque suisse, ici, à New York, attend son appel. Il doit ouvrir un compte dès que possible. Peux-tu t'en occuper pour moi?»

«Ouvrir un compte à la Banque suisse. Mais pourquoi?»

«Ne pose pas de questions, fais-le, c'est tout.»

«J'espère que tu ne t'engages pas dans quelque chose de risqué en mon nom. Je ne veux pas mettre en cause mon bon karma; Dieu sait qu'il n'a pas été épargné au cours des années et j'ai désespérément tenté de le remettre en ordre de marche.»

«Ne t'en fais pas, ton karma est sain et sauf. Appelle seulement ton frère pour lui dire d'appeler Sandy Mercer à la Banque suisse. Son numéro est dans notre répertoire clients.»

«Bon, d'accord. Je vais le faire. Tu as l'air très confiante aujourd'hui, dans le genre délinquant.» Il lève les sourcils, perplexe.

«Oui, j'ai confiance que tout rentrera dans l'ordre. Comme le compte doit être ouvert d'ici demain midi, dis à ton frère de téléphoner tout de suite. Nous devrons également lui envoyer des documents : dis-lui de trouver un télécopieur. »

༺༠༻

J'avale une lampée de café avant de prendre le téléphone pour appeler le gestionnaire des comptes de la Banque suisse.

« Eh, Sandy, prêt pour le grand jour demain ? »

« Ouais, *man*, ça va être maboul. C'est vraiment *hot*, cette introduction en Bourse. »

« Écoute, j'ai un nouveau nom à ajouter à la liste des participants du programme international de partage d'actions. Jeffrey Richardson ma demandé d'ajouter un développeur de logiciels de l'Inde. »

« Un autre petit génie indien, c'est ça ? »

« Exactement. »

« Bon, c'est quoi, son nom ? »

« Nitesh Chandra. »

« C'est noté. Peux-tu me donner un numéro de compte ici, à la banque ? »

« Non. Pas encore. Il va t'appeler plus tard aujourd'hui pour régler ça ; il doit recevoir quatre cents actions. »

« Ces gars-là brassent du fric à la pelle on dirait ? »

« Tu parles. Oh, Sandy, avant que j'oublie, as-tu reçu la demande de Jeffrey Richardson, que je t'ai fait suivre ? »

«Ouais, je l'ai sous les yeux. Huit mille actions à un compte détenu par une des secrétaires. Ce doit être toute une secrétaire… »

«J'ai bien peur que l'information soit incorrecte – la compagnie avait plutôt demandé que ces actions soient également distribuées entre tous les employés de soutien de Browser. »

« C'est vrai ? »

«Oui, c'est très généreux. Tu n'es pas en train de remettre en question mon autorité, hein ? »

«Non, madame, bien sûr que non. C'est toi le patron. »

« Sandy, tu es mon homme de confiance dans cette transaction, alors, ne me laisse pas tomber. »

« Est-ce que je t'ai déjà laissé tomber ? »

« Jamais. »

« Très bien. S'il te plaît, dis-le à ton client. Je m'attends à recevoir une belle prime cette année. »

« Je lui ferai savoir, tu peux en être sûr. »

Le matin de l'introduction en Bourse de Browser, je suis assise dans notre salle de conférence, et j'attends les nouvelles financières à la télévision. Peu après l'ouverture du NASDAQ, une présentatrice rapporte que les actions ont bondi jusqu'à 105 dollars, à partir du prix d'ouverture de 23 dollars l'action. Étant donné le nombre d'actions que possède Jeffrey, il a maintenant 100 millions de dollars sur papier.

J'appelle Rikash dans la salle de conférence. « Dis à ton frère de vendre ses actions. Il fera un joli petit profit. »

« Merci infiniment pour ce geste. Tu n'as aucune idée de l'aide que tu nous apportes. Est-ce que ça va te causer des ennuis ? »

« Non. »

« Et Jeffrey, il va l'apprendre ? »

« Peu importe. À présent, il est probablement trop occupé à baver sur l'immense pile de fric qu'il vient d'amasser. »

« Pour moi, tu es Lakshmi, la déesse de la fortune. »

Rikash me donne une accolade et retourne hâtivement à son bureau. Pendant ce temps, Maria, de l'entrée de la salle de conférence, épie la scène.

Super. La grande gueule sera heureuse d'avoir cette histoire juteuse à se mettre sous la dent. Sachant que cela serait fort utile un jour, j'ai fait des copies de la conversation sulfureuse que Maria et Roxanne ont eue à l'heure du lunch, l'autre jour. Je dépose une cassette miniature sur son bureau, avec une note :

Chère Maria,

Ne commettons pas de geste malheureux, d'accord ? Nous aurions toutes deux fort à perdre.

Catherine

Ce matin-là, je passe devant son bureau et elle hoche humblement la tête pour reconnaître notre pacte implicite.

∽

« Félicitations, Catherine. J'ai entendu dire que l'introduction en Bourse de Browser s'était très bien déroulée. Dommage que tu n'aies pu participer à l'offre ; j'ai entendu dire que l'action avait grimpé à cent dollars ce matin », me dit Scott alors que nous nous rendons tous deux aux ascenseurs pour le lunch.

« Je suis juste contente que ce soit terminé pour pouvoir accepter d'autres défis. »

Il me fixe, quelque peu surpris. « Est-ce que tu vas passer le week-end dans les Hamptons ? »

« Non. Je m'en vais à une autre plage pour trois jours. J'ai décidé de prendre congé vendredi. J'espère que ça ne te dérange pas. »

« Bien sûr que non. Tu t'en vas dans un bel endroit ? »

« Oui, à Anguilla. »

CHAPITRE 36

« D evine qui a appelé pendant que tu te faisais bronzer sous les tropiques ? »

« Hmm, laisse-moi deviner. Mister Hyde ? »

« Comment le sais-tu ? »

« J'ai bien deviné. »

Je savais que Jeffrey tenterait de me joindre en rage après avoir découvert que les actions de Browser avaient été transférées à un groupe de secrétaires. Pendant le week-end, j'ai reçu plusieurs courriels menaçants de sa part, que j'ai désespérément tenté d'ignorer. Après avoir lu le dernier, j'ai préparé un scénario détaillé à l'intention de Rikash, au cas où Jeffrey m'appellerait au bureau.

« Je ne suis pas étonnée. Qu'est-ce qu'il a dit ? »

« Il a hurlé que c'était urgent et qu'il devait te parler. Quand je lui ai dit que tu n'étais pas joignable, il a menacé d'appeler Scott et de lui révéler que tu avais commis une faute professionnelle. »

« Comment as-tu répondu ? »

« Exactement comme tu me l'avais ordonné. Je lui ai dit que tu avais enregistré votre dernière conversation téléphonique à propos du transfert des actions, et que tu allais en aviser immédiatement la SEC s'il faisait quoi que ce soit pour nuire à ta carrière. Il m'a dit d'aller me faire foutre, puis il a raccroché. »

Je suis convaincue que s'il le découvrait, Scott prendrait mon parti et dénoncerait Jeffrey aux autorités régulatrices, mais je suis soulagée de ne pas devoir divulguer les détails intimes de notre relation. C'est déjà bien suffisant que la demande illégale de Jeffrey m'ait fait remettre en question mon jugement professionnel. Je n'ai pas à me soumettre, en plus, à un exercice humiliant en exposant l'aspect personnel de ce malheureux incident.

« Merci d'avoir pris cet appel désagréable, Rikash. T'es un champion. »

Même si j'ai l'air calme, mon cœur flanche. Il est décourageant de penser que ma relation avec Jeffrey est si rapidement passée du pur bonheur aux viles menaces. Je veux retourner à Anguilla et m'enfouir la tête dans le sable.

« Tout le plaisir était pour moi, je t'assure : je ne peux pas supporter ce type. Alors, comment s'est passée la virée dans les Antilles ? Agréable ? »

«Agréable n'est pas exactement le mot, mais c'était relaxant. J'ai dormi pendant quarante-huit heures de suite et, entre deux épisodes de sanglots, j'ai eu droit à un massage, un enveloppement d'algues et des soins du visage. Disons seulement que je me sens désormais plus vive que morte.»

«C'est le début du processus de guérison. Tu es sur la bonne voie. À partir de maintenant, tout ira bien.»

«Et toi? Comment se déroule *ta* guérison?»

«Très bien.» Il bat de ses longs cils. «Je me soigne par le sexe.»

∽

«Mme Lambert, nous vous attendons dans la salle de conférence 22J.» Une voix aiguë résonne dans le haut-parleur de mon poste téléphonique. La coordinatrice du recrutement du cabinet, Joan Biltmore, est une femme menue, à la détermination d'acier et au comportement très militaire. Elle m'avait demandé de l'aider à interviewer des étudiants en droit du programme d'été du cabinet – et maintenant, je regrette d'avoir accepté. Je ne suis pas d'humeur à convaincre qui que ce soit de se joindre à la compétition acharnée qui règne dans cette maison de fous.

Lors d'une rencontre préalable, Joan nous a fourni les consignes du cabinet concernant le processus d'entrevue. «Nous recherchons de futurs employés qui contribueront à la pérennité du succès du cabinet. Des individus de cultures différentes et dotés de convictions solides, qui partagent nos valeurs essentielles. »

C'est plutôt incroyable. Des individus de cultures différentes ? Sur quatre cent vingt avocats au bureau de New York, il n'y en a pas plus de dix qui sont Afro-Américains ; elle faisait peut-être référence à des ouvertures de postes au service du courrier ou à la cuisine ?

Lorsque j'arrive à la salle de conférence, Joan discute des mérites de vendre son âme au cabinet. « Nous avons une approche unique en ce qui concerne la formation de nos avocats. Chacun a l'occasion d'acquérir beaucoup d'expérience pratique. Tous nos avocats sont des individus équilibrés, qui mènent une vie harmonieuse, et le cabinet n'insiste pas tant sur les heures facturables que sur la qualité du cadre de travail. »

Pfff ! N'importe quoi !

« Bonjour, Catherine, j'expliquais justement à Jonathan ce qui fait d'Edwards & White un lieu de travail si particulier. »

« Ah, c'est le moment parfait. » Je décoche mon sourire le plus engageant, pour que Jonathan se sente tout chaud et excité.

« Catherine est du groupe de droit commercial. Elle a travaillé à notre bureau de Paris avant de se joindre à nous. »

« Le droit commercial ? C'est le domaine dans lequel j'aimerais pratiquer un jour », s'exclame-t-il.

Étant donné l'état de mon système nerveux, je meurs de lui dire d'oublier cela, et de prendre ses jambes à son cou pendant qu'il en est encore temps, mais je me mords la langue.

«Merveilleux! Parle-moi un peu de toi, s'il te plaît», dis-je, feignant l'attention sans réserve, tout en ruminant à propos des trois cents courriels et messages téléphoniques que je n'ai pas encore consultés et qui se sont accumulés pendant mon week-end d'absence.

Il débite une longue tirade au sujet de ses résultats universitaires, jusqu'à ce que je ne sois plus tout à fait là. J'ai envie de hurler: «N'essaie pas de me faire gober ton charabia, mon chéri, tu n'es même pas encore diplômé! Ta fonction de rédacteur en chef à la *Yale Law Review* te donne tout juste les compétences nécessaires pour retourner le nettoyage à sec de Bonnie.» Mais maintenant que j'y pense, je suis certaine qu'il sera tout à fait à sa place dans ce paradis narcissique.

«Alors, Jonathan, pourquoi un grand cabinet juridique?»

«Pour le défi du travail et les excellentes occasions de formation.»

«As-tu des activités parascolaires? Des sports préférés?» dis-je, essayant d'éviter de le tourmenter avec des questions juridiques substantielles.

«J'aime les activités et les sports qui ont une forte composante d'esprit d'équipe. J'imagine que c'est parce que je suis un joueur d'équipe. J'apprécie également les activités qui misent sur l'endurance, la force de caractère et la loyauté. »

« Est-ce qu'autre chose t'intéresse ? »

« J'aime bien le vin français et les Françaises. »

« C'est vrai ? Tu as bon goût, Jonathan. » Sa réponse me rappelle les foutaises que Jeffrey m'a fait avaler pour me duper, et je veux bondir sur la table de conférence pour l'égorger.

« Mais la flatterie a parfois l'effet inverse, tu devrais faire attention. J'ai bien peur qu'il en faille davantage pour obtenir un poste ici. »

« Je vois plutôt ça comme un geste pouvant faire progresser ma carrière. »

« Eh bien alors je te souhaite la meilleure des chances dans ton cheminement professionnel, car tu en auras assurément besoin. »

Je le salue poliment et quitte la pièce. Jonathan est un vrai crâneur, et je suis convaincue que le cabinet lui fera une offre, malgré ce que j'ai à dire dans le choix des candidats. Je retourne à mon bureau, ferme la porte, et, pour la toute première fois au travail, commence à pleurer comme une Madeleine.

Je me sens tellement vide. Quand ce sentiment disparaîtra-t-il ?

CHAPITRE 37

« Jeffrey a enfin cessé d'essayer de me joindre. »
« Il lui a fallu du temps, n'est-ce pas ? » dit Lisa après avoir pris une dernière bouchée de son poulet épicé alors que nous sommes chez Tartine, dans le West Village. « Comment es-tu arrivée à te débarrasser de lui ? »

« Je lui ai envoyé un courriel qui a dû le tourmenter ; je lui ai dit qu'il avait de la chance que je ne l'aie pas dénoncé pour m'avoir demandé d'être complice de son arnaque. Je lui ai aussi fait savoir que je n'avais pas encore décidé si j'allais avertir la SEC. »

« Le feras-tu ? Si tu avertis la SEC, l'information deviendra publique et tout le monde au cabinet le saura aussitôt. »

« Je sais, mais la dernière chose dont le monde des entreprises a besoin, c'est d'un autre escroc à la tête d'une société cotée en Bourse. J'ai préparé une lettre qui résume les faits, adressée au directeur des enquêtes de réglementation à la SEC, je l'ai scellée et je l'ai mise "en dépôt" dans mon tiroir de bureau, jusqu'à ce que je me sente prête à l'envoyer.»

J'ai un sentiment affreux en disant cela à haute voix. J'ai encore une difficulté énorme à me réconcilier avec le fait que je suis tombée dans les bras d'un fraudeur.

«Tu as absolument raison, Catherine. Je suis fière de toi.»

La serveuse arrive à notre table avec deux pointes de tarte. «Les deux messieurs assis près de la fenêtre vous offrent le dessert. Vous avez de la chance, mesdames.»

Lisa envoie un signe de la main vers leur table pour les remercier.

«Comme c'est gentil. On les invite à se joindre à nous?» demande-t-elle, quelque peu excitée.

«Désolée, Lisa, mais je ne suis vraiment pas d'humeur. En fait, c'est à peu près la dernière chose qui me tente.»

«Je comprends. Je suis contente que tu ailles à ce séminaire en Californie. Cela te fera du bien de sortir de la ville. Et, qui sait, il pourrait y avoir à ton hôtel de jolis garçons avec qui tu pourrais *connecter*?»

Je ris – Lisa sait que je n'ai jamais compris l'expression *connecter*. Elle est tellement dépourvue de romantisme, probablement parce que la première fois qu'elle l'a utilisée, je croyais que Lisa parlait de brancher mon grille-pain ou ma télé. Depuis, c'est une blague récurrente. Elle sourit, contente de voir qu'elle a réussi à me détendre.

Elle lit dans mes pensées et poursuit. «Comment on dit, tu sais, cette expression *Un de perdu...*»

«*Dix de trouvés...* Très franchement, je ne cherche personne.»

«Comme Antoine, par exemple?» Elle me lance un regard inquisiteur.

«Eh, quoi, Antoine?»

«Est-ce que tu n'es pas un tout petit peu excitée à l'idée de le revoir?»

«Bof! J'imagine. Il semble avoir beaucoup de succès de son côté.»

«Tu l'as écarté assez rapidement. Il a l'air d'un type très bien.» Elle me fait un clin d'œil espiègle.

«Je n'envisage absolument pas de tenter ma chance de ce côté-là, Lisa. C'est déjà affreux pour moi d'avoir franchi la limite avec un client du cabinet. Comme je te l'ai dit, je ne suis pas d'humeur à rencontrer des hommes ces temps-ci.»

«Comme tu voudras. Essaie seulement de t'amuser. Je suis sûre que ce sera le pied!»

«Ouais, le genre de pied qui écrase.»

«Détendez-vous, mademoiselle! Au moins, il fera vraiment beau. Tu reviendras complètement revitalisée.»

«J'espère. J'ai besoin de quelque chose de positif en ce moment.»

Deux heures du matin, ce n'est probablement pas le meilleur moment pour faire mes bagages en vue d'un voyage d'affaires; j'ai le cerveau un peu embrouillé et le sens de la mode passablement faussé. Épuisée par une journée ininterrompue de rendez-vous, je lance dans ma valise deux paires de sandales de plage Havaianas et deux bikinis Eres (c'est parfait pour le *paintball*, non?). Mais quoi apporter pour les rencontres et les dîners d'affaires? Je reste assise un moment sur mon lit, dans la pose du *Penseur* de Rodin. Un tailleur fabuleux me vient à l'idée: je ratisse mon placard pour en trouver la jupe et farfouille au moins une demi-heure avant de me rappeler qu'elle est chez le nettoyeur. Merde! J'essaie de trouver autre chose, je rassemble certains articles, mais rien n'est aussi bien que l'ensemble que j'avais imaginé au départ. Je pourrais peut-être entrer par effraction chez Madame Paulette, en pleine nuit, pour récupérer ma jupe? Je commence à sortir et à essayer tout le contenu de mon placard, jusqu'à ce que mon appartement semble avoir été mis à sac, mais rien ne convient vraiment. Aïe! Harry Traum vient me cueillir dans moins de deux heures pour m'emmener à l'aéroport et je suis loin d'être prête. Ça y est, je suis prise de panique et au bord d'une sérieuse crise d'hyperventilation. *Du calme, Catherine, respire à fond. Ahhh!* Vraiment, tout m'horripile ces temps-ci. Après avoir maîtrisé mes nerfs, je choisis une veste de cuir *vintage* rose, un jean Acne, des t-shirts, mon nouveau tailleur Dior (je ne sors jamais sans lui), une robe de soirée noire à l'encolure échancrée, des talons aiguilles Lanvin, et deux *robes cache-cœur* de Diane von Furstenberg. J'ajoute quelques colliers et ma pochette J. Crew sur la pile, et voilà, je suis prête à partir. Ouf!

À cinq heures pile, la limo de Harry Traum s'arrête devant chez moi. La plupart de mes collègues sont partis hier pour jouer au golf avant les réunions officielles. Mon rôle dans un dossier à l'étranger m'a «obligée» à retarder mon voyage d'une journée et, retombée inattendue, j'ai Harry Traum comme compagnon de voyage. Son chauffeur vient à ma rencontre dans le hall d'entrée de l'édifice pour m'aider à transporter mon bagage. À l'intérieur de la voiture, je m'efforce d'entretenir une conversation appropriée et professionnelle, malgré mon incapacité à bien parler à une heure aussi matinale.

«Le cabinet semble très bien aller ces jours-ci. Nous sommes plutôt occupés au droit commercial. Comment vont les choses au contentieux?»

«Je suis toujours très pris. Vous ne croiriez pas le nombre de criminels d'entreprises.»

Oh, monsieur, détrompez-vous! J'aurais pu ajouter un autre nom de voleur à la longue liste, mais je préfère me comporter d'une façon irréprochable.

«Je n'ai entendu que du bien de vous, Catherine. Apparemment, vous êtes très intelligente.»

Eh bien, c'est une belle façon de se réveiller le matin. J'essaie de retenir un sourire éclatant.

«Merci, j'ai travaillé très fort. J'espère que ça portera ses fruits.»

« J'ai peut-être une proposition pour vous », dit-il avec un regard intense.

Oh-oh. Mon joyeux réveil pourrait se gâter… Une proposition ? S'il veut me draguer, je vais mourir. À moins que Bonnie me tue avant.

« Euh, quel genre de proposition ? »

« Comme c'est hautement confidentiel, n'en parlez à personne. Quelques associés principaux et moi sommes sur le point de quitter Edwards & White et de fonder notre propre cabinet, et j'aimerais que vous vous joigniez à nous… en tant qu'associée. »

Je le regarde avec des yeux ronds. Je ne peux pas croire qu'on m'offre le partenariat ! Mes six ans et demi de travail ardu et éprouvant défilent devant mes yeux à toute vitesse. Harry poursuit en parlant du genre de dossiers auxquels je travaillerais (intéressant), du salaire (très intéressant) et du pourcentage de mes parts au sein du nouveau cabinet (très, très intéressant). Mais mon euphorie initiale passe, et un sentiment me ronge le ventre. Quelque chose ne colle pas, mais je ne sais pas trop quoi. Je regarde l'autoroute en essayant de structurer mes pensées pendant qu'il continue de parler. Cela pourrait vouloir dire plus d'argent, de prestige, et le fait d'échapper à la poigne de fer de Bonnie. Mais au cours des semaines qui ont suivi la débâcle de Browser, j'ai développé un sentiment différent à propos de ma carrière. Est-ce que je veux vraiment continuer à travailler à un rythme aussi dingue, à satisfaire les exigences sans fin et souvent impossibles des clients et des plus gros poissons de la chaîne alimentaire ?

« Nous allons ouvrir une boîte spécialisée dans la criminalité en col blanc, et votre expérience compléterait celle des avocats-conseils. »

« Je suis très flattée de votre offre, M. Traum, mais je ne suis pas certaine d'être prête à faire un choix maintenant. Pouvez-vous me donner du temps pour y réfléchir ? »

Il me fixe d'un air incrédule.

« Ne me dites pas que vous êtes loyale à ce cabinet que dirigent une bande de trous de cul ? Êtes-vous assez naïve pour penser une seconde qu'ils sont loyaux envers vous ? Vous n'êtes qu'un rouage d'un mécanisme bien huilé, ma chère. Ne l'oubliez jamais. »

Ses paroles me donnent le frisson. Je ne suis pas assez naïve pour penser que des avocats comme moi soient indispensables. Mais vu la somme d'efforts que j'ai investie et mon engagement envers le cabinet, j'ose espérer un certain degré de reconnaissance en retour.

« Je m'en souviendrai, merci. »

« Prenez tout votre temps, Catherine », dit-il d'un ton sombre.

Alors qu'il regarde par la vitre teintée, une expression de douleur parcourt ses traits fatigués.

« J'ai passé les trente dernières années à travailler comme un dingue, et qu'est-ce que je reçois en retour ? Rien. D'une année à l'autre, j'ai attiré des clients importants, gagné des causes que tout le monde croyait perdues d'avance, réécrit la loi à la Cour d'Appel et à la Cour Suprême, et pour quel résultat ? On me traite comme si j'étais un vieux tacot prêt pour le parc de voitures d'occasion. »

Ne sachant pas trop si je dois répondre, j'écoute dans un silence stupéfait. Malgré son apparence rude et ses allures de dur, Harry a l'air d'un petit chien blessé.

« Ils n'apprécient pas ce que j'ai fait pour eux. À cause de ces imbéciles, j'ai subi deux triples pontages. J'ai été le plus grand champion de la vente de l'histoire du cabinet, et maintenant, ils essaient de me chasser. Pouvez-vous vous imaginer ? Quel tas de merde, ces connards ingrats. Vous savez quoi ? Ils peuvent aller se faire foutre. Et savez-vous ce qu'il y a de plus triste là-dedans ? Je vais emporter la plupart de mes clients et faire plus d'argent à moi tout seul. Une bande de singes cupides, rétrogrades et myopes. Voilà ce qu'ils sont, rien qu'une maudite bande de singes. »

Il me fait pitié. Il a l'air d'une rock star déchue dont les chansons ne passent plus à la radio. Pourquoi cet homme de soixante ans, avec des millions à la banque et des décennies de travail ardu derrière lui, ne songe-t-il pas à profiter de la vie ? Malgré son immense succès, sa réputation enviable, et tout son argent, il a l'air malheureux. Il me vient à l'esprit qu'il a peut-être perdu patience récemment, non pas à cause de son divorce, mais des pressions qu'on a exercées pour le chasser du cabinet. Cela cristallise l'inquiétude qui a fermenté en moi : je ne sais pas si je veux de cette vie-là.

Nous arrivons à l'aéroport et enregistrons nos bagages dans la file de la classe affaires.

« Je vous ai surclassée, Catherine. Vous serez assise avec moi en première classe. »

Merveilleux, mes chances de repos après une nuit sans sommeil sont maintenant nulles.

« Vous n'aviez pas à faire ça, je pouvais rester en classe économie. Je suis sûre que vous avez des tonnes de travail à faire, et je ne voudrais pas vous déranger. »

« Mais non, pas du tout. J'ai des milliers de ces primes de surclassement, et je ne les utilise jamais. Et puis, vous pourrez m'aider à préparer mon discours. »

« Votre discours ? »

« On m'a demandé de prononcer un discours au dîner d'ouverture, demain soir. »

Nous prenons place à l'avant de l'appareil. Harry pose sa grosse mallette d'avocat-conseil débordante de dossiers et de jurisprudence, en tire une chemise, et lit avidement entre deux agressives gorgées de café. En le fixant, je réalise que c'est un bourreau de travail, et que c'est ce qu'on attend des associés du cabinet : du travail, encore du travail. J'entends presque Rikash me dire : *Es-tu certaine de vouloir devenir associée ? C'est comme grimper au sommet du mont Everest en monokini, ma chérie : c'est vraiment froid au sommet. Et si tu arrives là-haut, rappelle-toi : on gave les porcs, mais une fois engraissés, ils vont à l'abattoir.*

Le fait que Harry soit sur le point d'être envoyé à l'abattoir ajoute de la pertinence aux commentaires de Rikash.

Étant donné l'implacable éthique professionnelle de mon voisin de siège, je me sens légèrement gênée de tirer de mon sac un exemplaire de *Vogue*. Je décide donc de feuilleter plutôt le magazine de la ligne aérienne.

« Je sais que c'est vous qui m'avez raccroché au nez à la bibliothèque, Catherine, bafouille-t-il. J'ai reconnu votre accent parisien. »

Mon Dieu. Alors que le pilote annonce notre départ imminent, je sens soudain une nausée. Je tire un papier-mouchoir de mon sac et le tiens serré contre ma bouche. De grâce, pas maintenant. J'essaie de me distraire de ce haut-le-cœur en pensant à toutes sortes de choses : cette magnifique veste Yves Saint-Laurent que j'ai repérée chez Bergdorf, l'air frais de la Provence que j'ai respiré quand j'ai rendu visite à ma mère, et le goût du soda gingembre sur mes lèvres.

« Ne vous en faites pas, ma petite, je ne vous en veux pas pour ça, dit-il après une autre gorgée de café. Je crois qu'il fallait pas mal de culot pour faire ce que vous avez fait. En réalité, j'ai été très impressionné. En droit, il faut apprendre à se protéger. C'est en partie pour cela que je vous offre un poste. »

Les moteurs finissent par rugir et l'avion avance sur la piste. Je me tourne pour regarder par la fenêtre, espérant que cela soulagera ma nausée, et à mon grand désarroi, je vomis sur moi-même et sur Harry. Même son dossier n'est pas épargné. L'hôtesse de l'air s'élance pour m'aider avec une serviette chaude et des grains de café pour atténuer l'odeur.

« Je suis tellement désolée, M. Traum. Je ne sais pas ce qui m'a pris », dis-je en essuyant ses documents.

« Ce n'est rien, ma chère, ma petite-fille de quatre ans fait souvent la même chose. »

Morte de honte, je me lève de mon siège et me précipite aux toilettes. Oh mon Dieu, je ne peux pas croire que je viens de vomir sur un associé principal qui sait que je lui ai raccroché au nez. Oh, merde ! Après vingt minutes à m'asperger le visage d'eau froide, je décide de retourner m'asseoir. Complètement absorbé par son discours, Harry ne semble pas se formaliser de mon dégobillage.

Je me tourne pour apercevoir l'homme assis de l'autre côté de l'allée. Il tente discrètement de lire son magazine *Maxim*, qu'il a replié de façon que personne ne puisse voir la nymphette aux gros seins qui orne la couverture. Il a posé ses verres de lecture sur le bout de son nez, comme s'il était en train de lire *The Economist*, alors qu'il reluque mes jambes. Je prends immédiatement un exemplaire du *New York Law Journal* pour le décourager de se lancer dans une conversation, et je chausse les écouteurs de mon iPod. À l'arrivée à San Diego, je me sens dégoûtée et misérable ; mes vêtements sont tachés et puent le vomi, mes cheveux sont en désordre, et mon visage est blanc comme un cachet d'aspirine.

Devant l'aéroport, des dizaines d'autobus portant des bannières où sont écrits les mots *Edwards & White* en gros caractères nous attendent à l'étage des arrivées. Des avocats du monde entier sont réunis pour se livrer à des exercices dans le but de renforcer l'esprit d'équipe.

«Catherine, vous voulez peut-être vous asseoir à l'avant, au cas où vous auriez de nouveau un malaise», propose Harry dès que nous mettons le pied dans l'autobus, sa grosse voix résonnant par-dessus la foule.

Super. Au moins un millier d'avocats ne vont plus tarder à apprendre que j'ai gerbé sur Harry Traum. Je n'oublierai jamais ça. *Jamais.*

Le lendemain matin, après que mes collègues se sont moqués de moi à tour de rôle, nous nous rendons dans un grand centre de congrès pour nos exercices, et je me demande, en regardant autour de moi, si Harry a fait des offres à d'autres avocats du groupe.

Environ à mi-chemin, Nathan ouvre une cannette de bière.

«N'est-ce pas un peu tôt pour commencer à boire?»

«Tu veux rire? C'est justement le bon moment de la journée.»

C'est la première fois que je vois Nathan se détendre et ça me plaît, en quelque sorte. De toute évidence, une pratique exigeante et le stress de bientôt devenir père l'obligent à lâcher la vapeur.

«Nous sommes en compétition avec Clifford Chance et Baker Mackenzie pour la première place des palmarès internationaux», dit Scott à Nathan, son voisin de banquette.

« C'est vrai ? » s'étonne Nathan sans manifester d'intérêt et tout en zieutant une jeune avocate du bureau de Prague assise directement devant lui.

« Cette retraite sera magnifique : tout le monde sera tellement gonflé à bloc que nous pourrons écraser ces deux-là l'an prochain. »

« Ouais, hmm. Bonne idée », opine Nathan, encore absorbé par la beauté d'Europe de l'Est.

Quelques minutes plus tard, je remarque deux associés charmants et bien habillés, à l'accent britannique, assis quelques rangées derrière nous. *Vite*, passons aux choses plus intéressantes.

J'observe l'un des deux hommes ; il a une allure impeccable, les cheveux ébouriffés et des yeux verts, profonds et pénétrants. Comme il me surprend à le regarder, il se lève et vient s'asseoir devant nous.

« Bonjour, je m'appelle James. De quel bureau es-tu ? »

« J'ai débuté à Paris, mais je travaille maintenant à New York. »

« Quelle chance ! » En souriant, il creuse des fossettes de la taille du Grand Canyon.

« Et toi ? Londres, je présume ? »

« Oui. Tu es perspicace, ajoute-t-il en blaguant. C'est une qualité que j'apprécie chez une femme. »

Je commence à rougir.

« Bienvenue aux États-Unis. »

« Merci, je suis très heureux d'être ici. J'ai entendu dire qu'il y avait un grand gala, ce soir. »

J'ajoute, nonchalamment : « Oui, je crois bien. »

Qu'est-ce que je raconte ? Bien sûr qu'il y a un grand truc, ce soir, puisque j'ai vomi sur le discours d'ouverture de la soirée.

« Pourrais-je avoir le plaisir de ta compagnie pour dîner ? » demande le Britannique, maintenant en mode flirt évident.

Écoutant notre conversation, Scott intervient.

« Nous serions ravis de vous avoir à notre table ce soir. »

Tu parles ! Nous serions ravis de vous avoir, *point*. Lisa avait peut-être raison de dire qu'en trouvant quelqu'un ici, j'oublierais Jeffrey.

Nous arrivons au centre des congrès et Antoine fait la queue pour prendre place. Il porte un complet chic de lin kaki avec une chemise à petits carreaux bleus. Pas de cravate. Il est même hâlé, ce qui le fait paraître bien plus en santé que lorsqu'il a quitté New York. Il vient me trouver dès qu'il m'aperçoit, et je ressens un léger pincement au ventre, étant donné que notre dernière conversation était plus qu'animée.

« Bonjour, Catherine, comment ça va ? » À son ton sympathique, je me détends.

« Antoine ! Je ne pensais pas que tu viendrais. Je me suis laissée dire que tu étais le fer de lance d'une privatisation majeure pour le gouvernement français. »

« Les choses ont un peu ralenti, Dieu merci… »

Il sourit chaleureusement et mes yeux sont attirés par sa pochette Hermès bleu pâle, ses gestes gracieux et son large sourire. Il est évident que le fait de déménager à Paris lui a fait du bien.

« Le démarrage de la transaction est un peu plus long que prévu. »

« Tu apprécies Paris, j'espère ? »

« Absolument. Tout le monde s'ennuie beaucoup de toi au bureau. »

« Ah bon ? »

Je suis ravie de l'apprendre. Depuis que j'habite New York, il m'a été difficile de rester en contact avec mes anciens collègues, et j'ai pensé à tort qu'ils m'avaient oubliée.

« Viens-tu au dîner, ce soir ? »

« Mais oui. »

« Je te verrai là. Je suis assis à ta table. Scott m'a réservé une place. » Il fait un clin d'œil.

J'ai changé d'idée ; après tout, ce séminaire sera fort agréable.

∞

« Je ne peux pas croire que tu lui aies demandé de s'asseoir à notre table », murmure un peu trop fort Bonnie à Scott, en pinçant ses lèvres rouges. « Il ne travaille plus avec nous. Il devrait être assis à la table du bureau de

Paris.» Elle serre son sac de soirée si fort qu'on dirait une boule de cuir.

«Pourquoi donc? lance-t-il. Il a fait un boulot énorme pour moi, et en plus, j'aime bien ce type.»

Elle se détourne et ne répond pas. Il est évident que Scott ne l'a pas consultée avant d'inviter Antoine à se joindre à nous. J'espère seulement que cela ne déclenchera pas la Troisième Guerre mondiale.

«Salut, Catherine.» James arrive près de nous, et il a fière allure dans un complet ajusté et une cravate rose pâle.

«Ah, salut James.»

«Cette place est déjà prise?» demande-t-il en pointant la chaise vide à côté de la mienne.

«Non, je t'en prie, vas-y.»

«Je ne voudrais pas risquer de prendre la place d'un New-Yorkais. Il pourrait m'arracher la tête», dit-il en plaçant sa serviette sur ses genoux.

«Je ne suis pas native de New York. Je suis française, tu te souviens?»

«Ah, oui. Désolé. Une Française, quelle chance.»

Nous nous engageons dans une longue conversation sous le regard attentif de mes collègues de bureau. Antoine est maintenant assis de l'autre côté de la table, près de Bonnie, qui a exagérément éloigné sa chaise de la sienne et lui a complètement tourné le dos pour parler à Scott. Dès que Nathan finit son verre, il lève le pouce pour m'encourager, tout en faisant signe à la serveuse d'apporter encore du vin. Lorsqu'elle s'approche de lui, il lui murmure quelque chose à l'oreille. La jeune femme le regarde avec surprise et son visage s'empourpre. Son bras effleure le bas de son dos lorsqu'elle remplit son verre pour la quatrième fois. Cette soirée est sur le point de devenir très intéressante.

Je m'entretiens avec James depuis une vingtaine de minutes, quand Antoine interrompt notre conversation.

«Catherine, voudrais-tu présenter notre invité? Je ne crois pas que nous nous soyons rencontrés.»

«Bien sûr, désolée. Voici James, du bureau de Londres, il est spécialisé dans le financement structuré.»

«*Le financhement chtructuré?* fait remarquer Nathan. Eh ben, j'étais dans le *financhement chtructuré* dans le cabinet où je travaillais avant. C'est as-som-mant. Il me fallait une vingtaine de cafés par jour pour rester éveillé. On ne me paierait jamais assez pour refaire ce genre de travail.»

«Ça ne se bouscule pas pour te l'offrir, Nathan. James, combien d'avocats y a-t-il dans ton bureau, ces temps-ci?» demande Scott, tentant de faire bifurquer la discussion.

«Même si on me faisait une offre, je ne l'accepterais pas. J'ai détesté ça», dit Nathan, dont la voix prend du volume. «Par-dessus le marché, je travaillais pour le pire trou de cul de Manhattan: Josh Green, un raté de première classe.»

« Nathan, ce n'est pas vraiment un raté, répond poliment Antoine. Dans son domaine, Green est le meilleur en Amérique. »

« Ah ouais ? Eh bien, c'est aussi le plus grand con d'Amérique. »

Scott se lève tel un ressort et fait signe à Nathan de le suivre. Ce pauvre Nathan est sur le point de faire un brin de causette.

« S'il te plaît, excuse mon collègue. Il a un peu trop bu, aujourd'hui. »

« Oh, il n'y a pas de quoi. Je ne l'ai pas pris personnellement. Et puis, il a plutôt raison. J'aimerais bien mieux être DJ dans une boîte de nuit, mais mes parents me désavoueraient probablement. »

Après le départ de Scott et de Nathan, Bonnie intervient.

« Je ne peux pas croire que Nathan se comporte ainsi. »

« Ce n'est pas grave. Écoute, ce n'est qu'un dîner entre nous », répond Antoine.

« Pas grave ? Tu veux rire. As-tu entendu ce qu'il a dit ? Une chance que ce soit seulement un dîner entre nous. Il mériterait d'être congédié. »

« Tu n'es pas sérieuse ? C'est l'associé qui facture le plus de tout le bureau, et sa femme attend un enfant. Nous ne pouvons pas faire ça », dis-je.

« Qu'est-ce que tu entends par « nous », Catherine ? J'ai bien peur que tu ne sois pas concernée par les décisions du groupe commercial. »

« Bon, alors, vous ne devriez pas faire ça. Il a trop bu. Ce n'est pas la fin du monde. »

« Tu ne crois tout de même pas que je vais suivre les recommandations de quelqu'un qui s'exhibe à moitié nue dans des fêtes de dépravés dans les Hamptons ? »

La tension, à notre table, est à couper au couteau. Je réfléchis un long moment avant de répondre à ses foutaises, mais l'offre de Harry me donne le courage de riposter.

« Il vaut tout de même mieux se retrouver à moitié nue dans une fête dans les Hamptons que dans des réunions avec des clients, tu ne crois pas ? »

Stupéfaits, Antoine et James se tournent vers moi. Je décoche un sourire triomphant en direction de Bonnie, dont le visage a soudainement pris la couleur des semelles de ses sandales Louboutin. Elle tente de changer de sujet en abordant une importante acquisition à laquelle elle travaille présentement.

Une fois ma tension artérielle revenue à la normale, je m'en veux un peu d'avoir mouché Bonnie. Malgré son comportement ridicule, je sais qu'elle s'est battue contre le sexisme et la phallocratie pour se hisser là où elle est. Quelle femme peut encaisser en silence et sans relâche des années de coups bas, d'agressions et d'âpre compétition sans perdre un peu de son âme en cours de route ? Et, depuis longtemps, il y a deux poids, deux mesures : si une professionnelle agit normalement dans le respect des stéréotypes féminins, on considère qu'elle se laisse faire. Si elle s'y oppose et qu'elle se montre ouvertement agressive, elle passe pour une garce. D'une façon ou d'une autre, c'est difficile.

Après le dessert, Harry Traum adresse à la foule fort imbibée ses remarques inaugurales (couvertes de vomissures). Pompette, je commence à m'appuyer sur James et je sens qu'il fait de même.

« Bonsoir, chers collègues, dit Harry en faisant taire la foule. Nous aimerions commencer cette soirée en saluant quelques grands talents de notre cabinet. »

James me fixe du regard et je frémis de ce désir qu'on a en flirtant avec un bel inconnu. L'attraction physique immédiate attire furieusement tous mes globules rouges vers mon cœur. Mes pensées sont interrompues par les applaudissements.

Harry appelle quelques associés principaux à venir le rejoindre sur scène afin de remettre une quinzaine de récompenses qui marquent les accomplissements de toute une vie. Des photos de chaque récipiendaire sont projetées sur un grand écran à mesure qu'ils sont nommés. Il me faut quelques minutes pour sortir de ma stupeur libidineuse et réaliser que, parmi les quinze personnes auxquelles on rend hommage ce soir, il n'y a pas une seule femme. Une profonde tristesse me gagne en pensant à toutes ces femmes de qualité, extrêmement dévouées et talentueuses, qui ont consacré leur vie au cabinet. Parvenues sur les plus hautes marches d'un cabinet dominé par des hommes, elles ont fait d'innombrables sacrifices personnels, n'ont pas eu cet avantage d'avoir une « épouse » pour prendre soin d'elles à la maison, et sont, de toute évidence, invisibles aux yeux de ceux qui décernent les récompenses. Quel message le cabinet envoie-t-il aux femmes qui composent la moitié de la salle ? Cela les motivera-t-il à partir chaque matin, avec un sourire et un tailleur, prêter main-forte aux phallocrates ? Mon corps se raidit et j'ai la tête qui tourne. Les choses seront-elles différentes si j'accepte un emploi auprès de Harry Traum ? En vérité, probablement pas.

« À présent, j'aimerais profiter de l'occasion pour vous informer que nous avons battu un nouveau record quant au nombre de transactions réalisées par le cabinet. La valeur de ces transactions s'élève, c'est inimaginable, à six milliards de dollars ! Félicitations à vous tous pour cet incroyable exploit. »

Un murmure collectif qui frise l'orgasme monte de la foule. Le visage de Bonnie s'éclaire comme si ce message lui était destiné. Elle renverse la tête, retire le châle de ses épaules à la manière de Dita von Teese, et envoie à Harry son regard le plus lubrique.

« Avant de commencer mon discours, je tiens seulement à remercier quelqu'un qui se trouve parmi nous, pour avoir modifié la direction de mes remarques d'ouverture. » Il appuie ses verres de lecture sur le bout de son nez. « J'ai eu le plaisir de partager mon vol vers la Californie avec une femme qui nous est récemment arrivée de notre bureau de Paris. »

Ah non, ce n'est pas vrai! Je sens plus de mille paires d'yeux se tourner vers moi, et je veux mourir.

«Oui, beaucoup d'entre vous connaissent Catherine Lambert grâce à son travail remarquable en droit commercial, mais ce que vous ignorez, c'est qu'elle a précipitamment projeté son petit-déjeuner sur le texte de mon discours que j'ai été obligé de récrire.»

Des rires bruyants retentissent de l'autre côté de la salle. Je reconnais la voix de mon ancien patron français. «*Bravo, Catherine, Bravo!*» Bonnie et Scott me lancent un regard furieux et incrédule, et je veux me glisser sous la table.

«Je dois dire qu'elle a été vraiment chic à propos de toute cette affaire et, selon moi, elle mérite des points supplémentaires pour cela.» Un tonnerre d'applaudissements remplit le silence gêné et Antoine soulève son verre dans ma direction. James appuie sa main sur mon épaule et fait un large sourire. «Bravo! Catherine. Bravo!»

«Oui, avant ce petit incident, j'allais parler de la position du cabinet sur le plan international, et ainsi de suite, poursuit sombrement Harry. Mais j'ai décidé de dire quelques mots sur les vertus de la loyauté et du dévouement sans faille.»

Je prends une grande gorgée de vin pour atténuer ma gêne. Je souris à l'idée que Harry est sur le point de délivrer son dernier discours chez Edwards et qu'il va probablement saisir l'occasion pour se défouler publiquement.

Après avoir vanté les valeurs de loyauté et de dévouement dans une carrière, il décroche le micro de son pied
et se met à arpenter l'avant de la scène à la manière d'un
prédicateur évangéliste. « Quand j'ai débuté dans ce
cabinet, il y a plus de trente ans, c'était une petite boutique
de contentieux qui ne comptait pas plus de quelques
dizaines de personnes. À l'époque, c'était très convivial. »
Il marque une pause. Son sourire exprime une certaine
nostalgie. « C'était vraiment l'âge d'or du cabinet. Nous
nous battions avec ardeur devant les tribunaux et nous
étions loyaux envers nos clients, et ils nous appréciaient
vraiment pour cela. Puis, le cabinet a grandi et commencé
à ouvrir des bureaux à gauche, à droite et au centre, et en
quelque sorte, nous avons perdu ce sentiment d'intimité.
À mon grand regret, les gens ont commencé à devenir
égoïstes, à s'inquiéter de leurs profits personnels… » Sa
voix s'étiole et cela engendre un échange de regards entre
des visages rougeauds et quelques toussotements à la table
des associés principaux. « Puis, après un certain temps, cet
égoïsme s'est mué en cupidité pure et simple. » Il traverse
la salle avec l'allure de Michael Douglas dans une scène de
Wall Street. Juste au moment où je m'attends à ce qu'il se
lance dans un discours à la Gordon Gekko sur la convoitise,
il s'arrête net devant la table des associés principaux et
poursuit son laïus : « Cette cupidité à laquelle je fais allusion
a pris la forme de coups bas et de traîtrises. » Je me tourne
vers Bonnie et Scott, qui ont maintenant le nez dans leur
gâteau au chocolat. Bonnie a même couvert son décolleté
avec son châle.

« C'est pourquoi ce soir je vous dis au revoir. Adieu, bande de bouffons ! Je vous quitte pour lancer mon nouveau cabinet, et j'emmène avec moi une quinzaine de vos estimés collègues… Bonne chance à vous ! » Il fait une sortie théâtrale, et un silence plombe aussitôt l'assistance. Comme dans un épisode de *Survivor*, chacun regarde son voisin en se demandant qui sont les quinze « traîtres ». Je fais semblant de jouer avec mon sac pour avoir l'air innocent.

Après dix minutes d'un silence de mort, Bonnie sort en courant de la salle et Antoine vient de notre côté de la table.

« Ouah, c'était plutôt inattendu ! »

« Hmm, ouais. » Je suis encore sous le choc. « Mais comme il est question de son départ depuis un moment, j'imagine qu'il vient tout simplement d'officialiser la chose. »

« Tu parles ! » répond James. Nous rions un peu pour rompre la tension.

« Je n'arrive pas à croire qu'il a traité les autres associés directeurs de bouffons ! » dit Antoine en hochant la tête.

« Oh, il a fait bien pire. Je m'en souviens. »

« Ah bon ? » répond James.

« Euh, je plaisantais. » Ne voulant pas bafouer la confiance de Harry après l'épisode du divorce, je garde pour moi sa référence aux singes.

« Alors, James ? Je constate que tu es en bonne compagnie. »

« Certainement. Cette soirée a son bon côté, après tout. »

« Catherine n'est pas seulement charmante, c'est aussi une sacrée bonne avocate. » Antoine se tourne vers moi et sourit.

Frappée de stupeur, je lève les yeux vers Antoine. Je n'aurais jamais cru qu'il ferait l'éloge de mes compétences juridiques. Toute cette soirée me paraît irréelle.

« Puis-je vous offrir un verre, les amis ? Il me semble qu'on en a besoin, n'est-ce pas ? » Antoine désigne le bar à l'arrière de la salle.

« C'est bien vrai. » James me regarde pour confirmer que je suis à bord.

« Oui, ça me semble être une excellente idée. »

Dès notre arrivée au bar, Antoine commence à parler affaires avec James. « J'ai vu ton nom dans une banque de données de dossiers internationaux. Je crois que tu représentes l'un de mes clients. »

Ils échangent des anecdotes sur des clients en descendant des martinis secs, tandis que je réfléchis à l'offre d'emploi de l'anti Gordon Gekko. Franchement, après ce que j'ai vu ce soir, j'aurais tendance à faire une demande d'emploi pour devenir représentante au service à la clientèle chez J. Crew : au moins, j'aurais droit à leurs nouvelles collections en primeur et à des rabais appréciables.

∽

Alors que je regagne ma chambre, vers minuit, James m'attend dans le hall d'entrée de l'édifice.

« Que dirais-tu d'un dernier verre ? »

J'hésite un moment et je regarde autour de moi avant de répondre.

« D'accord. »

Il me suit à ma chambre et nous fouillons le minibar pour trouver quelque chose à boire.

« Du vin blanc ? »

« Parfait. »

« Désolé d'avoir parlé boulot avec Antoine ce soir. »

« Ne t'excuse pas, c'est son sujet de conversation préféré. »

« Nous ne parlions pas tout le temps travail. Il semblait plus intéressé à discuter des groupes de musique britanniques. C'est un domaine où il s'y connaît extrêmement bien. »

« Vraiment ? J'imagine que j'ai dû décrocher à ce moment-là. Je pensais à la sortie théâtrale de Harry. »

« Une vraie scène d'anthologie, n'est-ce pas ? »

« Hmm. »

Il verse du vin dans mon verre, me fixe avec des yeux de chiot, et s'approche pour m'embrasser tendrement. Il paraît aussi délicieux qu'une boîte de macarons Ladurée.

« Tu es très jolie, Catherine. »

« Merci, James. »

Puis il m'embrasse à l'arrière du cou. Je me tends aussitôt, car cela me rappelle le pétrin dans lequel je me suis mise avec Jeffrey.

«Nous ne devrions probablement pas faire ça.» Je le repousse gentiment.

«Je te désire tellement, Catherine. Je ne le dirai à personne, je le promets.»

Je calcule rapidement mes chances de travailler avec lui ou de le croiser dans un avenir rapproché. Que faire?

Le téléphone sonne et j'essaie de l'ignorer tandis que James continue de m'embrasser. Il sonne encore.

«Allô?»

«J'espère qu'il n'est pas trop tard pour appeler?»

«Nathan, c'est toi?»

James me regarde fixement, l'air surpris.

«Oui, c'est moi. Je suis dans la merde, Catherine. Jusqu'au cou.»

«Quoi? Où es-tu?»

«Au bar, en bas.»

«Ne bouge pas, j'arrive.» Et je raccroche.

«C'est Nathan. Il est au bar de l'hôtel et il a l'air très mal en point. Je suis désolée, James, que dirais-tu si on remettait notre rencontre à demain?»

«Tu dois vraiment y aller maintenant? Ça ne peut pas attendre demain matin?»

«Non, désolée. Impossible.»

L'air penaud, James ramasse sa cravate et se dirige vers la porte après m'avoir embrassée sur la joue.

« Bonsoir, Catherine. »

« Bonsoir. »

Je passe en vitesse un jean et un t-shirt et descends retrouver Nathan au bar de l'hôtel. Assis sur un tabouret, l'air échevelé, il semble être en phase finale de dégrisement.

« Eh. »

« Ça va ? »

« Pas vraiment. »

« Qu'est-ce qui s'est passé ? »

« J'ai trop bu et j'ai fait une gaffe devant Bonnie. Elle et Scott m'ont passé un savon. Je suis sûr de perdre mon travail à cause de ça. »

« J'étais là, ce n'était pas si grave. Et puis, je suis certaine qu'ils ont d'autres chats à fouetter. Harry Traum a fait un discours d'adieu qu'ils ne sont pas prêts d'oublier. »

« J'en ai entendu parler. Je suis désolé d'avoir manqué ça. »

« On se serait cru dans un film. Je ne sais pas trop comment tout cela affectera l'avenir du cabinet. »

« Ça veut dire que nous devons tous nous mettre à l'abri. Mais maintenant, je n'ai peut-être plus d'abri. Je veux juste garder mon emploi. »

« Nathan, je crois que tu as besoin d'aide. »

« Je sais que je ne devrais pas boire comme ça, mais je me suis laissé aller. Je subis tellement de pression ; je suis complètement épuisé. Et tu ne connais pas ma femme. Quoi que je fasse, ce n'est jamais assez. »

« Que veux-tu dire ? »

« Quand elle ne veut pas un appartement en copropriété, c'est une maison sur la plage, et ceci et cela et autre chose. Elle souhaiterait avoir un niveau de vie que je ne peux pas lui assurer. Je fais mon possible pour devenir associé un jour, c'est tout. »

« Pourquoi ne lui dis-tu pas qu'elle te met trop de pression ? »

« Chaque fois que j'essaie de lui parler, elle me torpille. Et si elle est comme ça maintenant, je n'ose imaginer ce que ce sera après la naissance du bébé. » Il laisse tomber sa tête entre ses mains.

« À ton retour à New York, il faut que tu t'inscrives à un groupe de soutien, sinon, tu vas aggraver ta situation. »

« Tu parles ! J'ignore encore si demain j'aurai un emploi », répond-il le front appuyé contre le bar.

« Je suis sûre que demain ce sera oublié. C'est toi qui factures le plus grand nombre d'heures de tout le bureau. Scott ne veut pas te laisser partir. »

« Espérons-le. Merci, Catherine, tu me fais me sentir beaucoup mieux. Je devrais te laisser aller au lit, tu as des activités d'équipe demain matin. »

« Toi aussi. On se revoit tôt demain matin ? »

«Oui, mon commandant.» Il saute du tabouret et, jambes écartées, se tient comme un militaire au garde-à-vous.

«Bonsoir, soldat. Repos.»

CHAPITRE 38

Votre passion attend que votre courage la rattrape. Je me rappelle les sages paroles de Mme Simona en me rendant au gym de l'hôtel. Je me dis que le fait de courir sur un tapis roulant me donnera une occasion de me détendre et, surtout, de me figurer ce qu'est cette passion.

Les portes de l'ascenseur s'ouvrent sur la salle du gym et mon cœur s'arrête : une grande bannière grise opalescente souhaite la bienvenue aux cadres de la maison de haute couture. De minuscules sacs-cadeaux Dior argentés sont méticuleusement alignés sur une longue table adossée au mur. Je traverse le couloir pour arriver au gym en t-shirt et en short miteux, et passe devant de nombreuses femmes chics qui sirotent du thé. Je me demande si Antoine est au courant de ce rassemblement de cadres.

Après avoir péniblement tenté pendant une dizaine de minutes de courir sur le tapis roulant tout en regardant le vidéoclip *Freedom 90* de George Michael sur MTV, diverses pensées me taraudent l'esprit : des souvenirs de mon enfance ; *Je ne savais pas ce que je voulais être…* ma rencontre avec Simona, *il y a quelque chose au fond de moi…* ; l'emploi enviable de ma cousine Françoise chez Chanel : *il faut que je fasse autre chose…*, mes hésitations à rester chez Edwards : *recommence à chanter sous la pluie…*, ma réticence à me joindre au nouveau cabinet de Harry ; *parfois, l'habit ne fait pas le moine…* et la joie sur mon visage quand Antoine m'a confié le dossier Dior, *Maintenant, je vais faire ce qu'il faut pour être heureuse…*[9] J'ai une soudaine illumination : et si Pierre Le Furet, le directeur de la propriété intellectuelle chez Dior, était ici ? Je pourrais apprendre s'il y a un poste à combler dans son service ! Sans y penser davantage, je saute du tapis roulant, jette une serviette sur mes épaules, et fais un sprint jusqu'aux ascenseurs.

De retour à ma chambre, je prends la douche la plus courte de ma vie, enfile mon tailleur Dior, passe une longue rivière de perles et des talons, j'applique rapidement du fond de teint et vaporise une giclée de J'adore pour me porter chance, avant de filer. Avec mon ordinateur portable, je me rends au centre d'affaires de l'hôtel pour imprimer mon CV, que je glisse dans une enveloppe. Je regagne l'étage où se tient la réunion du personnel de Dior et interpelle un groupe de femmes qui sortent à la queue leu leu de la salle de conférence.

---

9. Traduction libre des paroles de la chanson *Freedom 90*, de George Michael. « *Didn't know what I wanted to be… there's something deep inside of me… there's someone else I've got to be… take back your singing in the rain… sometimes the clothes do not make the man… Now I'm gonna get myself happy…* » (Ndt)

« Excusez-moi, est-ce que Pierre Le Furet serait ici par hasard ? » dis-je à la première femme que je rencontre.

« Non, Pierre n'est pas là, hélas. Pourquoi vouliez-vous le voir ? »

« J'avais un document important à lui remettre. » Je suis visiblement déçue.

« Sa patronne est ici. Sandrine Cordier dirige le service juridique. Vous pourriez le lui donner. »

Oh, fantastique ! Cela veut dire que je pourrais contacter le sommet de la hiérarchie sans me soucier du client d'Antoine qui pourrait me dénoncer.

« La meilleure façon de la joindre est de vous procurer son numéro de chambre. Mais mieux vaut vous dépêcher, nos réunions sont terminées. »

Je me précipite dans le hall d'entrée de l'hôtel et croise quelques avocats du cabinet dans l'ascenseur.

« Tu es très chic, Catherine. Tu t'en vas quelque part ? »

En me précipitant par la porte, je leur réponds : « Absolument ! »

Je m'approche de la réception et j'attends impatiemment que le préposé me remarque.

« S'il vous plaît, j'aimerais avoir le numéro de la chambre de Sandrine Cordier. »

« Je suis désolé, mademoiselle. Nous ne pouvons divulguer ce genre d'information, mais vous pouvez appeler la téléphoniste de l'hôtel qui vous mettra en communication avec sa chambre. »

Je prends le téléphone maison de l'hôtel dans le hall d'entrée sous le regard perplexe de mes collègues du cabinet.

« Mme Cordier ? »

« Oui. »

« Bonjour Mme, mon nom est Catherine Lambert. Je suis avocate et je séjourne actuellement à l'hôtel. J'ai remarqué que Dior y tenait des rencontres de cadres. Je me demandais si je pouvais vous remettre un exemplaire de mon curriculum vitæ. J'ai une expérience pertinente qui pourrait vous intéresser. »

Woody Allen a dit que quatre-vingts pour cent du succès consiste à se pointer ; je dis que quatre-vingt-dix pour cent du succès consiste tout simplement à être audacieux et à demander ce qu'on veut.

« Là, je suis très fatiguée, Catherine, répond-elle après un long silence gêné. Pourquoi ne viendriez-vous pas me rencontrer dans ma chambre vers neuf heures demain matin pour que nous puissions en discuter ? Je suis à la chambre 209. »

« J'y serai ! »

Je retourne à ma chambre et m'affale sur le lit, grisée par mon exploit d'avoir trouvé la trace de l'avocat principal de chez Dior. Je me vois déjà travailler auprès des plus grands couturiers du monde. Après quelques moments à rêvasser, mon humeur change rapidement et je commence à avoir des doutes. Suis-je prête à faire le deuil d'une pratique privée, à ce stade de ma carrière ? J'ai investi tellement d'énergie pour prouver ce que je valais au cabinet. Et je dois user de prudence : Dior est un client important ; si mon plan échoue, je pourrais me retrouver standardiste : « Bienvenue chez J. Crew, ici Catherine, puis-je vous aider ? »

J'essaie de joindre Lisa pour avoir son avis, mais comme c'est sa boîte vocale qui me répond, je décide plutôt de prendre mes messages. D'entendre les voix de mes collègues me ramène à la réalité.

« Salut, c'est Nathan. Encore merci de m'avoir remonté le moral hier soir. Je viens de parler à Scott et j'ai encore mon emploi. À plus tard. »

« Bonjour Catherine, c'est Antoine. Serais-tu disponible pour un dîner demain soir ? Il n'y a rien à l'agenda et j'ai quelque chose d'important à discuter avec toi. »

Intriguée, je rends l'appel d'Antoine et accepte son invitation à dîner. Après tout, mieux vaut rester dans ses bonnes grâces au cas où j'aurais besoin d'une référence pour Dior.

∞

Le lendemain matin, j'arrive à la chambre de Sandrine à 8 h 56, mon CV à la main. Une pile de bagages Louis Vuitton est posée près de sa porte ouverte. Je jette un coup d'œil à l'intérieur de la chambre. Elle est vide !

« Elle est partie », dit le bagagiste en essayant sans succès de mettre toutes les valises sur un chariot.

« Où est-elle allée ? »

« À l'aéroport. »

« A-t-elle laissé des messages ? »

« Pas à moi en tout cas. Vous pouvez peut-être la rattraper en bas. Elle est partie il y a seulement quelques minutes. »

Je me précipite vers le hall d'entrée, perchée sur mes talons aiguilles. J'aperçois une femme en trench beige. Elle porte le sac Dior de cuir verni de cette saison. Elle s'engouffre dans une limousine. Sans cesser de parler dans son cellulaire, elle fait signe au chauffeur de démarrer.

Je reste plantée sur le trottoir : hors d'haleine et découragée. Comment a-t-elle pu oublier notre rendez-vous ? Je reviens à ma chambre pour bouder, et j'essaie de ne pas me sentir déçue. Sandrine Cordier ignore qu'elle a affaire à une femme entêtée.

∞

Plus tard, le soir, je retrouve Antoine dans le hall d'entrée de l'hôtel. Il porte une chemise de lin blanc avec des jeans griffés et son éternelle eau de Cologne Vetiver. Son parfum me ramène à notre première rencontre à New York.

« Où allons-nous dîner ? »

« J'ai réservé dans un nouveau restaurant italien du centre-ville. Tu aimes les pâtes, j'espère ? »

« J'adore ! »

Nous sommes assis aux extrémités opposées de la banquette arrière du taxi et Antoine continue de me lancer des regards étranges. Serait-il au courant de ce que j'ai tenté de faire aujourd'hui ?

Le restaurant est une tranquille trattoria sur une rue calme et ombragée. On nous conduit à une table située dans un coin, recouverte d'une nappe à carreaux rouges et blancs.

« C'est un bel endroit. Comment l'as-tu trouvé ? »

« J'ai demandé au concierge de l'hôtel. Il m'a dit que c'était l'une des meilleures tables en ville. »

L'une des meilleures tables en ville ? Je me demande pourquoi Antoine m'a emmenée dans un restaurant aussi haut de gamme. M'offre-t-il à boire et à manger pour que je donne de mon temps à sa privatisation ?

Avant qu'on nous apporte les menus, Antoine fait signe au serveur.

« Veuillez nous apporter une bouteille de votre meilleur champagne. »

J'ai mal deviné ; il ne commanderait pas de champagne pour me demander de travailler pour lui. Il m'informe habituellement de ses exigences par courriel, tard le vendredi soir, au moment où j'essaie de m'amuser.

« Le meilleur ? On fête quelque chose de particulier ? »

« En fait, oui. » Il sourit chaleureusement. Je suis étonnée par son ton décontracté ; Antoine semble étonnamment détendu ; ce doit être l'air de la Californie.

« Vraiment ? »

« Je viens d'apprendre que je suis admis comme associé. »

Cela ne m'étonne pas, je savais qu'il y arriverait. Contrairement à moi, Antoine semblait avoir le statut d'associé tatoué sur le cœur.

« Félicitations ! C'est une excellente nouvelle. Je suis tellement contente pour toi ! » Je lève ma flûte.

« Merci. Ça n'a pas été facile. » Nous trinquons.

« Je sais. Mais tout le monde savait que tu y arriverais. »

« On ne le sait jamais avec certitude avant que ce soit gravé dans le marbre. »

L'attitude décontractée d'Antoine me permet de m'ouvrir. « À vrai dire, je ne pense pas avoir ça dans le sang, cette capacité. »

« Bien sûr que tu l'as. »

« Non, je n'ai pas la volonté de faire les sacrifices que tu as faits. Tu vivais pratiquement au bureau. Je ne pense pas pouvoir m'éreinter plus longtemps autant d'heures par jour. »

« Tu trouves ça trop pénible ? »

« Oui. Et je ne veux pas me réveiller dans dix ans pour m'apercevoir qu'il n'y a eu que le travail au centre de ma vie. »

Antoine fixe sa serviette de table tout en jouant avec sa fourchette. Quelle idiote je fais !

« Pardonne-moi, je viens de dire une connerie. Je ne parlais pas de toi. Je parle seulement de moi et de ma vie. »

« Non. Non. Tu as raison, Catherine. Tu as tout à fait raison. »

Et cela m'apparaît comme une vision. J'ai *vraiment* raison ; je ne peux pas m'imaginer passer chaque jour des quinze prochaines années à compter les heures facturables et à jouer les rabatteurs de nouveaux clients pour Edwards & White. Peut-être qu'un emploi chez Dior serait exactement ce qui me convient. Je voudrais lui dire que j'envisage sérieusement de quitter le cabinet, que je brûle d'envie de travailler pour l'un de ses clients, mais je me retiens et change de sujet.

« Alors, ça te plaît, le bureau de Paris ? »

« C'est très bien, mais ce n'est pas New York. » Il regarde ailleurs un moment avant de continuer. « En passant… je n'ai pas demandé à être muté là-bas. »

« Ça venait de qui ? »

« De Harry. »

J'avais le sentiment qu'Antoine avait été chassé de New York, mais pourquoi Harry aurait-il demandé à l'un des meilleurs éléments de s'expatrier s'il avait lui-même l'intention de partir, de toute façon ? »

« C'est Bonnie qui le lui a ordonné. J'imagine qu'elle se sentait menacée par ma relation avec Scott et ma capacité à attirer des clients. »

« J'avais bien l'impression que ce n'était pas ta décision. Tu ne semblais pas trop emballé d'aller à Paris. »

« Non, je ne l'étais pas. Malheureusement, Scott n'a pas pu faire changer Harry d'idée. Je t'avais dit que le bureau était une zone de guerre. »

« Je ne savais pas que la politique interne était devenue aussi belliqueuse. »

« Elle l'était et elle l'est encore. C'est pourquoi j'ai suggéré que Bonnie soit ton seigneur de guerre. Il vaut toujours mieux l'avoir de ton côté », dit-il d'un ton sarcastique.

« Je préférerais ne pas la savoir dans les parages, c'est tout. »

Il sourit. « C'est une excellente avocate. »

« Je sais, mais je la trouve très intimidante. J'ai envie de rentrer sous terre chaque fois qu'elle me demande quelque chose. »

« Pourquoi ? »

« Ce n'est jamais assez bien. Je ne pense pas que mon ego puisse encaisser davantage de ses critiques. Sais-tu que je fais un détour par la réception cinquante fois par jour pour éviter de passer devant son bureau ? »

« C'est à ce point ? »

« Elle me terrifie. »

« Est-ce aussi ce que les gens disent de moi ? » demande-t-il en me regardant fixement.

« Eh bien… euh… non. Pas vraiment. »

«Allons, Catherine, je ne suis pas né de la dernière averse. Dis-moi ce que les gens racontent dans mon dos.»

J'hésite un moment avant de répondre, mais étant donné sa bonne humeur, je respire profondément et je me lance.

«J'ai entendu dire que tu as un surligneur dans le derrière.»

Il rit à gorge déployée.

«Vraiment? C'est hilarant! J'adore! Quoi d'autre?»

«Rikash m'a dit que tu l'avais aidé pour un scénario. Il te tient en très haute estime.»

«Je veux entendre les médisances, pas les compliments. Je sais que les gens disent que je suis un bourreau de travail fini.»

«Tu passes vraiment un temps énorme au travail.»

Il prend le lampion de la table et le fait maladroitement tourner entre ses paumes.

«Pas comme toi. Tu partais toujours dans des fêtes prestigieuses.»

«Parce que Scott me le demandait. Et la plupart d'entre elles s'avéraient plutôt imbuvables, crois-moi.»

«Je suis désolé d'avoir été si sévère avec toi, Catherine. Je sais que Mel était un vrai trou du cul.»

Je reste muette. Ce n'est pas à Mel que je pensais, mais au concert avec Jeffrey au Carnegie Hall et à la façon dont il m'avait tant impressionnée ce soir-là. Je jette un regard autour de moi, l'estomac noué par l'anxiété.

« Catherine, est-ce que ça va ? » demande Antoine, inquiet.

« Désolée. Je me suis mise à rêvasser une seconde. »

Il prend une autre gorgée de champagne avant de bafouiller : « Je dois te dire que… eh bien… en ce qui concerne Jeffrey, je suis au courant de tout. »

Comme j'étais loin de le croire au diapason de mes pensées, je bondis presque de ma chaise. Je regarde au loin un moment avant qu'il ne capte mon attention.

« Qui t'a mis au parfum ? »

« Un petit oiseau. »

« Rikash ? »

Je vais le tuer.

« Par souci. »

« Souci ? »

« Rikash suspectait Jeffrey d'être un coureur de jupons, et il m'a appelé pour savoir si je le connaissais. Je l'ai googlé, tard un soir, au bureau, et nous savions tous les deux que ça finirait probablement mal. »

« Mais pourquoi ? »

« Son dernier emploi était celui de directeur financier d'une compagnie de médias qui s'est restructurée en laissant aller sa division Internet. »

« Qu'est-ce qu'il y a de mal à cela ? »

« Des allégations de délit d'initié ont été portées contre lui. »

Les bras m'en tombent, je suis morte de honte. J'ai l'esprit qui tourbillonne ; Rikash m'avait pourtant conseillé de me renseigner sur le passé de Jeffrey avant de l'accompagner dans les Hamptons. Comment ai-je pu être aussi naïve ?

« Comment est-il devenu directeur financier d'une compagnie cotée en Bourse ? »

« Il a dû blanchir son nom. Autrement, on ne l'aurait pas autorisé à occuper ce poste. »

« Pourquoi aucun de vous deux ne me l'a-t-il dit ? »

« J'ai essayé. Je t'ai envoyé ce courriel qui disait de faire confiance mais de néanmoins vérifier, tu te rappelles ? »

« Tu t'attendais sérieusement à ce que je comprenne ce que ça voulait dire ? »

« J'ai voulu rester subtil. »

Je me remémore le moment précis où j'ai reçu le courriel d'Antoine, que j'avais écarté parce que je le trouvais agaçant. Comme j'ai eu tort de penser que Jeffrey avait raison, et non lui ! J'essaie de m'en sortir avec les honneurs.

« En passant, j'ai écrit une lettre à la SEC qui résume tous les faits. On n'a pas balayé l'affaire sous le tapis. »

« Je ne m'attendais pas à ce que ça le soit. Tu as bien fait, Catherine. »

« Je sais. Est-ce que Scott est au courant ? »

Avec tous les coups bas qui ont lieu dans le cabinet ces derniers temps, il est difficile de savoir à qui faire confiance. Je me tortille sur ma chaise en pensant que Scott pourrait être au fait de ma mésaventure personnelle.

«Non. Tu peux me faire confiance, Catherine. Totalement.»

La tension se dissipe dans le bas de mon dos. Antoine est de mon côté.

«Vous deux, vous aviez plutôt raison de vous méfier de Jeffrey. Quel salaud!»

«Je suis désolé.»

«J'ai eu l'impression d'être traînée dans la boue. C'était assez désagréable.» Je marque une pause et j'essaie de me ressaisir, mais la douleur est encore vive. Je change rapidement de sujet. «De toute façon, c'est terminé et je ne veux surtout pas m'attarder sur le passé. Je suis à la veille d'un nouveau départ.»

Consciente que l'alcool me monte à la tête et que je suis sur le point de dire des choses que je devrais taire, je change de tactique. Le champagne me donne l'audace de m'occuper de sa vie privée.

«Dis-moi, tu fréquentes quelqu'un?»

«Non.»

Sa réponse m'étonne; il a l'allure, l'intelligence, et maintenant le pouvoir, et je tenais pour acquis que les femmes allaient se jeter à ses pieds.

« Vraiment ? Un homme comme toi ? C'est incroyable ! J'imagine que tu as été trop occupé à travailler à cette grande privatisation… »

Il me fixe du regard et s'adosse à sa chaise. Il fait une longue pause avant de prendre une grande gorgée de champagne.

« Catherine, je me fous éperdument de ce client ou même de tout autre dossier. »

Je reste muette.

« J'ai des choses bien plus importantes à traiter. » Ses yeux noirs me vrillent.

« Oh ! »

« Et toute cette histoire de googler Jeffrey. »

« Ah ? »

« Je l'ai fait par jalousie. Je ne voulais pas que votre relation fonctionne. »

Nos regards se soudent, mon cœur accélère. Antoine m'a toujours attirée, mais je n'aurais jamais imaginé que cela pût être réciproque. Et puis, je l'ai toujours considéré comme une épine plantée dans le pied plutôt que comme un amoureux potentiel. Mais je lui trouve quelque chose de différent maintenant – il est beaucoup plus détendu.

« Vraiment ? » Je repense à certains de nos échanges épistolaires, et je me focalise sur certains de nos courriels et de nos entretiens.

« Et c'est pourquoi tu m'as ignorée dans la salle de photocopie après que je t'ai envoyé ce courriel de flirt ? »

« Je croyais que tu te moquais de moi, tout simplement. »

« C'est pour ça que tu m'as retiré le dossier Dior ? »

« Mmm-hmm. J'imagine. » Il fixe son assiette. « J'étais fâché parce que tu étais allée passer un week-end dans les Hamptons avec Jeffrey. »

« Ah bon ? »

« À vrai dire, j'avais peur de t'avouer ce que je ressentais, car je quittais le pays et je ne tenais pas à y laisser des plumes. »

Devant sa vulnérabilité, mon cœur fond et je découvre enfin quel homme incroyable il est.

« Qu'est-ce qu'il y a de si différent, maintenant ? Tu es encore sur un autre continent. »

« Je ne veux pas gâcher ma chance d'être avec quelqu'un d'aussi merveilleux. »

Il se lève de sa chaise, se penche vers moi, et je me sens ramollir.

« Puis-je t'embrasser ? »

Sans réfléchir, je fais signe que oui. Il me saisit par le bras et m'attire vers lui. Un peu ivre, je musèle mes inhibitions, me redresse – ma main droite se tend vers ses boucles noires. Nos lèvres se touchent et je réponds passionnément à son baiser. Le moment est parfait.

Le serveur fait mine de nous ignorer jusqu'à ce qu'Antoine lui fasse signe d'apporter une autre bouteille de champagne.

« Nous avons autre chose à fêter », dit Antoine au serveur.

« Je ne crois pas être capable de boire un autre verre. »

« C'est pour emporter. »

Il prend ma main et embrasse tendrement le bout de mes doigts. L'euphorie m'envahit.

« Tu n'as pas idée du nombre de fois que j'ai rêvé de cet instant. »

Le lendemain, nous nous éveillons au son du réveille-matin.

« Si on prenait le petit-déjeuner au lit ? » demande Antoine.

« Est-ce qu'on ne devrait pas au moins se présenter aux activités d'équipe du cabinet ? »

« Le cabinet ? Quel cabinet ? »

« Celui dont tu es maintenant associé ! »

« Ah oui, celui-là ! »

Il entoure mes épaules de ses bras, et sa chaleur me donne le vertige.

« Qu'est-ce qu'on fait maintenant, mademoiselle Lambert ? » murmure-t-il à mon oreille, tout en me caressant les cheveux.

Je reste silencieuse un long moment. Je ne lui dis pas que j'ai passé la moitié de la nuit à me poser la même question ; que je ne peux plus supporter le chagrin, que je veux être avec lui, mais que je ne suis pas certaine de pouvoir me résoudre à retourner en France uniquement pour les beaux yeux d'un homme. Par-dessus le marché, je songe désespérément à quitter le cabinet et j'ai même parlé à la responsable juridique de chez Dior afin de postuler un emploi.

Je murmure : « Je crois avoir un plan. »

« Ah oui ? Veux-tu m'en révéler les détails ? »

« Pour cela, il faudrait que je te tue. »

« Ton sourire s'en est déjà chargé. » Il me chatouille. « Je n'ai que six mois à vivre, à moins de te revoir très bientôt. » Il me retourne de façon que je sois face à lui, et il devient sérieux.

« C'est vrai, Catherine, j'ai envie de partager ta vie ; une relation à distance pourrait être difficile. Reviens à Paris, je m'arrangerai pour que ça en vaille la peine, je te le promets. »

Je retombe sur mon oreiller alors qu'il m'embrasse partout avec tendresse.

Un moment de profond bonheur m'envahit. Je ne sais pas ce que c'est, mais c'est beaucoup plus fort que ce qu'on appelle *connecter* avec quelqu'un.

CHAPITRE 39

« Alors, comment c'était, en Californie, *dah-ling*? Tu as rencontré de beaux gars? »

Je fixe le plancher en essayant de ne pas rougir.

« Bon, quel est son nom ? »

« Rikash, ferme la porte. »

« Oooh, je m'attends à du croustillant. »

« Tu ne le diras à personne, hein ? Ni indices, ni sous-entendus, rien. »

« D'accord, d'accord. As-tu aussi une aventure avec Harry ? »

« Ouf ! Bien sûr que non. Mais on est devenus plus intimes. Il faut dire que je lui ai vomi dessus à l'aller. »

« J'en ai entendu parler. Tout le cabinet est au courant. Continue. »

« J'étais sur le point de te dire qu'il s'est passé quelque chose…, euh… avec Antoine. »

« Oh, *dah-ling.* » Il agite les mains en l'air. « Tu as fini par t'en rendre compte ? »

« Qu'est-ce que tu veux dire ? »

« Nous savions tous que tu lui plaisais. Je l'ai surpris à regarder longuement ta photo sur le site Web du cabinet, et plus d'une fois. »

« C'est drôle, j'ai toujours cru qu'il ne m'aimait pas. »

« C'est tout le contraire, *dah-ling.* »

« Il m'a dit que vous deux aviez googlé Jeffrey. »

Il fronce le nez. « Je suis désolé, je ne voulais pas divulguer d'information, je l'ai fait par bienveillance. »

« Je sais. Tu es un véritable ami. »

« Mais il est à Paris. Entretenir une relation à distance, c'est très compliqué. »

« Je crois qu'on peut y arriver. »

« Est-ce que tu ne pourrais pas tout simplement retourner à ton ancien poste au bureau de Paris ? »

Je baisse la voix. « En Californie, il est arrivé quelque chose d'assez incroyable qui m'a fait réfléchir. »

« Oh, quoi donc ? » murmure-t-il lui aussi, en levant les sourcils avec emphase.

« Dior organisait des rencontres de cadres à notre hôtel, et j'ai parlé à leur avocate en chef en lui disant que je voulais postuler un emploi. »

« Chez Dior ? Oh mon Dieu ! » Il virevolte au-dessus d'une pile de dossiers.

« Chuuut ! Pas si fort ! N'est-ce pas incroyable ? Ce serait le meilleur emploi dont je pourrais rêver ! »

« Alors, c'est pour quand, la grande entrevue ? » Il place mon visage entre ses mains.

« Euh, voilà le problème. »

« Oh ? »

« La responsable a quitté l'hôtel avant que je puisse lui donner mon CV. »

« Oh, chérie, c'est nul. Mais Antoine fait du travail juridique pour Dior. Pourquoi ne te servirait-il pas de messager ? »

« Nous en avons parlé avant mon départ de Californie. Nous avons décidé qu'étant donné sa récente promotion au rang d'associé, il vaudrait mieux qu'il n'intervienne pas, cela pourrait le mettre dans l'embarras auprès des associés principaux. »

« Je peux t'aider à décrocher ce poste juridique chez Dior. Laisse-moi essayer ma magie. »

« Non, non, Rikash, pas de tours pendables, s'il te plaît. C'est peut-être la plus grande chance de ma vie. »

« Fais-moi confiance, *dah-ling*. Est-ce que je t'ai déjà laissé tomber ? »

Le lendemain matin, Nathan entre dans mon bureau, l'air abattu.

« Eh ! Que se passe-t-il ? »

Il ferme la porte et s'affale dans l'un des fauteuils qui font face au bureau.

« Je me sens nul. »

« Pourquoi ? »

« Je n'y suis pas arrivé, Catherine. Je n'ai pas été admis comme associé. Scott vient de me l'annoncer il y a quelques minutes. »

« Je suis tellement désolée, Nathan. Je suis sûre que ce n'est que partie remise. »

« Ce n'est pas ça qui compte. Si tu savais le mal que je me suis donné depuis sept ans, combien de foutues heures j'ai facturées. »

« Est-ce qu'il a dit pourquoi ? »

« Il a dit que je ne travaillais pas suffisamment pour tel associé qui est une grosse pointure et tel autre qui a plus de poids au comité du partenariat, que je devais prouver que je peux mettre en marché ma pratique, bla-bla-bla, n'importe quoi. C'est un jeu politique, Catherine, de la foutaise. »

« Mais tu as facturé plus d'heures que tous les autres du groupe ? »

« Je sais. C'est pour ça que ça m'écœure. Je ne veux plus faire ça, Catherine. Je veux juste me jeter du haut d'un pont. »

« Je peux comprendre. » Je fais une pause, en réfléchissant à ma prochaine phrase. « Je suis vraiment fatiguée de tout ça, moi aussi. J'envisage de quitter le cabinet. »

Je ne peux pas croire que j'ai dit ça à haute voix à Nathan, sans même avoir décroché d'autre emploi, mais cela raffermit mon sentiment que le cabinet Edwards & White n'est pas fait pour moi.

« Ça ne m'étonne guère. Ce n'est pas un endroit pour quelqu'un comme toi. »

« S'il te plaît, ne te décourage pas pour ça, Nathan. Ça ne vaut pas la peine. »

« C'est plus facile à dire qu'à faire. »

« Si ça peut te consoler, j'ai lu un article dans le *New York Law Journal* qui disait que les avocats sont parmi les gens les plus déprimés d'Amérique. »

« Vraiment ? »

« Ouais. Dépression, alcoolisme, toxicomanie, divorce et suicide. Nous sommes un groupe à risque. »

« Au moins nous battons les dentistes. »

Je suis soulagée de le voir blaguer.

« Alors, qu'est-ce que tu vas faire maintenant ? »

« Je n'en ai aucune idée. Si j'avais une once de fierté, je partirais, mais j'ai investi tellement de temps dans cet endroit que je ne peux pas tout foutre en l'air. Je ne peux pas le croire. » Il se prend la tête dans les mains et commence à sangloter. « Qu'est-ce que je vais dire à ma femme ? Elle va être furieuse. »

« Est-ce que tu fais tout ça pour toi, ou pour ta femme, Nathan ? Elle est censée t'épauler, non ? C'est pour ça qu'elle est ta femme, tu te rappelles ? »

« Je sais. Mais c'est tellement gênant. »

« Non. Si tu le souhaitais tu pourrais trouver un autre emploi en claquant des doigts. Tu es l'un des meilleurs avocats de New York. »

Je fais de mon mieux pour l'encourager, même si je sais que les avocats qui ne se rendent pas au partenariat après un certain nombre d'années finissent par recevoir un message pas très subtil concernant leur avenir au sein du cabinet.

« Pourquoi n'irais-tu pas travailler pour Harry ? »

« Il ne m'a rien proposé », répond-il, l'air encore plus découragé.

« Et alors ? Il pense peut-être que tu ne quitterais pas le cabinet. Appelle-le ! »

« Hmm. Ça demande réflexion. »

Après le départ de Nathan, je me demande pourquoi je peux remettre la carrière de n'importe qui sur les rails, sauf la mienne. Je longe les couloirs austères du cabinet et je regarde les portraits des associés fondateurs, MM. Edwards et White, avec amusement. Pourquoi suis-je devenue avocate ? Je revois défiler les éprouvants examens à la faculté de droit, les interminables heures à trimer sur des documents juridiques, les pénibles cours de préparation qu'il a fallu endurer pour être admise en tant qu'avocate à Paris et à New York. Si Nathan ne réussit pas à devenir associé, est-ce que j'ai une chance ? Quitter la pratique privée du droit, est-ce une bonne décision ? Une jeune avocate du groupe du contentieux passe et confirme ma décision.

« J'adore ce que tu portes. C'est un bel ensemble. »

CHAPITRE 40

L'absence peut attendrir le cœur, mais elle change le mien en fondue au fromage, épaisse et lourde. Même s'il y a moins d'une semaine que nous avons quitté San Diego, Antoine me manque beaucoup et je ne rêve que de traverser l'Atlantique le plus tôt possible.

« Tu ne devineras jamais ce qui est arrivé aujourd'hui. »

« Non, mais j'ai le sentiment que tu es sur le point de me mentir », répond Antoine à la blague en pointant du doigt la minuscule caméra. Je vois son sourire chaleureux grâce à l'un des miracles de la technologie moderne : une webcam.

« Bonnie et Nathan ont annoncé qu'ils quittaient Edwards & White pour se joindre au cabinet de Harry. »

« Tu sembles surprise ? »

« Euh… *No way!* »

« Tu commences à parler comme une Américaine. Il est temps que tu reviennes en France. »

« J'y travaille, crois-moi ! »

« N'es-tu pas contente d'avoir refusé l'offre de Harry ? Tu serais encore en train de travailler pour Bonnie ! »

« Ha ! C'est le meilleur changement d'emploi que j'aie décidé de ne pas faire. »

« Des nouvelles de Sandrine ? »

« Non. Je lui ai envoyé un courriel avec mon CV, mais elle n'a pas répondu. Rikash œuvre maintenant à un plan diabolique pour m'obtenir une entrevue. Je suis un peu inquiète. »

« Je ne le serais pas ! Il est probablement en train de filmer un court documentaire sur ta vie pour l'envoyer au département juridique. »

« Ce serait le film le plus déprimant de l'histoire du cinéma. »

« Merci bien ! »

« Je veux dire que ce ne serait que du travail… jusqu'au *happy end.* »

« Bon, c'est mieux. »

« Demain, je lunche avec Lisa et son copain, Charles. »

« J'aimerais bien me joindre à vous. »

« J'aimerais que tu viennes aussi. Elle a tellement hâte de te voir. »

« Où est-ce que vous allez ? »

« Artisanal Bistro. »

« C'est l'un de mes restos préférés ! Tu me manques, Catherine. C'est vraiment pénible. »

Je ne réponds pas.

« Catherine ? Tu ne dis rien. »

« Je suis désolée. Je trouve cela vraiment difficile, moi aussi. »

Dès que nous fermons la communication, je reçois un texto.

2pre ou 2loin, t tjrs dans mon keur
A.
XXXX

⌒⌒

Je rencontre Lisa et Charles à l'Artisanal et la forte odeur de fromage me rappelle mon enfance. J'inspire profondément pendant que nous attendons que des places se libèrent. Charles m'accueille avec deux bises : il est grand avec des cheveux filasse, un nez couvert de taches de rousseur, et des dents blanches et parfaites. Avec son pantalon kaki et son blouson d'aviateur, il pourrait être mannequin pour le catalogue J. Crew. Il m'approche une chaise avec galanterie alors que je m'assois à notre table. « Je te rencontre enfin, Catherine. J'ai tellement entendu parler de toi. »

« J'ai moi aussi entendu parler de toi. »

« J'en suis sûr. Lisa s'est probablement plainte de moi, je suis un si mauvais copain », répond-il à la blague. Puis il prend la main de Lisa. Je remarque le diamant qui scintille à son annulaire gauche.

« Mon Dieu ! Lisa ! Tu ne m'en as pas parlé ! »

« C'est vrai. » Elle jette un regard amoureux à Charles. « Nous sommes fiancés ! »

Il l'embrasse tendrement sur les lèvres et ils se frottent le nez.

« Félicitations ! Je suis si heureuse pour vous ! »

Son regard s'attarde sur Charles, puis elle m'informe des détails.

« Nous aimerions nous marier en France. »

« Vraiment ? »

« Nous nous demandions si nous pouvions le faire chez ta mère, puisque nous voulons que ce soit près de l'eau. »

Il me revient soudain en mémoire que Mme Simona m'avait parlé d'un mariage au bord de l'eau : c'était celui de Lisa auquel elle faisait allusion. En fait, je ressens une bouffée de bonheur pour elle – elle le mérite.

« Ma mère serait enchantée. »

« Tu es sûre que ça ne la dérangerait pas ? » demande Charles.

« Absolument. »

« Merci beaucoup, Cat ! »

« Oui, merci Catherine », dit Charles.

« Je veux que tu sois ma demoiselle d'honneur. »

« J'en serais très heureuse. »

« Nous devons aller acheter ma robe ! À Paris, peut-être ? »

« Absolument ! Et je vous emmènerai à la boutique de Fifi Chachnil pour trouver de la belle lingerie française. »

Charles paraît apprécier ma suggestion.

« Ouais, c'est super ! »

Après qu'il a dit cela, je baisse le nez vers mon steak-frites. J'essaie de ne pas gâcher leur grand moment, mais je ne peux m'empêcher d'être triste qu'Antoine ne soit pas là pour fêter la bonne nouvelle. Lisa devine mes pensées.

« Tu t'ennuies d'Antoine ? »

« Oui, beaucoup. »

Après notre lunch, je retourne au bureau, avec l'espoir que le plan de Rikash progresse dans le bon sens. Le cabinet a été étrangement calme depuis que Harry a annoncé son départ, et je veux retourner à Paris le plus rapidement possible.

∞

Assise dans mon fauteuil, je songe à Paris, lorsque Rikash attire mon attention.

« Regarde ce qu'on vient de livrer pour toi. C'est magnifique », dit-il en déposant sur mon bureau un énorme bouquet d'arums blancs.

« Merci, Rikash. »

J'ouvre l'enveloppe et j'y trouve une note manuscrite :

Avec tout mon amour.

Antoine

Je ne m'attendais sûrement pas à ce qu'Antoine exprime ses sentiments si rapidement, et je suis profondément touchée. J'ai consacré les six années les plus pénibles de ma vie à d'innombrables heures de travail, jouant des coudes à chaque échelon de ma carrière comme si ma vie en dépendait. Mais il m'a manqué l'un des vrais plaisirs de la vie : une relation gratifiante.

Rikash me regarde fixement, dans l'expectative.

« Alors ? »

« Il a écrit quelque chose de très romantique. »

« Pourquoi fais-tu cette tête-là, alors ? »

« Il faut que je trouve un moyen pour fuir cet endroit. »

« Allons, chérie. Je t'ai déjà dit de ne pas t'en faire. »

« Je commence à ne plus y croire et j'ai de la difficulté à me concentrer sur mes dossiers. Je n'ai plus aucune motivation. »

« Ce n'est pas en prenant cet air désespéré que tu arriveras à quelque chose. Tu dois agir comme si tu avais déjà l'emploi. Répète après moi. *Je suis une fabuleuse diva et ils vont m'embrasser les pieds.* »

« C'est quel genre de mantra ? »

« Un mantra sacré de l'Inde. Je le répète devant la glace chaque matin avant de partir de chez moi. Et tu sais quoi ? Ça fonctionne. »

« Ouais. Désolé, Rikash, mais je ne crois pas qu'il suffise de répéter ton ridicule mantra pour que mon poste de rêve chez Dior me soit offert par magie. »

« Ridicule ? » Rikash me regarde d'un air défiant. « Tu qualifies mon héritage culturel de ridicule ? »

« Bien sûr que non. Je ne le sens pas, c'est tout. » Je prends à même mon tiroir de bureau un verre de plastique et une bouteille de vin rouge destinée aux situations d'urgence. « J'ai besoin d'un verre. »

« Ne me dis pas que tu vas vraiment boire cette piquette ? »

« Si, monsieur. C'est ce que je vais faire. À moments désespérés, mesures désespérées. »

« Tu parles. » Il sort de mon bureau sans ajouter un mot.

Le lendemain, je suis en train de soigner un gros mal de tête provoqué par la piquette lorsque le mot DIOR apparaît sur l'afficheur de mon téléphone du bureau.

« Catherine ? Bonjour. Sandrine Cordier. »

Je me fige en entendant sa voix.

« Bonjour, Sandrine, je suis si heureuse d'avoir de vos nouvelles. Vous vous souvenez de notre brève conversation à San Diego ? »

« Oui, bien entendu. »

«J'imagine que vous avez eu un contretemps lors de notre rendez-vous. Vous devez être extrêmement occupée.»

«Oui, fort occupée.»

«M'appelez-vous pour qu'on reprenne rendez-vous?»

«Pas exactement.»

Je sens une douleur lancinante au creux du ventre, et je m'attends au pire. Je retiens mes larmes.

«Je vous appelle parce que je viens de recevoir par FedEx une copie de votre CV imprimé sur du taffetas de soie rose et orange, avec vos initiales gravées en lettres dorées. C'est toute une manifestation d'intérêt.»

Putain! Je ne peux pas croire que Rikash soit allé jusque-là. Ma seule chance d'obtenir l'emploi de mes rêves et d'être avec l'homme que j'aime vient de tomber à l'eau. Je me vois soudain finir le reste de mes jours enfermée dans mon bureau de New York, enchaînée à une chaise pivotante, à facturer des heures jusqu'à ce que mon visage bleuisse, tandis que des avocats débutants complotent pour faire exploser mon bureau et empoisonner mon café.

«Oh!»

«Vous êtes une femme *très* déterminée.»

«Euh… je peux vous expliquer…»

«Ce n'est pas nécessaire. Je viens de le montrer à quelques-uns des designers, en bas, et ils ont adoré votre idée. Ils étaient fort étonnés que vous connaissiez les couleurs de leur prochaine collection.»

«Je suis très contente que ça leur ait plu.» J'abonde dans le même sens qu'elle, même si je n'ai aucune idée de ce qu'elle a reçu.

«Pourriez-vous être à Paris jeudi prochain pour une entrevue avec notre PDG?»

Il y a une longue pause silencieuse. Mon cœur bat à une vitesse record. Elle ajoute:

«J'ai un poste qui pourrait vous intéresser: Monsieur Le Furet va prendre sa retraite de directeur de la propriété intellectuelle. J'ai besoin de quelqu'un pour le remplacer, et je vois, à votre CV, que vous avez déjà travaillé dans ce domaine. Vous semblez être la personne idéale pour ce poste.»

Un énorme sentiment d'euphorie remplit chaque cellule de mon corps. Je veux lui dire que je travaillerais même gratuitement, mais je respire profondément et me rappelle le mantra de Rikash; je ne dois pas paraître trop désespérée. Je n'obtiendrai jamais rien ainsi.

«Oui, j'ai une expérience pertinente qui pourrait être intéressante pour ce poste. Je serais enchantée de rencontrer votre PDG.»

Après avoir raccroché, je lance une bouteille miniature de POP Champagne rosé vers le bureau de Rikash. «Tu es formidable! Attrape!»

«Tu as un minibar bien garni dans ce bureau. Avons-nous quelque chose à célébrer?»

«Oui monsieur!»

Il court vers mon bureau avec la bouteille à la main. « Alors, ça a marché ? »

« Certainement. Je ne pourrai jamais te remercier suffisamment, tu es extraordinaire. »

Il lève les bras au ciel, tel un champion olympique, et secoue la mini bouteille de champagne avant de faire exploser son contenu dans mon bureau.

« Si j'obtiens le poste, serais-tu intéressé à devenir mon assistant ? Nous pourrions partir en guerre contre les faussaires internationaux. »

« Ne dis pas "*si*", mais "*quand*". Rappelle-toi le mantra, *dah-ling*. Mon Dieu, je pense que tu as besoin de moi à Paris pour t'aider à rester tranquille ! » Il me serre dans ses bras puis me décolle du sol.

« Cher Rikash, il faut fêter ça par une soirée. Que dirais-tu de sushis à l'hôtel Gansevoort ? Je t'offre à dîner. »

Il prend son veston et commence à trottiner le long du corridor. « Je suis là dans un instant ! »

J'ouvre mon tiroir et lui dis :

« Je te rejoins dans le hall d'entrée dans cinq minutes ; j'ai une lettre importante à mettre à la poste avant de partir. »

REMERCIEMENTS

J'aimerais tout d'abord remercier mes parents pour leur immense soutien. Aussi, *J'adore New York* n'aurait jamais vu le jour sans l'encouragement et la générosité de Marie-Claude Germain, Isabelle Rayle-Doiron et Daniel Bourque.

Un très gros merci à mon éditrice, Anne-Marie Villeneuve, pour sa bonne humeur, son assiduité et son enthousiasme pour ce projet.

Merci aussi à toute l'équipe de Québec Amérique pour m'avoir aidée à concrétiser un rêve, et particulièrement à Luc Roberge, Rita Biscotti, Anne-Marie Fortin, Sandrine Donkers, Anouschka Bouchard, Lyne Trudel et Jacques Fortin. J'aimerais souligner l'excellent travail des traducteurs : Caroline LaRue et Michel Saint-Germain.

Un merci particulier à une voyante nommée Christine, qui m'a arrêtée dans les rues de Manhattan, par un sombre après-midi de novembre, pour me dire que je passais à côté de ma vocation.

Merci du fond du cœur à mes amis et à ma famille pour leurs conseils et support : Simon Laflèche, Denis Boulianne, Gérard Vannoote, Caroline Lemoine, Line Rivard, Dominique Fontaine, Marie-Josée Fournier, Geneviève Guertin, Julie Drapeau-Crevier, Pascale Bourbeau, Michel De La Chenelière, Caroline Fortin, Yanic Truesdale, Joelle Reboh, Olivia Commune, David Jurado, Claude Commune, Isabelle Lamarre, Christine Maestracci, Catherine Godin, Daniel Laporte, Julie Rivest, Rossana Sommaruga, et toute l'équipe de QAI.

Un merci tout doux à Patrice, pour sa grande joie de vivre, sa patience et son encouragement lors de ce joyeux parcours.

Et merci à Myriam Caron Belzile pour avoir composé cette touchante ode à Catherine Lambert :

Il était une fois une femme de tête et de cœur,
Vite lancée à la poursuite de son destin.
Parmi les fauves, les loups, les New-Yorkaises,
Elle gravit les échelons du Château de verre,
En traversa ses plafonds, en explora la tuyauterie,
Pour découvrir que le miroir tout en haut
Ne reflétait que son ombre.
Le doute soudain la prit. La vie a-t-elle un prix ?
Colifichets et clauses ne la satisfaisaient plus.
Survint une voyante, qui lui pointa les signes,
Son destin était ailleurs, entre les lignes.
Sans attendre un coup de baguette magique,
Elle s'est faite fée et son histoire l'a transformée.

Couchant sur papier ses rêves et ses pensées,
Teintant de rose les rudes années passées,
Et remettant l'ouvrage mille fois sur le métier.
Petit à petit,
La couleur est revenue à ses joues, à ses robes,
Des châteaux faisant fi, elle s'était construit un nid,
Avait trouvé une voix, une voie, et fait des choix.
La femme a changé, mais sème toujours sur son
    chemin
Sourire, rubans de soie et fleurs de satin.

GARANT DES FORÊTS
INTACTES

L'impression de cet ouvrage sur papier recyclé a permis de sauvegarder l'équivalent de 48 arbres de 15 à 20 cm de diamètre et de 12 m de hauteur.